Souvenirs de la banlieue

Catalogage avant publication de Bibliothèque et Archives nationales du Québec et Bibliothèque et Archives Canada

Souvenirs de la banlieue
Sommaire: t. 4. Junior.
ISBN 978-2-89585-301-5 (v.4)
I. Titre. II. Titre: Junior.
PS8623.A24S688 2012 C843'.6 C2011-942894-6
PS9623.A24S688 2012

Les Éditeurs réunis bénéficient du soutien financier de la SODEC et du Programme de crédit d'impôt du gouvernement du Québec.

Nous remercions le Conseil des Arts du Canada de l'aide accordée à notre programme de publication.

Nous reconnaissons l'aide financière du gouvernement du Canada par l'entremise du Fonds du livre du Canada pour nos activités d'édition.

Édition :
LES ÉDITEURS RÉUNIS
www.lesediteursreunis.com

Distribution au Canada :
PROLOGUE
www.prologue.ca

Distribution en Europe :
DNM
www.librairieduquebec.fr

Suivez Les Éditeurs réunis sur Facebook.

Pour communiquer avec l'auteure : rosette.laberge@cgocable.ca

Imprimé au Canada

Dépôt légal : 2013
Bibliothèque et Archives nationales du Québec
Bibliothèque nationale du Canada
Bibliothèque nationale de France

ROSETTE LABERGE

Souvenirs de la banlieue

Tome 4
Junior

LES ÉDITEURS RÉUNIS

De la même auteure

Souvenirs de la banlieue – tome 1. Sylvie, roman, Les Éditeurs réunis, 2012.

Souvenirs de la banlieue – tome 2. Michel, roman, Les Éditeurs réunis, 2012.

Souvenirs de la banlieue – tome 3. Sonia, roman, Les Éditeurs réunis, 2012.

Maria Chapdelaine – Après la résignation, roman historique, Les Éditeurs réunis, 2011.

La noble sur l'île déserte – L'histoire vraie de Marguerite de Roberval, abandonnée dans le Nouveau Monde, roman historique, Les Éditeurs réunis, 2011.

Le roman de Madeleine de Verchères – Sur le chemin de la justice, roman historique, Les Éditeurs réunis, 2010.

Le roman de Madeleine de Verchères – La passion de Magdelon, roman historique, Les Éditeurs réunis, 2009.

Sous le couvert de la passion, nouvelles, Éditions du Fada, 2007.

Histoires célestes pour nuits d'enfer, nouvelles, Éditions du Fada, 2006.

Ça m'dérange même pas !, roman jeunesse, Éditions du Fada, 2005.

Ça s'peut pas !, roman jeunesse, Les Glanures, 2001.

Ça restera pas là !, roman jeunesse, Les Glanures, 2000.

À mon amie Christine.

Chapitre 1

Longueuil, le 9 mai 1970

Le sourire aux lèvres, Sylvie dépose une petite boîte sur la table de la cuisine. Elle sort ensuite une bouteille de Coke du réfrigérateur, prend des verres à moutarde et un grand bol dans l'armoire et met le tout sur la table. La seconde d'après, elle file à sa chambre ; elle revient dans la cuisine avec une pleine boîte de chips et du fudge. Elle place une chaise face au salon pour bien voir la télévision et se laisse tomber dessus. Il n'est pas question qu'elle manque, ne serait-ce qu'une seule image, de l'émission *Jeunesse d'aujourd'hui* de ce soir. Ça fait tellement longtemps qu'elle attend ce moment ! Le beau Pierre Lalonde n'a pas raté une occasion de répéter que Chantal Pary et André Sylvain se marieront en direct à la télévision. Du jamais vu ! Sylvie aime tellement cette chanteuse ! Aussitôt que Chantal Pary sort un disque, elle se précipite pour l'acheter. Elle connaît par cœur chacune des chansons de son idole : *L'amour est passé, Le temps qui passe, C'est fini*… Sylvie ne peut résister à l'envie de fredonner un bout de chanson :

C'est fini, bien fini
Il faut se séparer
Notre roman est déjà terminé
Oh ! Oh ! Oh oui !

Quand Michel l'entend chanter un des succès de Chantal Pary, il ne se contente pas de la taquiner, il la traite aussi de groupie. Les premières fois, elle se fâchait contre lui, mais maintenant elle en rit, d'autant que son mari n'est vraiment pas loin de la vérité. À part le fait que Sylvie ne devient pas hystérique en voyant sa chanteuse préférée à l'écran, elle l'adore. Elle aime tout de cette artiste : son physique de déesse – elle paierait cher pour avoir le même –, son sourire enjôleur, ses yeux rieurs et sa voix à la fois douce et puissante. Chaque fois que Sylvie la voit à la télévision, elle est étonnée de voir avec quelle aisance Chantal chante, mais surtout avec quelle grâce celle-ci porte les robes les plus courtes et les tenues les plus excentriques sans verser pour autant dans la vulgarité.

Chantal Pary a tout pour elle. Bien que Sylvie ne soit pas de nature jalouse, quand elle regarde la chanteuse, elle se dit que la vie est injuste. Pourquoi certaines sont si privilégiées alors que d'autres, comme elle, n'ont pas grand-chose ? Michel a beau lui dire à quel point il la trouve belle, Sylvie a de plus en plus de difficulté à le croire.

— Arrête de te comparer à Chantal Pary, c'est une jeune poulette ! s'écrie-t-il quand sa femme hausse les épaules pour montrer qu'elle ne le croit pas. Moi aussi, je serais découragé si je me comparais à Pierre Lalonde. Tu devrais prendre pour modèle quelqu'un de ton âge.

Les livres que Sylvie a prises au fil du temps sont là pour rester ; les années le lui ont prouvé. Chaque grossesse a laissé sa trace ; dans son cas, cela s'est malheureusement traduit par de trop nombreuses livres qui ont arrondi sa taille, ses hanches, ses fesses. Quel gâchis ! Sylvie a tout essayé pour se débarrasser de son excédent de poids. Là-dessus, elle a la conscience tranquille : elle n'a vraiment pas ménagé ses efforts. Même si elle a entrepris de nombreux régimes, elle n'a jamais pu perdre une seule livre de manière définitive. Elle maigrissait une semaine pour mieux reprendre le poids perdu la semaine suivante. Aujourd'hui, quand elle se regarde dans le miroir, c'est à la sauvette. Ça lui fait trop mal de voir ce qu'elle est devenue. Chaque fois, elle se rappelle l'élégante jeune femme qu'elle était quand elle a connu Michel. Certes, elle n'avait rien d'un mannequin – ni de Chantal Pary non plus, il va sans dire –, toutefois, elle aimait sa silhouette. « Mais tout ça, c'est du passé. Je suis comme je suis et je ne peux pas y changer grand-chose. À moins que je demande à Éliane de me parler du régime qu'elle suit. En tout cas, ça a l'air de marcher pour elle. Demain, je vais lui téléphoner. »

La saison de hockey s'est terminée abruptement le 5 avril. Au grand désespoir des hommes de la maison, leurs chers Canadiens n'ont même pas réussi à faire les séries cette année. Alors, quand tous les membres de la famille ont appris qu'ils allaient être obligés non seulement de regarder le mariage de Chantal Pary, mais en plus d'écouter *Jeunesse d'aujourd'hui* sans pouvoir émettre le moindre petit commentaire, ils ont décidé de sortir. Quand Sylvie regarde une émission, elle déteste au plus haut point entendre parler ou, pire encore, entendre chuchoter. C'est pourquoi, aussitôt leur dernière bouchée avalée, Michel, les jumeaux et Luc ont vite pris la poudre d'escampette pour aller se réfugier chez Paul-Eugène et Shirley. À les entendre parler, ils se promettaient une soirée mémorable de cartes entre hommes. Pendant le souper, les garçons ont demandé à leur père s'ils pourraient jouer quelques parties de huit. Depuis que leur tante Chantal leur a appris ce jeu, ils y jouent dès qu'ils ont un peu de temps. Mais seul l'avenir dira s'ils auront gain de cause. En fier représentant du Saguenay, Michel a tendance à imposer La poule comme unique jeu. Il n'y a qu'avec le père de Sylvie qu'il accepte de jouer au 500 – probablement parce qu'il gagne toujours.

Mais ce soir, il n'y a pas que le mariage de Chantal Pary qui excite Sylvie. Dans quelques minutes, Sonia et Chantal lui perceront les oreilles. Pour l'occasion, elle a choisi des petits anneaux en or jaune, une vraie folie. Quand la vendeuse lui a dit combien ils coûtaient, Sylvie a failli s'étouffer. Mais pour une fois, elle a décidé de se faire plaisir et elle est sortie de la bijouterie avec une petite boîte qu'elle a rangée précieusement dans son sac à main. Comme le dit tante Irma : « Il faut se faire plaisir au moins une fois par jour. Parfois, ça ne coûte rien, et parfois ça coûte cher. »

Chantal et Sonia ont tout essayé pour dissuader Sylvie de se faire percer les oreilles par elles. Elles ont eu beau lui dire que ce n'était pas pour rien qu'elles n'étaient pas infirmières, qu'elles n'aimaient pas voir du sang, qu'elles détestaient les aiguilles, que Shirley serait bien mieux qu'elles pour lui percer les oreilles... rien à faire. Sylvie les a tant tourmentées qu'elles ont fini par accepter. La vendeuse de la bijouterie où elle a acheté ses boucles d'oreilles lui a proposé de lui percer les oreilles sur-le-champ, mais elle a refusé. Sylvie ne saurait dire pourquoi exactement, mais elle tient mordicus à ce que ce soit fait chez elle, à la table de la cuisine – sans témoin masculin à proximité, bien entendu. D'ailleurs, elle n'a même pas parlé à Michel de son projet. Ce sera une bonne occasion de vérifier s'il la regarde encore. S'il remarque qu'elle a des boucles d'oreilles neuves et qu'elle ne les enlève pas pour dormir, ce sera bon signe. Sinon, ce sera l'occasion de lui faire une petite remontrance.

Tante Irma devrait se joindre à elles. Toutefois, elle a bien averti Sylvie qu'il n'était pas question qu'elle participe aux opérations. « Ne compte pas sur moi pour te charcuter. Les aiguilles et moi ne faisons pas bon ménage. J'en ai la chair de poule juste à y penser. Je ne sais vraiment pas comment tu fais pour te faire percer les oreilles, surtout de cette manière. Une chose est certaine, tu aimes souffrir plus que moi. » Contrairement à son habitude, Sylvie ne s'en fait pas du tout, elle est même impatiente.

* * *

Étendue sur son lit, un livre dans les mains, Sonia revoit les différentes subtilités de la pièce de théâtre sur laquelle portera un de ses examens la semaine prochaine. Alors que plusieurs élèves de son groupe trouvent l'exercice difficile, la jeune fille n'aura eu besoin de lire ses notes que deux fois pour retenir les éléments les plus importants. Quant au reste, elle a décidé de faire confiance à son jugement. C'est comme ça que Sonia fonctionne depuis qu'elle est au cégep et ça lui a toujours bien servi. Elle n'est pas la meilleure étudiante, mais elle s'en tire très bien, à tel point que plusieurs de ses professeurs l'encensent dès que l'occasion se présente. Mais Sonia n'a pas de mérite. Elle aime jouer. Quand elle est sur une scène, elle entre dans la peau du personnage. Et puis, lorsqu'elle décortique une pièce, elle procède à l'exercice comme si c'était un jeu et cela fonctionne. Sonia adore aller au cégep. Elle s'y sent totalement libre. Par-dessus tout, elle aime qu'on la remarque ; au cégep, elle en a pour son argent. Il ne se passe pas une seule journée sans qu'elle se fasse aborder par un garçon ou même siffler, ce qui l'amuse.

Quand Sonia arrive au bout de sa lecture, elle jette un coup d'œil à sa montre. Elle a le temps de donner quelques coups de pinceau. Voilà déjà plus d'un mois qu'elle travaille sur ce tableau dès que son emploi du temps le lui permet. Quand son oncle André lui a téléphoné pour lui commander une grande peinture pour son hall d'entrée, Sonia était folle de joie jusqu'à ce que son oncle lui donne les dimensions de l'œuvre voulue.

— Mais je n'ai jamais fait un aussi grand tableau, a-t-elle laissé tomber d'une voix remplie d'inquiétude.

— Fais-moi confiance, tu vas y arriver. J'irai chercher le tableau, en juillet. Mais ne dis rien à personne, pas même à ta grand-mère.

— Il y a juste un problème. Je pars pendant trois semaines en juillet… et j'aimerais bien être là pour te le remettre.

— Tu n'as qu'à me dire quand exactement tu seras absente et je vais m'organiser. Qu'en penses-tu ?

— J'accepte avec plaisir !

— Je vais t'envoyer un chèque de cent dollars dès demain. Crois-tu que ce sera suffisant pour acheter tout ce qu'il te faut ?

— C'est beaucoup trop ! s'est écriée Sonia.

Son oncle exagère parfois la valeur de ses toiles. Mais comme le dit Daniel, la valeur d'une chose s'établit à partir du prix que les gens sont prêts à payer.

— Je te le répète, a répliqué son oncle, ce n'est pas défendu de faire de l'argent, bien au contraire. Je ne te demande pas de me faire un tableau pour t'exploiter, mais parce que j'aime ce que tu fais. N'oublie jamais que tout travail mérite un salaire, même celui des artistes.

Sonia aime beaucoup son oncle André. Son père et lui partagent plusieurs points communs, même s'ils sont très différents. « Et il est vraiment beau ! » Avec lui, elle se sent importante. Il apprécie ses toiles et il ne rate jamais une occasion de la complimenter. Elle a confiance en lui. L'autre jour, elle lui a téléphoné pour lui demander conseil. Le père d'Antoine venait de lui commander une série de petits tableaux et elle n'arrivait pas à fixer un prix. André l'a écoutée et lui a posé plusieurs questions pour l'aider dans sa réflexion. Quand Sonia a raccroché, elle savait quel montant demander. Elle ne peut pas tenir ce genre de discussions avec son père même s'il est en affaires lui aussi. Pour Michel, un tableau est toujours trop cher, tandis qu'André sait reconnaître la valeur d'une œuvre. Et surtout, il est prêt à payer le juste prix.

Quand Sonia réalise qu'elle est en train d'étudier un samedi soir, elle rit toute seule. Franchement, on ne peut pas dire qu'elle ait une vie sociale palpitante depuis quelques mois. Sa vie ressemble bien plus à celle d'une vieille fille qu'à celle d'une fille de dix-sept ans. Et tout ça, c'est essentiellement à cause de son amoureux, le beau Daniel. Sortir avec un musicien qui parcourt la province les fins de semaine exige des sacrifices. Alors que les jeunes de son âge vont danser, Sonia reste sagement à la maison – enfin, la plupart du temps. Non seulement cela lui permet de consacrer plus de temps à ses études et à la peinture, mais elle économise un argent fou ; elle a déjà tout ce qu'il lui faut pour son voyage de juillet prochain. D'ailleurs, elle a bien l'intention d'en glisser un mot à ses tantes ce soir. « À moins que maman nous interdise de parler. Si c'est ainsi, on descendra au sous-sol. Ma mère me fait vraiment rire avec sa Chantal Pary ! »

Contrairement à la plupart des couples de son âge, Sonia voit son amoureux la semaine – ou plutôt quand il n'a pas de spectacles. Elle l'aime chaque jour un peu plus son beau Daniel, et ce dernier le lui rend bien. Depuis qu'ils sortent ensemble, jamais il n'est venu à l'idée de Sonia que son *chum* pourrait la tromper. C'est un homme de valeur comme il y en a peu.

* * *

Alors que la pluie bat son plein en ce début de mai, la sonnette de la porte se fait entendre en même temps que l'horloge grand-père de la famille Pelletier marque la demi-heure. Marie-Paule l'a offerte à Michel quand elle s'est installée à Longueuil. Michel était ravi. Il ne l'avait jamais avoué à personne, mais au fond de lui, il espérait de toutes ses forces qu'il hériterait de l'horloge à la mort de ses parents. Quand sa mère la lui a offerte, il en avait les larmes aux yeux.

— Je te la donne à une condition, a dit Marie-Paule. Il faut que tu me promettes qu'elle va rester dans la famille quand tu ne seras plus de ce monde. Tu devras la remettre à un de tes fils pour qu'elle reste dans la famille Pelletier.

Quand Michel est arrivé à la maison avec l'horloge enveloppée dans une couverture comme s'il tenait entre ses mains le plus beau des trésors, Sylvie s'est bien gardée de lui dire que c'était la dernière chose qu'elle souhaitait avoir chez elle. Elle déteste les carillons depuis qu'elle est toute petite. Elle s'est contentée de sourire et de demander à son mari à quel endroit il avait l'intention d'installer l'objet.

Depuis, Michel n'a jamais failli à sa tâche de remonter le mécanisme de sa chère horloge. Grâce à sa vigilance, heure après heure, celle-ci sonne quatre coups au quart d'heure, huit à la demi, douze aux trois-quarts d'heure et seize à l'heure. Mais ce qui horripile le plus Sylvie, c'est lorsque la fameuse horloge se met à sonner pendant qu'elle écoute la fin d'un film. C'est chaque fois pareil : elle a beau avancer l'heure un peu ou la reculer, elle se fait toujours prendre au piège. La nuit, en période d'insomnie, Sylvie compte religieusement le nombre de coups de l'horloge comme si elle essayait de prendre le pauvre objet en défaut, ce qui n'arrive évidemment jamais. Une chose est certaine : les rares fois où Michel s'absente et que l'horloge s'arrête, Sylvie se garde bien de la remonter, au grand désespoir des enfants parce leur mère est le seul membre de la famille à ne pas se laisser bercer par sa douce musique.

L'horloge grand-père n'a pas encore fini de carillonner quand Sylvie arrive à la porte. En voyant sa sœur Chantal et sa tante Irma, elle sourit ; dans moins d'une heure, elle aura les oreilles percées, ce qui la rend heureuse.

— Il était temps que tu viennes nous ouvrir ! s'exclame Chantal. Il fait vraiment un sale temps, et on gèle avec ça. Heureusement que tante Irma est passée me chercher parce que je serais sûrement arrivée trempée, même avec un parapluie.

— Comme le disait si bien ma défunte mère, commente tante Irma en secouant son imperméable, c'est un temps à ne pas mettre un chien dehors.

— Ne restez pas sur le tapis, lance Sylvie d'un ton joyeux. Donnez-moi votre manteau et allons à la cuisine.

— J'espère que Sonia ne s'est pas défilée, s'inquiète Chantal en tendant son manteau à Sylvie. Si c'est le cas, tu peux dire adieu à ton perçage d'oreilles.

— Non, non, se dépêche de répondre Sylvie, elle est dans sa chambre.

— C'est à n'y rien comprendre, déclare tante Irma. Comment Sonia peut-elle être dans sa chambre un samedi soir ? Ma foi du bon Dieu, on croirait qu'elle est entrée chez les sœurs. Moi, si j'avais son âge, je vous garantis que je ne serais pas à la maison.

— Vous savez, ma fille n'est pas à plaindre, riposte Sylvie. Elle vit juste un peu à l'envers du monde. Et ça n'a pas l'air de la déranger du tout. Sonia a un *chum* adorable. Le seul défaut de Daniel est de ne pas être disponible le samedi soir. Après tout, ce n'est pas si terrible.

Cette situation n'a rien pour déplaire à Sylvie, bien au contraire. Tant que sa fille sort avec Daniel, elle sait qu'elle peut dormir sur ses deux oreilles. Depuis le temps qu'il fréquente Sonia, le jeune homme a un comportement irréprochable. Et pourtant, Dieu sait à quel point il a dû travailler fort avant que Sylvie l'aime autant qu'Antoine et Langis. Comme Daniel pratique le même métier que Normand, l'homme qui a tant fait pleurer sa fille, la partie n'était pas gagnée d'avance pour lui. Même si Michel ne cessait de l'encenser, Daniel a dû gagner ses galons un par un. D'ailleurs, Sylvie se demande encore pourquoi Michel et ce dernier sont si proches. Elle a questionné son mari à plusieurs reprises, mais tout ce qu'elle a pu en tirer, ce sont des réponses tellement vagues qu'elle n'a jamais rien appris. Elle a fini par laisser tomber. Ça arrive à tout le monde d'avoir des atomes crochus avec quelqu'un, alors pourquoi pas à Michel ?

— Voulez-vous un Coke ou une bière ? demande Sylvie à ses deux visiteuses.

À peine a-t-elle fini sa phrase que Chantal lui répond :

— Pour moi, ce sera une bière, une grosse bière si Michel en a encore dans sa réserve. J'ai besoin de courage.

— Je devrais pouvoir te trouver ça… pas le courage, mais la grosse bière ! Et vous, tante Irma ?

— Je ne suis pas pour laisser boire Chantal toute seule. Je prendrais bien deux doigts de whisky, si tu en as.

— Vous tombez bien, Michel est justement allé en acheter une bouteille hier. Il a même précisé que c'était pour vous.

— Tu peux bien l'aimer ton Michel. C'est rendu qu'il prend même soin de ta vieille tante.

— Voulez-vous bien arrêter de dire que vous êtes vieille ? proteste Chantal. Vous êtes comme une jeune fille. J'en sais quelque chose : quand on voyage avec vous, jamais vous ne vous plaignez que vous êtes fatiguée. Et vous êtes toujours la première debout. Sincèrement, j'espère que je vais vous ressembler quand j'aurai votre âge.

Quand Sylvie dépose une grosse bière devant Chantal, celle-ci ne prend même pas le temps d'en boire une gorgée. Elle se lève et annonce :

— Je vais aller chercher Sonia. Plus vite ce sera fait, mieux je me sentirai. Sylvie, il faudrait que tu me sortes une aiguille, suffisamment grosse pour que l'attache de ta boucle passe, de l'alcool, de la ouate et de la glace. Ah oui ! Et tes boucles d'oreilles aussi. J'ai vraiment hâte que ce soit fini.

Une minute plus tard, Sonia et Chantal font leur entrée dans la cuisine. Quand elles voient le sourire de Sylvie, la tante et la nièce grimacent.

— Maman, tu es certaine que c'est ce que tu veux ? s'enquiert Sonia. On ne t'en voudrait pas, tu sais, si tu changeais d'idée.

— N'y comptez pas. J'ai mis tellement d'années à me décider, alors pas question que je change d'idée. Si vous ne me percez pas les oreilles, je le ferai moi-même.

Puis, à l'adresse de Chantal, Sylvie ajoute :

— Tout est là. Je suis prête.

— Il n'y a que toi pour me demander de faire une chose pareille ! s'écrie Chantal. Ça aurait été si facile d'aller à la bijouterie comme tout le monde.

— Je suis prête, affirme Sylvie sans tenir compte des paroles de sa sœur.

— Il n'est pas question que je vous regarde faire ! s'exclame tante Irma. Je vais aller m'asseoir au salon. Est-ce que je peux changer de chaîne ?

— Surtout pas ! la met en garde Sylvie. Dans une vingtaine de minutes, on va présenter le mariage de Chantal Pary en direct. Ça fait des semaines que j'attends cet événement.

— Es-tu en train de me dire que je vais être obligée de subir le mariage de Chantal Pary ? déplore tante Irma, l'air déçu.

En matière d'artiste, il y a tout un monde entre les goûts de la nièce et ceux de la tante. Alors que la première aime tous les genres de musique, la seconde accorde sa préférence à l'opéra et à la musique classique. Tante Irma écoute bien quelques airs modernes à l'occasion, mais sans plus. Elle connaît par cœur les chansons des grands opéras, mais certainement pas celles de Chantal Pary.

— Je suis vraiment désolée, émet Sylvie d'une voix à la fois plaintive et ferme, mais je ne manquerais pas cette émission pour tout l'or du monde. Je vous promets que vous pourrez écouter autre chose aussitôt que *Jeunesse d'aujourd'hui* sera terminée. Ça ne durera pas plus d'une heure…

Dans l'espoir de mettre fin à cette discussion et de pouvoir passer aux choses sérieuses le plus rapidement possible, Chantal se tourne vers Sonia :

— Toi, tu mets un bloc de glace de chaque côté du lobe de l'oreille de ta mère et tu tiens le tout jusqu'à que je te le dise. Il faut attendre qu'il soit gelé. Pendant ce temps, je vais désinfecter l'aiguille.

Arme en main, Chantal s'approche de sa sœur et fait signe à Sonia de se pousser. Elle s'adresse ensuite à Sylvie :

— C'est ta dernière chance de changer d'avis.

— Qu'est-ce que tu attends pour commencer ? s'impatiente Sylvie.

— Tant pis, tu l'auras voulu ! répond Chantal avant de prendre une grande respiration.

La seconde d'après, elle pose la pointe de l'aiguille sur la peau de Sylvie à un endroit qui lui semble adéquat. Elle place ensuite son index gauche derrière le lobe. Elle plisse les yeux et pousse sur l'aiguille jusqu'à ce qu'elle sente la pointe de celle-ci sur son doigt.

Sylvie n'a pas bougé d'un pouce. Un large sourire illumine toujours son visage.

— Donne-moi une boucle d'oreille, ordonne Chantal en tendant la main à Sylvie.

Puis, à l'intention de Sonia, elle ajoute :

— Pendant que je glisse la tige de la boucle d'oreille dans le trou, gèle l'autre lobe de ta mère. Si tout va bien, dans cinq minutes tout sera terminé.

— Ça adonne bien, déclare joyeusement Sylvie, parce que *Jeunesse d'aujourd'hui* est sur le point de commencer. Je suis tellement contente : j'ai une oreille percée !

— Si j'étais à ta place, je ne crierais pas victoire trop vite, lui conseille Chantal. Le deuxième trou n'est pas encore fait. J'ai besoin d'une règle et d'un stylo.

Sonia dépose les deux glaçons et va chercher un stylo et une règle dans le tiroir du buffet. Elle a vraiment hâte que ça finisse, elle aussi. La jeune fille déteste voir du sang, mais elle déteste par-dessus tout faire mal aux gens. Sa mère a beau sourire, Sonia sait très bien qu'on ne peut pas se faire entrer une aiguille dans un lobe d'oreille sans ressentir ne serait-ce qu'une petite douleur – en tout cas, cela est certainement plus douloureux que lorsqu'on se fait percer les oreilles avec un poinçon comme dans les bijouteries. Une fois la règle et le stylo déposés sur la table, la jeune fille s'affaire à geler l'autre lobe d'oreille de sa mère. Quand Chantal juge que tout est suffisamment gelé, elle mesure et dessine un petit point sur le lobe de Sylvie. Elle respire ensuite profondément et pousse l'aiguille jusqu'à ce que cette dernière ressorte derrière l'oreille de sa sœur. Ce n'est que lorsque la petite boucle est en place qu'elle remarque que non seulement celle-ci n'est pas à la même hauteur que l'autre, mais qu'en plus elle est de travers.

— Je ne suis pas fière de moi, avoue Chantal. Tes trous ne sont pas à la même hauteur. Je peux me reprendre, si tu veux.

— Ne t'en fais pas avec ça, la rassure Sylvie. Je suis certaine que ce n'est pas si pire. Je vais aller me regarder dans le miroir.

Sylvie est tellement énervée de voir pendre ses deux petits anneaux en or au bout de ses oreilles qu'elle ne remarque pas la différence entre les deux côtés. Quand elle revient dans la cuisine, Sonia lui dit :

— Il faudrait vraiment reprendre le côté droit. Le trou est beaucoup trop bas.

— Tout est parfait comme ça ! réplique Sylvie.

Puis, elle remercie sa fille et sa sœur :

— Vous ne pouvez pas vous imaginer à quel point je suis contente ! Merci beaucoup. Approchez que je vous embrasse.

C'est alors que, du salon, tante Irma crie :

— Sylvie, ton émission commence !

Chapitre 2

— Pourquoi je ne pourrais pas avoir d'amis de gars ? demande Sonia en haussant les épaules. Donne-moi une seule bonne raison. Un ami, c'est un ami, que ce soit un gars ou une fille.

— Voyons donc ! s'écrie Junior. Tu ne me feras jamais croire que l'amitié est possible entre un gars et une fille. Au nombre de filles qui ont voulu être amies avec moi, je sais de quoi je parle. Il y en a toujours un des deux qui tombe amoureux de l'autre, et c'est là que tout foire.

— Tu oublies une chose : je ne suis pas comme toi. Je ne saute pas sur tout ce qui bouge, moi…

Junior accuse le coup sans sourciller. Sa sœur a raison. Depuis qu'il ne sort plus avec sa belle Christine, il collectionne les trophées – son père et son oncle Paul-Eugène le taquinent sans cesse à ce sujet. Du jour au lendemain, il s'est transformé en *playboy*. Alors qu'auparavant il refusait les avances de la gent féminine, voilà que désormais il les accepte toutes. Il est toujours aussi gentil avec les filles, sauf que maintenant il n'a qu'un seul objectif : leur faire l'amour, et ce, sans aucune implication affective de sa part. Il conserve même les petites culottes de toutes celles qui passent dans ses bras, mais ça, personne ne le sait. Petites et grandes, de fine dentelle ou de gros coton, il les range toutes dans une taie d'oreiller qu'il garde précieusement dans le haut de sa garde-robe. La première fois qu'il a demandé sa petite culotte à une fille avec qui il venait de s'envoyer en l'air, celle-ci lui a remis sur-le-champ l'objet convoité en lui adressant son plus beau sourire. En réalité, Junior a trop de doigts sur une main pour compter le nombre de fois où il a été obligé d'user de son charme pour obtenir ce qu'il voulait. Il a du mal à comprendre pourquoi les filles acceptent aussi facilement de lui remettre leur petite culotte, mais puisque c'est comme ça, il en profite. Quand sa taie sera pleine, il s'en servira comme oreiller. S'il conserve le même rythme, le compte y sera d'ici six mois. Il ne restera plus alors qu'à coudre l'extrémité de la taie. « Pas question que je demande à maman de faire cela à la machine à coudre. Si elle savait toute l'histoire, je ne serais pas mieux que mort. Dans le pire des cas, je n'aurai qu'à faire la couture à la main. Je sais quand même me servir d'une aiguille. »

Junior aimait tellement Christine qu'il aurait voulu passer le reste de ses jours avec elle. Mais leur histoire d'amour a été de bien courte durée. Il s'est vite rendu compte que la belle aimait être entourée de plusieurs princes charmants en même temps. Comme il refusait de ne pas être le seul, il a cédé sa place. Il en a eu le cœur brisé. Après s'être apitoyé sur son sort pendant quelques jours, un beau matin, il s'est dit qu'il n'était pas question qu'il perde ne serait-ce qu'une seule minute de plus à pleurer une fille qui ne le méritait pas. Ce jour-là, il a décidé de se servir des filles plutôt que d'être le bon gars qu'il avait toujours été jusque-là. Changer totalement de style de vie a été sa planche de salut ; c'est du moins ce qu'il croit. Et la transition n'a pas été trop difficile. Junior est encore plus gentil qu'avant avec les filles, sauf qu'il refuse de s'attacher à une en particulier. La vérité, c'est qu'il refuse de s'attacher tout court. Mais même s'il leur explique clairement les choses, il n'est pas rare que les filles s'accrochent à lui, le suppliant de sortir avec elles. Chaque fois, il refuse. Même les plus belles ne réussissent pas à le convaincre.

Junior n'a pas besoin de réagir pour que Sonia se rende compte qu'elle est allée trop loin. C'est plus fort qu'elle, parfois. Mais elle aime beaucoup son frère et elle voudrait toujours le meilleur pour lui.

— Je m'excuse. Je n'avais pas d'affaire à te lancer ça par la tête.

— On s'excuse quand on est dans l'erreur, répond Junior, pas quand on dit la vérité, même si celle-ci n'est pas toujours belle à entendre. Tu as raison, je saute sur tout ce qui bouge… enfin, tout ce qui m'intéresse. Je sais que tu n'es pas d'accord, mais pour le moment, c'est comme ça que je vis.

Junior a raison. Sonia n'est pas d'accord, mais qui est-elle pour faire la leçon à son frère? Elle n'a encore jamais été laissée par un gars. Si elle se fie à ce que lui a raconté son amie Isabelle, il y a tout un monde entre laisser quelqu'un et être abandonné. Certes, Sonia a eu beaucoup de mal à se remettre de sa peine d'amour avec Normand, mais c'est quand même elle qui avait mis fin à leur relation. Alors que la jeune fille trouve que sa mère a le jugement facile, il lui arrive de penser qu'elle n'est pas beaucoup mieux que Sylvie. Si son grand-père Camil était là, il dirait qu'il est facile de parler quand on n'est pas dans les souliers de quelqu'un. «Dommage qu'il reste aussi loin. Il me manque.»

— Je n'ai pas à être d'accord ou non, c'est ta vie. C'est juste que je voudrais tellement que tu sois aussi heureux que moi avec Daniel.

— Tu sais comme moi que tout le monde n'est pas comme Daniel. Fais attention à lui. C'est une espèce rare!

— C'est ce que je fais. Mais revenons à nos moutons. Moi, je pense que c'est possible pour une fille d'avoir des amis de gars. La preuve, tu es mon ami.

— Oui, mais je suis ton frère. Et puis, je te l'ai déjà répété plusieurs fois: si tu n'étais pas ma sœur, tu peux être certaine que je te chanterais la pomme.

— Arrête de dire des niaiseries! En tout cas, moi, j'ai plusieurs amis de gars au cégep et ça se passe très bien.

— Tant mieux pour toi. Mais un jour ou l'autre, il y en a un qui va vouloir plus que ton amitié. Enfin, tu sauras me le dire.

— On verra bien, observe Sonia. Mais en attendant, j'adore avoir des gars comme amis. Ça me change des filles. Les gars, ils ne

« s'enfargent » pas dans les fleurs du tapis. Mais changement de sujet... Dans le département, on organise un *party* pour la fin de la session samedi prochain. On a le droit d'inviter quelqu'un. Comme Daniel n'est pas disponible, j'aimerais que tu viennes avec moi. Qu'est-ce que tu en penses ? Ça te donnerait un petit avant-goût du cégep. Et je pourrais te présenter un tas de filles, ajoute-t-elle d'un air coquin.

Depuis son entrée au cégep, Sonia s'investit beaucoup. Chaque mois, elle distribue le journal étudiant à la porte d'entrée principale de l'établissement. Elle est aussi hôtesse à la salle de spectacles. Et, finalement, elle fait partie du comité qui organise toutes les activités du département de théâtre, ce qui se résume à planifier beaucoup de *partys*. Bien sûr, tout cela lui demande du temps, mais elle trouve important de mettre la main à la pâte. Malgré son jeune âge, la vie lui a déjà appris que seuls les gens qui s'impliquent ont le droit de critiquer.

— Je t'accompagnerai avec plaisir, accepte aussitôt Junior.

— Tu ne le regretteras pas !

— Tu ne peux même pas t'imaginer à quel point j'ai hâte d'aller au cégep ! C'est rendu que je compte les jours qui restent avant les vacances. Avant, j'attendais avec impatience la fin de l'année, mais là, c'est pire que pire.

— Je te comprends. Et fie-toi à moi : ta vie va changer du tout au tout l'année prochaine.

— Oui mais, pour ça, il faudrait d'abord que je sois accepté.

— Tu t'en fais pour rien. C'est certain que tu vas être accepté, surtout avec les notes que tu as.

— N'empêche que je dormirai plus tranquille après avoir reçu la réponse.

— Ne t'inquiète pas. Tout le monde est accepté en sciences humaines.

Si ça n'avait été que de lui, Junior aurait choisi une autre voie. Il se serait plutôt inscrit à des cours privés en photographie à Toronto, à l'école où il a suivi une semaine de cours – un des prix du concours qu'il avait gagné. Mais quand il en a parlé à son père, celui-ci ne lui a même pas laissé le temps de finir sa phrase.

— Je te l'ai déjà dit. Je n'empêcherai pas mes enfants d'étudier, mais je ne sortirai pas un seul sou de ma poche. Tout ce que je peux faire, c'est vous loger ici et vous nourrir tant que vous n'aurez pas fini vos études, un point c'est tout. Alors, ou tu trouves quelque chose qui t'intéresse ici, ou tu vas travailler.

Junior sait très bien que son père ne changera pas d'idée. C'est pourquoi il s'est résigné à rester à Longueuil. Comme le conseiller d'orientation de son école le lui a dit, il n'a qu'à suivre tous les cours offerts en lien avec la photographie. Le professionnel a assuré Junior qu'il devrait y trouver son compte – pas autant que s'il était allé à Toronto, mais il apprendra de nouvelles choses, ça c'est certain.

Mais Junior n'a pas dit son dernier mot. Il a pris tous les renseignements sur les cours de perfectionnement donnés à Toronto. Faute de pouvoir étudier là-bas à plein temps comme il le souhaiterait, il se promet bien toutefois d'y aller une fois par année. L'autre jour, son parrain lui a téléphoné pour prendre de ses nouvelles. Bien sûr, ce dernier lui a demandé où il allait faire son cégep. Comme Junior était tout fin seul dans la maison, il en a profité pour lui expliquer la situation en long et en large. Avant de raccrocher, son parrain lui a promis de réfléchir à un moyen de l'aider. Cette discussion remonte à plus d'un mois et Junior n'a toujours pas reçu de nouvelles de son oncle. « C'est un peu normal. Après tout, je ne suis que son filleul, pas son fils. »

Depuis qu'il travaille à l'usine, Junior épargne un maximum d'argent. Il n'en a parlé à personne, pas même à Sonia, mais il a déposé sa candidature pour participer à un atelier de photographie d'une semaine au début de juillet. Ça lui laisse un peu plus d'un mois pour ramasser ce qui lui manque pour payer en entier cet atelier, de même que le transport, la pension et ses petites dépenses une fois sur place. La réponse devrait arriver ces jours-ci. Chaque jour, en rentrant de l'école, il demande à sa mère s'il a reçu du courrier. Mais elle lui répond toujours par la négative. Junior hausse les épaules et soupire fortement. L'autre jour, quand Sylvie lui a demandé s'il y avait quelque chose qui n'allait pas, il lui a mentionné qu'il était impatient d'apprendre le nom des gagnants d'un concours de photographie auquel il a participé. Satisfaite, sa mère a dit qu'elle comprenait très bien son impatience. Le petit doigt de Junior lui souffle que son père poussera les hauts cris quand il apprendra ce que coûte une seule semaine à Toronto. Comme celui-ci n'aura rien à débourser, Junior se prépare mentalement à lui tenir tête au cas où il voudrait lui mettre des bâtons dans les roues. Une chose est certaine : sa mère prendra sûrement son parti. Heureusement pour lui !

— Dis donc, ajoute Sonia, il me semble que ça fait un sacré bout de temps que tu n'as pas gagné un concours de photo. Qu'est-ce qui se passe avec toi ?

— J'ai participé à deux concours le mois dernier et j'attends toujours de savoir qui a remporté les honneurs. Mais il faut patienter au moins deux mois entre la date limite d'inscription et l'annonce des gagnants.

— Je ne sais pas comment tu fais. Moi, cela me stresserait au plus haut point.

— Je n'ai pas le choix. Mais j'y pense… Dans pas longtemps, tu vas te trouver dans la même situation : après avoir passé des auditions, tu vas devoir attendre. Tu es aussi bien de t'habituer.

— Tu as bien raison. Mais je sais d'avance que je vais trouver ça dur. Prends le cas de Daniel : il faut vraiment qu'il fasse confiance à la vie. Pendant des semaines le téléphone ne sonne pas, puis tout à coup, mon *chum* ne sait plus où donner de la tête.

— C'est ça, la vie d'artiste ! On sait déjà qu'Alain n'aura pas ce genre de préoccupations quand il sera dentiste.

— Peut-être, mais pour moi, plutôt mourir qu'être dentiste ! s'écrie Sonia de manière théâtrale en posant sa main sur son front.

* * *

Attablés au petit restaurant français en bordure du fleuve, Chantal et Xavier se tiennent la main en sirotant leur café. C'est ici qu'ils sont venus la première fois qu'ils sont sortis ensemble. Dans deux mois, cela fera déjà un an. Malgré un début de relation plutôt compliqué – selon Chantal –, les amoureux filent maintenant le parfait bonheur. D'ailleurs, tous ceux qui croisent leur chemin leur disent à quel point ils les trouvent bien assortis.

Son histoire avec Xavier est imprimée dans la mémoire de Chantal à tout jamais. Entre leur premier rendez-vous et le second, il s'est passé six mois au cours desquels elle a fréquenté Maurice. Comme elle aime le répéter à son amoureux, c'est un peu sa faute à lui si tout ça est arrivé. Xavier était si réservé le soir où il l'avait invitée à souper que Chantal en avait conclu qu'elle ne l'intéressait pas. Quand Maurice était revenu à la charge le lendemain, elle avait sauté sur l'occasion ; tout compte fait, ce dernier lui plaisait bien. Mais quand Xavier l'a enfin relancée six mois plus tard, elle a décidé de tenter sa chance avec lui. D'abord, elle ne pouvait imaginer passer le reste de sa vie avec Maurice. Il y avait beaucoup de choses qu'elle n'aimait pas chez celui-ci, particulièrement sa grande consommation d'alcool et son attitude très familière avec tout le monde chaque fois qu'il avait pris un verre de trop, ce qui arrivait de plus en plus souvent. Elle n'oubliera jamais la fois où il l'avait accompagnée à une soirée à l'agence de voyage pour laquelle elle travaille. Tout s'était bien passé jusqu'à ce qu'il avale une gorgée d'alcool de trop. À partir de ce moment, il avait dépassé les bornes.

Il collait toutes les femmes, les embrassait sur les joues et il parlait fort, à tel point qu'on n'entendait plus que lui. Encore aujourd'hui, ses collègues de travail en parlent comme d'une soirée mémorable. Tous avaient trouvé Maurice charmant, sauf elle. Et puis, le petit doigt de Chantal lui soufflait de donner une seconde chance à Xavier. C'est ce qu'elle a fait, et elle ne l'a jamais regretté.

Depuis que Chantal forme un couple avec Xavier, sa vie a changé totalement. Tout lui plaît chez cet homme : son physique, son caractère, ses habitudes. Avec lui, elle se sent bien. Et il ne manque jamais une occasion de lui dire à quel point il la trouve belle. Jamais elle n'aurait pensé vivre un tel amour.

— Il y a deux choses dont j'aimerais te parler, déclare Xavier en la regardant dans les yeux.

— Je t'écoute.

Avant de reprendre la parole, Xavier sort une petite boîte de velours bleu de la poche de son veston et la dépose devant Chantal. Celle-ci regarde l'objet avec de grands yeux. Peu importe ce que la boîte contient, elle sait qu'elle sera contente. Xavier a tellement de goût en matière de bijoux qu'elle lui fait entièrement confiance sur ce plan.

— Je ne pensais jamais que je referais ce genre de discours un jour.

La seconde d'après, Xavier se lève de sa chaise. Puis, il s'avance à la hauteur de Chantal, met un genou à terre et prend la main de celle-ci. Il lui demande :

— Veux-tu m'épouser ?

Ces quelques mots vont droit au cœur de Chantal. Elle se sent très émue.

— Bien sûr que je veux t'épouser ! s'écrie-t-elle d'une voix remplie de bonheur. Je suis tellement contente !

Puis, la curiosité l'emportant, elle s'informe :

— Est-ce que je peux ouvrir la petite boîte maintenant ?

— Mais oui ! J'espère que cela te plaira.

Quand elle aperçoit la bague en or blanc sertie de diamants, au creux desquels trône une perle satin, elle fond en larmes.

— On peut l'échanger si tu ne l'aimes pas, s'empresse de préciser Xavier.

— Grand fou ! Il n'est pas question que tu échanges ma bague. Elle est vraiment très belle. Sais-tu au moins à quel point je t'aime ?

— J'en ai une petite idée, mais j'adore te l'entendre dire.

Xavier retourne à sa place. Habituellement très réservé, il s'avance au-dessus de la table et dépose un chaste baiser sur les lèvres de Chantal.

— Maintenant, déclare-t-il, il faut qu'on parle du mariage.

— Pas ce soir, je t'en prie. Pour le moment, j'ai juste envie d'être bien avec toi. On en parlera demain quand j'aurai l'esprit plus tranquille.

— C'est d'accord. Je ne veux pas te mettre de pression, mais j'aimerais bien que tu deviennes ma femme avant la fin de l'année. Crois-tu que ce sera possible ?

— Demain, si tu veux ! Mais pour ça, il faudrait qu'on prenne le premier avion pour Las Vegas !

Aussitôt, ils s'imaginent en train de se marier à la sauvette dans une petite chapelle anonyme. Cette seule pensée les fait rire aux éclats. Lorsqu'ils reprennent leurs esprits, Xavier déclare :

— Il y a une autre chose dont j'aimerais te parler. Je ne pensais pas non plus que je prononcerais ces paroles à nouveau un jour. Mais tout ça, c'est à cause de toi. Il y a des jours où j'ai l'impression que tu m'as ensorcelé.

Xavier prend une grande respiration avant se lancer.

— Si tu es d'accord, on pourrait peut-être penser à avoir un enfant – ou à en adopter un, si tu préfères. Qu'en dis-tu ?

— C'est presque trop de bonheur pour une seule soirée ! J'adorerais avoir un enfant de toi.

C'est au tour de Chantal de s'avancer au-dessus de la table pour embrasser Xavier. Ne pas avoir d'enfants ne lui a jamais réellement manqué. Mais depuis qu'elle est avec Xavier, elle pense de plus en plus à fonder une famille. Jamais elle n'aurait cru qu'il était possible d'être aussi heureuse. Depuis qu'ils sont ensemble, elle a l'impression d'avoir des ailes. Et puis, tout lui réussit, à tel point qu'il lui arrive de se pincer pour s'assurer qu'elle ne rêve pas.

— Il faudra aussi qu'on discute de l'endroit où on va vivre, ajoute doucement Xavier.

Demain, à la première heure, Chantal appellera Sylvie pour tout lui raconter.

Chapitre 3

— Tu parles d'une équipe de plombiers ! s'exclame Michel entre deux bouchées. Ils n'ont même pas été capables de faire les séries. Peux-tu m'expliquer comment on peut remporter la coupe Stanley une année et jouer comme des pieds l'année d'après ? Ça prend juste nos Canadiens pour faire ça. Moi, ça me dépasse. S'il fallait qu'on soit comme eux, ça ferait longtemps qu'on ne serait plus en affaires. Imagine un peu : un jour, on livre un meuble bien restauré ; le jour d'après, un meuble à moitié restauré. C'est trop injuste. Ces gars-là, ils gagnent des salaires de fou et c'est à croire que la corde du cœur leur traîne dans la merde. Non mais, sérieusement, y a-t-il un métier plus facile que celui de joueur de hockey ? Ils sont payés pour jouer et, après les parties, ils ont le front de nous raconter toutes sortes de niaiseries pour expliquer pourquoi ils ont perdu. Ils nous prennent vraiment pour des caves !

Michel ne laisse pas à Paul-Eugène le temps de mettre son grain de sel. Il poursuit :

— Ça, c'est quand on les comprend. La majorité d'entre eux ne peuvent même pas aligner deux mots français. Je ne peux pas croire qu'il n'y ait pas assez de joueurs francophones pour former une équipe, voyons donc !

Quand Michel mord dans son sandwich, Paul-Eugène en profite pour intervenir :

— Je ne veux pas défendre les joueurs, mais il ne faudrait pas que tu oublies que le nom de notre équipe c'est les Canadiens et non les Québécois. C'est un détail important ; ils représentent le Canada.

— Peut-être, mais l'équipe est quand même établie chez nous, au Québec. De toute façon, c'est comme le reste ; nous autres, les francophones, on est important pour le reste du Canada seulement quand c'est le temps de payer. Là, ils nous donnent une petite tape dans le dos et nous font les yeux doux pour nous faire avaler la pilule. Chaque fois, on mord à l'hameçon sans protester. En plus, à cause des Canadiens, on ne peut même plus faire de pots de hockey. Voir si ça a du bon sens, finir une saison de hockey quand il y a encore de la neige ! En tout cas, je ne suis pas près d'oublier le 5 avril 1970…

Puis, sur un ton plaintif, Michel ajoute en baissant les épaules :

— Comme s'il y avait tant d'autres choses à faire le samedi soir…

Michel en veut de toutes ses forces à ses Canadiens depuis leur défaite. Chaque fois qu'il en parle, il s'emporte. La veille, Sylvie l'a sommé de se calmer s'il ne voulait pas faire une crise cardiaque. Il paraît qu'il était rouge comme un coq pendant qu'il discutait avec son fils Alain.

Il ne va pourtant pas les voir jouer au Forum bien souvent dans une saison – deux ou trois fois tout au plus. Il préfère nettement le confort de son La-Z-Boy, avec autant de bières qu'il en veut à portée de main. Et ce n'est pas uniquement une question d'argent. Il voit bien mieux le jeu sur sa télévision qu'au Forum.

— Voyons donc ! s'écrie Paul-Eugène. Tu es bien à pic aujourd'hui ! Veux-tu arrêter de te plaindre ? J'aime beaucoup le hockey, pas autant que toi par exemple, mais je n'en fais pas une maladie si les Canadiens ne participent pas aux séries. Comme tu l'as dit, c'est un jeu. Et puis, on ne peut pas leur en vouloir tant que ça, aux Canadiens. Ils ont quand même remporté la coupe Stanley ces deux dernières années.

— N'essaie pas de me faire accroire que ça ne te manque pas d'écouter un bon match de hockey à la télévision. Je te connais, Belley. Le hockey, tu en manges autant que moi.

— Ce n'est pas vrai, ôte-toi ça de la tête. De toute façon, mieux vaut te trouver une autre activité parce que la saison est bel et bien finie, et même depuis plus d'un mois. Tu es pire qu'une vieille fille, tu n'arrêtes pas de râler. On pourrait suivre les Expos, si le cœur t'en dit.

— Les matchs ne sont même pas présentés à la télévision.

— Qu'est-ce qui nous empêche d'aller voir les Expos au parc Jarry ? Moi, je suis partant. On pourrait même emmener nos gars. Qu'est-ce que tu en penses ?

Depuis qu'il habite avec Shirley, et encore plus depuis qu'ils sont mariés, Paul-Eugène considère les enfants de sa conjointe comme les siens. D'ailleurs, à part le fait que ces derniers ne l'appellent pas *papa*, ils lui rendent bien son affection. Alors que plusieurs l'avaient mis en garde contre le fait d'épouser une femme avec des enfants, jamais Paul-Eugène n'a éprouvé l'ombre d'un regret. Il file le parfait bonheur avec sa Shirley. Les mois qui ont suivi leur mariage, tous deux ont même pensé sérieusement à adopter un bébé pour que Paul-Eugène connaisse la joie d'être père. Mais un soir, en rentrant du travail, ce dernier a expliqué à Shirley qu'il avait bien réfléchi et que c'était sûrement mieux de ne rien changer à leur situation. « J'aime tes enfants autant que s'ils étaient les miens. Tu commences à peine à respirer un peu. Si tu es d'accord, on va en profiter pour voyager tous les deux aussitôt qu'ils auront vieilli un peu. » Les larmes aux yeux, Shirley lui a sauté au cou et lui a murmuré à l'oreille à quel point elle l'aimait. Certes, elle aurait adopté un enfant pour lui faire plaisir, mais au fond d'elle-même, elle n'y tenait pas. Entre le travail et les enfants, elle n'a pas beaucoup de temps pour elle, encore moins pour voyager.

Michel prend son temps avant de répondre à Paul-Eugène. Le regard perdu, il réfléchit. Son beau-frère a raison : il n'est pas à prendre avec des pincettes. Il se sert du hockey autant qu'il peut pour camoufler son mal de vivre. Il ne sait pas ce qui lui arrive. Il dort mal depuis plus d'une semaine ; certaines nuits, il se réveille à deux heures du matin et ne parvient pas à se rendormir. Il n'en a pas encore parlé à Sylvie, car il ne veut pas l'inquiéter. Il a moins d'entrain aussi. Quand arrive la fin de la journée, il se sent aussi fatigué que s'il avait travaillé au pic et à la pelle, ce qui est loin d'être le cas. C'est la première fois qu'il ressent cela : il a l'impression de porter le poids du monde sur ses épaules.

Il accomplit le trajet entre le magasin et la maison comme un automate. Avant, il profitait de ce moment pour relaxer. De temps en temps, il s'arrêtait pour s'acheter une petite gâterie et la savourait tranquillement en chemin.

Paul-Eugène saisit le bras de Michel.

— Vas-tu finir par me répondre à la fin ?

Michel secoue légèrement la tête et regarde son beau-frère. Il essaie désespérément de se souvenir de la question, mais sans succès.

— C'était quoi la question déjà ?

Surpris, Paul-Eugène fronce les sourcils.

— Je t'ai proposé d'aller voir jouer les Expos au parc Jarry avec nos gars. Veux-tu bien me dire ce qui t'arrive ? Je ne sais pas ce que tu as, mais une chose est certaine : tu n'es plus le même.

— Ne t'en fais pas pour moi. Je suis juste un peu fatigué. Je dois couver une grippe ou quelque chose du genre. Je suis certain que les jumeaux et Luc seraient fous de joie d'aller voir les Expos.

— Et toi ?

— Je ne déteste pas le baseball, mais c'est loin d'être mon sport préféré.

— Et alors ?

— On peut aller au parc Jarry si tu veux. Ça nous fera quelque chose à faire cet été.

— On ne peut pas dire que tu sautes de joie. Mais en attendant, il faudrait peut-être que tu ailles voir ton médecin.

— Je viens de te le dire, je me sens juste un peu fatigué. Je dors mal depuis...

La porte du magasin s'ouvre alors sur deux femmes, Michel ne prend même pas la peine de finir sa phase. Il se dépêche d'aller à la rencontre des clientes.

Paul-Eugène le regarde s'éloigner. La démarche de son beau-frère n'est pas comme d'habitude. Celui-ci avance d'un pas pesant, comme s'il tirait un gros fardeau. « Aussitôt que j'aurai une chance, je vais revenir à la charge. Michel doit aller voir le médecin. Il n'est vraiment pas dans son assiette. »

* * *

Sylvie est installée à la table de la cuisine. Une montagne de timbres-primes placés en petites piles de la même hauteur trône devant elle. Elle sourit. La seule vue de ses timbres-primes suffit à la rendre heureuse. Tante Irma a tenu sa promesse : pendant toute une année, ses amies et elle ont donné à Sylvie tous les timbres-primes qu'elles accumulaient à l'épicerie pour encourager cette dernière parce qu'elle avait arrêté de fumer. Sylvie mentirait si elle prétendait qu'elle a perdu complètement toute envie de fumer. Heureusement, personne ne fume dans la maison, ce qui lui facilite la tâche. Mais chaque fois qu'elle se rend dans un endroit public, l'odeur de la fumée de cigarette lui monte au nez comme le meilleur des parfums. Il y a des moments où Sylvie doit se parler pour ne pas succomber à la tentation d'en allumer une, juste une. Le plus difficile, c'est quand elle assiste à ses répétitions de chant. À part Xavier Laberge – le directeur de l'ensemble vocal – et elle, tous les autres fument comme des cheminées. Mais elle résiste. Sylvie se connaît suffisamment pour savoir que ce ne serait pas une bonne idée d'accepter une cigarette. Elle a fumé tellement longtemps (plus de trente ans), qu'elle a l'impression que le goût de la cigarette est imprégné dans chacune de ses cellules. Le jour où elle a allumé sa première cigarette, Sylvie a su tout de suite que non seulement elle aimait ça, mais qu'il en serait de même jusqu'à la fin de ses jours. Certains sont dépendants à l'alcool, mais elle, Sylvie Belley, est dépendante à la cigarette. Tout comme les alcooliques qui font partie des Alcooliques anonymes, chaque matin, en ouvrant les yeux, elle se dit qu'elle tiendra le coup.

Le plus grand avantage qu'elle trouve à ne plus fumer, c'est que maintenant elle goûte tous les aliments alors qu'avant, tout était fade. Évidemment, ce n'est qu'après avoir arrêté de fumer qu'elle s'en est rendu compte. En fait, elle doit reconnaître que les avantages de ne pas fumer sont très nombreux. D'abord, la maison embaume, ce qui la réjouit chaque fois qu'elle rentre chez elle. Désormais, quand elle fait cuire de la viande ou un gâteau, l'odeur se répand dans toute la maison, au grand plaisir des enfants. Et puis, ses vêtements sentent bon, au point qu'elle met tout son linge au lavage quand elle revient d'une soirée car celui-ci empeste la cigarette. Avant, cette senteur ne la dérangeait pas, mais maintenant son nez est sensible aux odeurs, et pas seulement sur ses vêtements. Même les papiers-mouchoirs dans la maison empestaient auparavant la fumée, tout comme le papier-toilette. Et les enfants sont très contents que plus personne ne fume chez eux, sauf quand il y a de la visite. D'ailleurs, il est arrivé plus d'une fois aux jumeaux de faire des commentaires désobligeants à des fumeurs. Sylvie leur répète chaque fois que chacun est libre de faire ce qu'il veut ; ce à quoi François et Dominic répliquent que les gens peuvent fumer toutes les cigarettes du monde s'ils le veulent, tant que cela ne se passe pas dans leur maison. Ils obligent même Alain à aller fumer dehors. Aussi, depuis qu'elle ne fume plus, Sylvie respire beaucoup mieux qu'avant. L'autre jour, elle est allée se promener sur le bord du fleuve avec Shirley ; elle marchait d'un bon pas alors que son amie peinait à la suivre. Ce jour-là, Sylvie s'est rendu compte à quel point sa santé s'était améliorée. Elle est fière d'elle. Elle a tenu le coup alors que c'était loin d'être facile. Changer un comportement qui date d'aussi longtemps n'est pas de tout repos.

Sylvie a pris quelques livres depuis qu'elle a cessé de fumer, mais celles-là elle a bien l'intention de faire tout ce qu'il faut pour les perdre. Éliane a promis de lui donner une copie du régime qu'elle suit. En attendant, Sylvie a décidé d'arrêter de manger des peppermints roses. Il est révolu le temps où elle devait absolument avoir quelque chose dans la bouche pour contrer son envie d'allumer une cigarette. Avant-hier, elle a jeté un sac à peine entamé. Elle a pris la peine d'aller le déposer dans la grosse poubelle du garage et a même mêlé les bonbons aux ordures. À leur retour de l'école, les jumeaux lui ont demandé s'ils pouvaient avoir une peppermint. Ils sont devenus blancs comme des linges quand ils ont appris que les bonbons se trouvaient dans la poubelle.

— Mais pourquoi as-tu jeté tout le sac ? a pleurniché François.

— Parce que je ne voulais plus manger de peppermints, a répondu simplement Sylvie.

— Et nous, dans tout ça ? a protesté Dominic d'une voix larmoyante. Tu sais pourtant que c'est notre bonbon préféré.

— Eh bien, vous n'aurez qu'à vous trouver une autre friandise préférée, a-t-elle lancé sur un ton impatient. Tant que je vivrai, il n'y aura plus une seule peppermint rose qui va entrer dans cette maison. J'espère que vous avez bien compris.

Les garçons étaient interloqués. Leur mère pouvait évidemment décider de ne plus acheter de peppermints, mais pourquoi n'avaient-ils pas le droit d'en manger s'ils les payaient avec leur argent ? Le lendemain, ils sont revenus de l'école la bouche pleine de leur bonbon favori. Ils avaient à peine mis un pied dans la maison que l'odeur des peppermints est parvenue au nez de Sylvie. La seconde d'après, elle a lancé un ultimatum aux jumeaux : soit ils sortaient de la maison malgré la pluie, soit ils jetaient leurs bonbons dans la poubelle. Ce n'est qu'à ce moment que François et Dominic ont compris que leur mère était sérieuse.

Sylvie a tellement de timbres-primes qu'elle pourra s'offrir plusieurs choses. Pour une fois, elle les utilisera uniquement pour se faire plaisir. Elle a envie de se gâter un peu, de se récompenser pour tous les efforts qu'elle a faits pour cesser de fumer. Il est d'ailleurs grand temps qu'elle passe à l'action. Chaque fois qu'elle voit tante Irma, celle-ci ne manque pas de lui demander ce qu'elle s'est acheté.

Elle prend le catalogue, qu'elle feuillette rapidement jusqu'aux pages réservées aux femmes. Elle plie le coin d'une page illustrant des robes de chambre aux couleurs vives, retourne en arrière pour revoir les boucles d'oreilles en or, puis son attention se porte sur la section des montres. Comme chaque fois qu'elle regarde ce catalogue, elle se sent comme une petite fille à qui on vient d'offrir une foule de trésors, d'autant qu'aujourd'hui elle a les moyens de s'offrir les plus belles choses. « Quand j'aurai reçu mes primes, je vais inviter tante Irma et ses généreuses amies à venir manger une pointe de tarte. Ce serait la moindre des choses. Elles ont tellement été gentilles avec moi. »

Le sourire aux lèvres, Sylvie prend un peu plus d'une heure pour choisir ses cadeaux. Finalement, elle opte pour une belle montre plaquée or, une paire de boucles d'oreilles, un porte-monnaie bleu électrique, des gants blancs pour porter avec l'imperméable qu'elle a étrenné à Pâques et une robe de chambre en coton rose. À quelques timbres près, elle a dépensé tout ce qu'elle possédait. Elle est heureuse : pour une fois, elle n'a pensé qu'à se faire plaisir, ce qui lui a fait le plus grand bien. Sylvie ignore si c'est en raison de son âge mais, de plus en plus souvent, elle a envie de prendre soin d'elle. Prendre un après-midi de congé rien que pour elle lui plaît beaucoup, cela lui permettant d'en profiter pour aller au cinéma, faire des emplettes, marcher sur le bord du fleuve, prendre un café au restaurant, ou encore, pour lire un roman-photo en buvant du Coke et en mangeant des chips…

Depuis que son père s'est installé à L'Avenir, Sylvie se sent seule même si elle a de bonnes amies et doit s'occuper de toute une famille. Les petites visites de Camil lui manquent cruellement. Depuis le temps, elle aurait dû s'habituer à son absence dans son quotidien, mais elle n'y arrive pas. Elle fait avec puisqu'elle ne peut rien changer à la situation. Pourtant, son père n'habite pas si loin. Elle peut très bien faire l'aller-retour dans la même journée et passer plusieurs heures avec lui. Elle se fait d'ailleurs un devoir de lui rendre visite au moins une fois par mois. De son côté, Camil fait de même. Alors, au final, Sylvie le voit pratiquement aussi souvent que lorsqu'il résidait à Montréal. Malgré tout, le simple fait de ne plus pouvoir lui rendre des visites éclair la dérange. Pourtant, depuis que sa famille et elle demeurent à Longueuil, il est rare que Sylvie aille le voir en plein cœur de l'après-midi. Franchement, si elle avait dix ans, elle devrait se confesser à cause de son égoïsme. La dernière fois qu'elle a abordé le sujet en présence de Paul-Eugène, elle s'est fait retourner comme une crêpe. « Il va falloir que tu finisses par changer de disque. Arrête de râler parce que le père ne vit plus à côté de chez vous. » Surprise par les propos de son frère, lui habituellement si doux, Sylvie s'est dépêchée de détourner la conversation.

Alors qu'elle s'apprête à ranger ses affaires, la sonnerie du téléphone retentit, ce qui la fait sursauter. Sylvie reprend ses esprits et décroche avant même que la troisième sonnerie se fasse entendre. Surprise d'avoir sa belle-fille au téléphone en plein après-midi, elle lui demande s'il y a quelque chose qui ne va pas.

— Non, non, tout va bien, répond Lucie. Je n'ai pas de cours cet après-midi.

— Et comment va ma petite-fille adorée ?

Si on avait dit à Sylvie qu'elle serait aussi gaga de cette enfant, elle ne l'aurait jamais cru. Jusqu'à ce qu'elle voie le visage d'Hélène, elle était contente pour son fils mais sans plus. D'abord, elle le trouvait bien jeune pour être père, d'autant que Lucie et lui sont encore étudiants pour longtemps. Ensuite, elle se disait qu'elle en avait plein les bras d'être mère ; elle aurait bien le temps de jouer à la grand-mère, mais plus tard. C'est ce qu'elle croyait dur comme fer avant de voir sa petite-fille à l'hôpital. Aussitôt qu'elle a plongé son regard dans celui du bébé, elle a su qu'elle serait prête à tout faire pour cette enfant. Hélène, sa petite brunette aux grands yeux bleus, lui avait volé son cœur d'un seul battement de cils.

— Hélène va très bien. Elle est chez maman.

— Tu n'oublies pas que je vais la garder vendredi.

— Ne vous inquiétez pas, je m'en souviens.

Puis, Lucie change de sujet.

— En fait, je ne vous appelle pas pour vous parler des finesses de ma fille et je suis un peu pressée. Alors voilà : la fête d'Alain approche à grands pas et je trouve que c'est important de souligner ses vingt ans.

— Que le temps passe vite ! s'écrie Sylvie d'un ton rempli de nostalgie. Ça ne me rajeunit pas. As-tu une idée de ce que tu veux faire ?

— J'ai pensé qu'on pourrait tous aller manger à la Rôtisserie St-Hubert. Chaque fois qu'on y va, il m'en parle pendant deux jours après. Je pourrais lui commander un grand plat de pouding au sucre en guise de gâteau, car c'est ce qu'il préfère. Qu'en dites-vous ?

— Je suis d'accord, mais à une condition : c'est moi qui paie le dessert.

— Si vous voulez. Et comme cadeau, ce serait parfait si tout le monde donnait un peu d'argent. Ça fait des mois qu'il veut aller faire de l'équitation.

Avant même que Sylvie réagisse, Lucie ajoute :

— Bon, il faut que je vous laisse. J'ai encore beaucoup de travail à faire avant d'aller chercher ma fille chez ma mère. À bientôt !

Sylvie retourne ensuite à ses timbres-primes et se met en frais de tout ranger. Demain, à la première heure, elle ira passer sa commande.

Elle repense à sa brève conversation avec sa belle-fille. Nul doute, Lucie est une bonne mère. Mais sa relation avec la maternité est loin d'être la même que celle des femmes de la génération de Sylvie. Aujourd'hui, les jeunes femmes ne sont pas prêtes à tout sacrifier pour leur famille. Elles sont nombreuses à poursuivre leurs études et à vouloir travailler à l'extérieur une fois celles-ci complétées, tout comme les hommes. Faire garder leurs enfants dans une garderie si leur famille ne peut pas s'en occuper ne leur cause aucun problème. Elles veulent être indépendantes de fortune aussi, peu importe le prix à payer. L'autre jour, Sylvie s'est permis d'en glisser un mot à Alain. Elle lui a dit qu'il devrait essayer de convaincre Lucie de rester à la maison pour élever leur fille, ce à quoi il a répondu que les choses avaient changé et qu'elle était aussi bien de s'y faire. « Lucie tient mordicus à travailler à l'extérieur et à faire sa part pour les dépenses. » Pendant une fraction de seconde, Sylvie s'est sentie comme la personne la plus démodée de la terre. Elle est peut-être vieux jeu, mais au moins, elle a pris le temps de voir grandir ses enfants. D'ailleurs, même en étant très efficace, jamais elle n'aurait pu suffire à la tâche en travaillant à l'extérieur. Les jumeaux ont douze ans, et c'est à peine si elle commence à respirer un peu. Cette nouvelle façon de faire n'est pas sans l'inquiéter. C'est bien beau d'envoyer les enfants à la garderie, mais comment les parents d'aujourd'hui s'en sortiront-ils au final ? Pour le moment, personne ne peut le prédire. « Pourquoi les jeunes femmes mettent-elles des enfants au monde si c'est pour les faire garder par les autres ? C'est à n'y rien comprendre ! »

Comme Sylvie a mis plus de temps à choisir ses cadeaux qu'elle ne l'avait escompté, elle doit vite se mettre aux chaudrons. Dans moins d'une heure, les trois plus jeunes reviendront de l'école. Elle n'a pas une seule minute à perdre, d'autant qu'elle ne peut retarder le souper étant donné qu'elle a une répétition de chant à six heures. « Dans le pire des cas, les enfants se chargeront de la vaisselle. Ils n'en mourront pas. »

C'est la dernière répétition avant le début des spectacles. Depuis qu'elle chante, monter sur scène a toujours été son moment préféré. Et encore plus cette année ! Elle est impatiente de partager avec tout le monde les quatre chansons qu'elle interprétera. Au programme, il y a l'opérette *Le pays du sourire*, de Franz Lehar. Sylvie est tombée en amour avec cette opérette la première fois qu'elle l'a entendue, il y a de très nombreuses années. Quand elle a appris à Michel d'une voix enjouée qu'elle exécuterait quatre solos, il l'a regardée d'un air découragé.

— Tu es certaine que tu vas y arriver ? Déjà, l'année passée, tu trouvais que trois c'était trop pour toi.

— Aucun problème cette fois ! Je les sais déjà par cœur. En fait, je connais l'opérette d'un bout à l'autre. Ma mère me chantait ces airs quand elle me berçait. Tu vois, quand les autres enfants de mon âge apprenaient les paroles de *Au clair de la lune*, moi je chantais *Je t'ai donné mon cœur* depuis longtemps.

Cette année, Xavier Laberge a interdit aux femmes de porter du noir. « Je veux que la scène brille de tous ses feux. Non seulement je vais vous dire où acheter votre toilette, mais vous n'aurez rien à débourser. C'est l'ensemble qui paiera. » Les femmes étaient folles de joie, à tel point qu'elles ont eu la plus grande misère du monde à se concentrer pendant le reste de la répétition.

Quand elle est allée chercher sa robe, Sylvie était survoltée. Son excitation s'est décuplée quand elle a vu le nombre de couleurs et de modèles offerts. Certes, sa taille et son style ont vite restreint les possibilités, mais jamais elle n'avait vu autant de belles choses en un seul endroit. Une heure plus tard, elle est ressortie du magasin avec une robe longue turquoise au tissu très vaporeux. Sylvie se sentait comme une vraie princesse. Depuis, il ne s'est pas passé une seule journée sans qu'elle essaye sa robe.

Quand elle entend sonner quatre heures, Sylvie songe : « Il ne reste pas un seul biscuit, ni le moindre petit gâteau acheté non plus. Si je me dépêche, j'ai le temps de faire un pouding chômeur pour le dessert. » Quand les jumeaux et Luc arrivent, le souper est prêt. Sylvie les accueille joyeusement en leur disant qu'ils devront se contenter de quelques chips pour leur collation, ce qui provoque instantanément le rire des trois garçons. Une fois l'effet de surprise passé, Dominic se renfrogne. La mère de famille se dit qu'elle apprendra bien assez vite la raison de sa contrariété. Pour l'instant, elle a d'autres chats à fouetter, notamment dresser la table.

Chapitre 4

Avachi dans son fauteuil, Michel regarde la télévision. Voilà déjà une semaine qu'il reste à la maison au lieu d'aller travailler, ce qui ne fait pas son affaire du tout – pas plus que celle de Sylvie, d'ailleurs. Un soir de la semaine dernière, en revenant du magasin, il a filé directement dans son lit tellement il était fatigué. Le lendemain matin, Sylvie l'a traîné chez le médecin par la peau du cou. Ce dernier a discuté quelques minutes avec Michel, puis le verdict est tombé.

— Vous faites une mononucléose, monsieur Pelletier. C'est très rare chez les gens de votre âge, mais ça arrive.

— Une quoi ? a demandé Michel.

— Comme je viens de vous le dire, vous faites une mononucléose. On appelle aussi cette dernière « la maladie du baiser ».

Michel et Sylvie ont déjà entendu parler de cette maladie, mais ils en savent très peu sur le sujet.

— En termes plus simples, vous avez attrapé un virus, un peu comme on attrape une grippe, a expliqué le professionnel de la santé. Au lieu d'avoir mal partout et de tousser, eh bien vous vous sentez fatigué au point de ne plus être capable de vaquer à vos occupations quotidiennes.

— C'est bien beau tout ça, a déclaré Michel d'un air bougon, mais comment est-ce que je vais me débarrasser de ce maudit virus ?

— Voici mes recommandations. D'abord, vous ne travaillerez pas pendant quelques semaines.

— Mais je ne peux pas m'absenter aussi longtemps, car j'ai un magasin.

— J'ai bien peur que vous n'ayez pas le choix. Plus vous allez attendre pour vous reposer, plus vous allez avoir de la misère à reprendre le dessus. Pour le moment, je vous donne un congé de trois semaines.

Alors que Michel s'apprêtait à protester, Sylvie a posé sa main sur son bras et lui a dit :

— Ça ne donne rien de te mettre dans cet état. Le docteur vient de te le dire : tu n'as pas le choix. Il faut que tu te reposes.

L'air renfrogné, Michel a baissé les yeux.

— Je vais vous prescrire des ampoules de fer, a annoncé le médecin ; ça devrait vous aider à remonter la pente. Je veux vous revoir dans trois semaines. Ma secrétaire va vous donner un rendez-vous. En attendant, dormez autant que vous en avez envie et, surtout, ne faites rien qui exige des efforts.

— De toute façon, dormir est tout ce que j'ai envie de faire, a émis Michel d'une voix basse.

Même s'il avait voulu désobéir au médecin, Michel n'aurait pas pu. Plus il dort, plus il veut dormir. C'est à peine s'il a la force de se déplacer entre son lit et son fauteuil. Ça le met hors de lui.

Chaque soir avant de rentrer chez lui, Paul-Eugène vient lui parler des ventes de la journée au magasin. À la grande surprise de celui-ci, Michel accorde peu d'intérêt à ce qu'il lui raconte. La veille, Paul-Eugène a proposé de parler d'autres choses si c'était ce que son beau-frère souhaitait.

— Pour être franc, a répondu Michel, je n'ai pas envie de parler de quoi que ce soit. On dirait que j'ai le cerveau dans le Jell-O.

J'espère que ça ne te dérange pas, mais je crois que je vais aller dormir un peu.

Personne n'a jamais vu Michel dans cet état, pas même Sylvie en vingt-et-un ans de mariage. Lui habituellement si vaillant et enjoué, il donne presque l'impression d'être à l'article de la mort. C'est d'ailleurs ce que Michel ressent au plus profond de lui. Il se sent aussi démuni qu'un nouveau-né, comme si toutes ses forces l'avaient abandonné, et parfois, il s'inquiète même sérieusement : retrouvera-t-il la forme un jour ? Ce matin, il a raconté à Sylvie son rêve de la nuit précédente. Il avait rêvé que chaque jour, à notre réveil, on pouvait se regarder dans le miroir et voir ce qui n'allait pas dans notre corps ; tous les malaises et maladies duraient seulement le temps de faire le nécessaire afin de remettre la machine en ordre. Les humains qui souffraient ne pouvaient attribuer leur état qu'à leur négligence. « Dommage que les rêves ne se réalisent pas, a commenté Sylvie. Ce serait bien pratique. »

Le fait que son Michel passe ses journées à la maison ne fait pas le bonheur de Sylvie. La maison, c'est son royaume, pas celui de son mari. Pourtant, Michel ne mène pas grand bruit. Il est tellement silencieux la plupart du temps qu'il arrive à Sylvie de s'approcher de lui pour s'assurer qu'il respire encore. Mais comme un homme malade est, paraîtrait-il, toujours plus malade qu'une femme, Sylvie doit se tenir au service de son mari, ce qui l'énerve. En plus, elle jurerait que Michel prend plaisir à s'exprimer d'une voix pleurnicharde, ce qui lui donne la chair de poule chaque fois qu'elle l'entend. Si Sylvie ne se retenait pas, elle hurlerait. Jusqu'à maintenant, elle a réussi à se contenir, mais y arrivera-t-elle encore bien longtemps ? Elle se sent mal à l'aise face à la maladie, alors penser qu'elle devra supporter encore deux semaines les plaintes de son mari, c'est au-dessus de ses forces. Les premiers jours, elle se faisait un devoir de rester avec lui au cas où il aurait besoin de quelque chose, mais maintenant, elle en a plus qu'assez de jouer à l'infirmière.

Aujourd'hui, Sylvie a décidé qu'il était grand temps qu'elle prenne l'air si elle veut tenir le coup. Elle ira voir sa sœur Ginette. C'est loin d'être l'entente parfaite entre elles, mais au moins, les choses sont plus normales qu'au temps où Ginette et les autres se faisaient un malin plaisir à empoisonner la vie de leur père – et celle de Suzanne, par la même occasion. Une chose est certaine : le fait que Camil et sa femme aient déménagé a sûrement contribué à régler la situation. Les cinq moutons noirs de la famille avaient beau avoir montré patte blanche au souper que Sylvie avait organisé avec le concours de Maurice, rien ne garantissait qu'ils respecteraient leur parole. En tout cas, Sylvie restait sur ses gardes. Après, tout s'est bousculé si rapidement que personne n'a eu le temps de voir venir le coup. La première chose que les Belley ont su, c'est que leur père et sa femme avaient emménagé à L'Avenir. À ce jour, il n'y a que Sylvie, Chantal et Paul-Eugène qui leur rendent visite régulièrement, comme c'était d'ailleurs le cas lorsque le couple habitait Montréal. Ginette et sa bande sont allées là-bas une seule fois. Toute la famille Belley s'était alors trouvée réunie, ce qui avait fait très plaisir à Camil. Depuis, pour Ginette et les autres, toutes les excuses sont bonnes pour éviter un voyage à L'Avenir.

Sylvie a proposé à Ginette d'aller faire du lèche-vitrine, chose qu'elles n'ont pas faite ensemble depuis des lustres. En fait, cela remonte au temps où Ginette vivait encore dans la maison paternelle. Mais cela lui fera du bien, car celle-ci n'en mène pas large dernièrement ; son moral est à son plus bas. C'est à croire que tous les malheurs s'abattent sur elle. Après la toiture de sa maison qui a dû être refaite, le sous-sol a été inondé à cause du bris d'un tuyau. Pour couronner le tout, le mois passé, son médecin lui a annoncé qu'elle devra se faire réopérer dans le genou qui la fait souffrir depuis des années. Comme ce sera l'anniversaire de sa sœur dans quelques jours, Sylvie lui a annoncé qu'elle lui offrait une robe en cadeau. La pauvre Ginette était tellement contente qu'elle est restée sans voix au bout du fil. Sylvie a dû lui demander à deux reprises si tout allait bien avant qu'elle finisse par répondre.

Sylvie s'approche de Michel. Elle lui met la main sur l'épaule pour éviter de le surprendre et dit:

— Je sors une couple d'heures. Je vais magasiner avec ma sœur Ginette.

— Je te trouve bien courageuse, laisse tomber Michel du bout des lèvres.

Sylvie ne prend pas la peine de relever. Elle demande:

— As-tu besoin de quelque chose avant que je parte?

Michel réfléchit quelques secondes.

— Je prendrais un Coke bien froid.

— Tu vas devoir te contenter d'un Coke tablette du garage. Je t'ai donné le dernier hier et j'ai oublié d'en remettre dans le réfrigérateur.

— Ce n'est pas grave, gémit Michel. Vas-tu pouvoir en mettre au frais avant ton départ?

— C'est sûr. Je reviens tout de suite.

Une fois dans le garage, elle se dirige vers l'armoire dans laquelle elle range les boissons gazeuses, entre autres. Quelle n'est pas sa surprise de voir que non seulement celle-ci est ouverte, mais qu'aucune des bouteilles de Coke n'a son bouchon. «Les petits maudits! J'ai bien hâte de savoir ce qu'ils auront à dire cette fois pour leur défense. À l'âge qu'ils ont, ils devraient savoir depuis longtemps que dès qu'une bouteille de Coke est ouverte, il faut la boire tout de suite. Cette fois, ils vont payer jusqu'à la dernière cenne pour leur mauvais coup.»

D'un geste brusque, elle prend deux petites bouteilles par le goulot et revient dans la maison. Une fois près du fauteuil de Michel, elle lance d'un ton rempli de colère:

— Tu ne seras pas content. Regarde ce que nos adorables jumeaux ont encore fait. Figure-toi qu'ils ont enlevé le bouchon de toutes les bouteilles de Coke qui étaient dans l'armoire !

— Est-ce qu'ils ont au moins bu le Coke ?

— Non ! Ils ont seulement enlevé les bouchons.

— Mais alors, ça veut dire que les bouteilles ne sont plus bonnes qu'à être vidées dans l'évier.

— Eh oui !

— Les sacripants ! s'exclame Michel. Veux-tu bien me dire ce qui leur a pris ?

— Comment veux-tu que je le sache ? Attends qu'ils arrivent de l'école, ces deux-là. Ils ne perdent rien pour attendre.

— Mais qu'est-ce que je vais boire ? Pourrais-tu aller m'acheter du Coke à l'épicerie ?

Cette fois, Sylvie n'a aucune envie de céder au caprice de Michel.

— Non, pas aujourd'hui ! Je vais t'apporter un verre d'eau. Il faut vraiment que j'y aille, car Ginette m'attend.

Au moment où Sylvie sort de la maison, elle aperçoit Marie-Paule qui monte les quelques marches du petit perron.

— Bonjour, belle-maman ! s'écrie Sylvie. Vous arrivez à point. J'espère que vous avez un moral de fer parce que le malade aime beaucoup se plaindre. Je vous le laisse.

— Pars en paix, je m'en occupe.

Une fois installée au volant de sa Mustang, Sylvie repense aux jumeaux. Elle se demande bien quelle mouche les a piqués cette fois. « Je gagerais qu'ils ont eu vent d'un concours lancé par Coke et que les prix les intéressaient tellement qu'ils ont décidé d'ouvrir une caisse quasi complète pour essayer de gagner. Pauvres enfants! À douze ans, il serait plus que temps que François et Dominic commencent à réfléchir un peu avant d'agir. En tout cas, je les attends avec une brique et un fanal quand ils vont rentrer de l'école!» Plus elle vieillit, moins elle est patiente avec ses deux derniers, à tel point qu'il y a des jours où elle se demande comment elle fera pour les supporter jusqu'à ce qu'ils aient au moins dix-huit ans. Elle ne les trouve même plus drôles quand ils font des mauvais coups. Pourtant, il n'y a pas si longtemps, elle riait pratiquement de toutes leurs bêtises aussitôt que François et Dominic étaient hors de sa vue. Mais depuis qu'elle a franchi le cap de la cinquantaine, elle n'est plus la même. Cinquante ans! Quelle femme peut être contente d'avoir cet âge? En tout cas, elle, elle a pleuré toutes les larmes de son corps le jour de ses cinquante ans. Michel avait beau lui dire que ce n'était qu'un chiffre, elle était inconsolable. Le même scénario s'est reproduit à sa fête le mois passé. Quelque chose en elle refuse la cinquantaine, un point c'est tout. Elle a beau se répéter qu'elle vieillit seulement d'une journée à la fois depuis toujours, ça ne passe pas. Elle refuse de vieillir. L'autre jour, Sylvie était loin d'être fière de ce qu'elle voyait dans le miroir. De nouvelles rides ont envahi son visage, et son cou aussi. Elle déteste avoir des rides. Pourtant, comme tante Irma et Chantal le lui ont fait remarquer, elle en a très peu pour une femme de son âge.

— Veux-tu bien arrêter de penser à tes rides? a ordonné tante Irma. J'en ai bien plus que toi et ça ne me dérange pas du tout.

— Tant mieux pour vous, mais moi ça me dérange.

— Voyons, Sylvie! s'est exclamée Chantal. Regarde-moi. J'ai deux fois plus de rides que toi et je n'en fais pas une maladie.

— Tu n'as pas le droit de te plaindre pour si peu, Sylvie, a renchéri tante Irma. Souviens-toi de ta voisine. Comment s'appelait-elle donc? Elle était toute jeune et elle était ridée comme une pomme séchée. Vous savez sûrement de qui je parle ; cette femme habitait la petite maison grise à côté de chez toi.

— Vous parlez sûrement de madame Blanche, a déclaré Chantal. Elle, elle aurait eu toutes les raisons de se plaindre, mais pas toi, Sylvie. Tu devrais aller voir ton médecin. Ce n'est pas normal que quelques pauvres petites rides t'affectent à ce point-là.

Et ce n'est pas tout ! Alors qu'elle croyait que la grande opération réglerait tous ses problèmes, il n'en est rien. Non seulement elle a encore des bouffées de chaleur et des troubles du sommeil, mais ses sautes d'humeur sont de plus en plus fréquentes. La dernière fois qu'elle est allée voir son médecin, elle lui en a parlé. Tout ce qu'il a trouvé à lui dire, c'est :

— Tout ça c'est normal, car vous êtes en pleine ménopause. Je peux vous donner des pilules pour dormir, si vous voulez.

Depuis le temps que Sylvie le consulte, son médecin devrait savoir que les médicaments et elle ne font pas bon ménage. Elle hésite même à prendre une aspirine quand elle souffre d'un mal de tête. Sylvie est donc revenue chez elle avec son petit malheur, sans apercevoir aucune lueur au bout du tunnel.

* * *

Quand les jumeaux reviennent de l'école cet après-midi-là, ils sont attendus de pied ferme par leurs parents. À peine ont-ils franchi le seuil de la porte que pour seul bonjour, Michel et Sylvie s'écrient en chœur :

— Venez nous trouver, il faut qu'on vous parle.

Surpris, les jumeaux viennent les rejoindre au salon. François et Dominic se demandent bien ce que leurs parents ont à leur reprocher, d'autant qu'ils n'ont rien fait de mal depuis plus d'une semaine. Plus Sylvie et Michel parlent, plus les deux garçons sont étonnés.

— Moi, dit Michel, tout ce que je veux savoir c'est pourquoi vous avez fait ça ? Vous n'avez plus l'âge de faire des affaires plates comme celle-là. Vous auriez au moins pu boire le Coke tant qu'à y être.

— On n'a rien à voir là-dedans, proteste François. Si c'était nous les coupables, tu peux être certain qu'on aurait bu le Coke, ajoute-t-il joyeusement.

— Au moins jusqu'à ce qu'on ait mal au cœur, renchérit Dominic. D'après moi, vous devriez demander à Luc. La semaine passée, il nous a parlé d'un nouveau concours de Coke. Il nous a même dit qu'il voulait absolument y participer. Mais c'est tout ce que je sais.

— Tu parles d'un innocent ! laisse tomber François.

— Je t'interdis de parler de ton frère comme ça, le met en garde Sylvie.

Mais l'intervention de sa mère ne lui fait ni chaud ni froid.

— Franchement, déboucher toute une caisse de bouteilles de Coke juste pour avoir les bouchons ! Des fois, notre frère est loin d'être intelligent. Mais pendant que vous êtes là, je vais en profiter pour vous annoncer quelque chose. Je vais sortir de la chorale.

— Tu n'as pas le droit de me faire ça ! s'écrie Dominic. Tu m'as donné ta parole que tu resterais tant et aussi longtemps que j'y serais.

— Je sais tout ça, mais je n'en peux plus de me faire passer la main dans les cheveux à tout moment par le curé.

Vu sa haine pour tout ce qui porte une soutane, Sylvie réagit instantanément. Elle n'aime pas du tout ce qu'elle vient d'entendre. C'est pourquoi elle se dépêche de questionner François.

— Pourquoi te passe-t-il la main dans les cheveux ?

— Je ne suis pas le seul à qui il fait cela. Je pourrais te nommer au moins cinq garçons avec qui il agit de la même manière. Steve m'a même raconté que le curé lui passe parfois la main sur les fesses. Il est bien mieux de ne pas me toucher parce que…

— Il ne faut pas croire tout ce que Steve dit, l'interrompt Dominic. Tu le connais autant que moi. Il exagère tout le temps. C'est drôle, moi, le curé ne me touche jamais.

— Tu es bien chanceux. En tout cas, fais ce que tu veux, mais moi je n'y retournerai pas.

Michel et Sylvie sont inquiets. Les jumeaux ont bien des défauts, mais François et Dominic sont francs, même lorsqu'ils se font prendre la main dans le sac. C'est pourquoi Michel et Sylvie ne peuvent pas faire semblant de n'avoir rien entendu.

Afin de faire diversion, Sylvie invite ses fils à la suivre dans la cuisine. Elle leur trouvera quelque chose à manger pour les faire patienter jusqu'au souper.

Bien calé dans son fauteuil, Michel se repasse en boucle les paroles de François. Il est loin d'être aussi sévère que Sylvie envers ceux qui portent la soutane, mais il ne faudrait pas qu'il apprenne que l'un d'entre eux a fait quelque chose de répréhensible à l'un des siens parce qu'il deviendrait méchant.

Les jumeaux viennent d'entrer dans leur chambre pour y faire leurs devoirs et leurs leçons, quand la porte d'entrée s'ouvre sur un Luc particulièrement de belle humeur.

— Salut, c'est moi ! Vous ne devinerez jamais ce qui m'est arrivé.

Avant même que Luc ait le temps d'ajouter un mot, Michel et Sylvie lui tombent dessus. Même si la porte de leur chambre est fermée, les jumeaux ne perdent rien de la discussion entre leurs parents et Luc. Sylvie et Michel hurlent car ils sont furieux, alors que leur frère pleurniche.

— Vous ne comprenez pas ! se défend Luc. Je voulais absolument avoir une télévision dans ma chambre. Eh bien, imaginez-vous que j'en ai gagné une ! Vous devriez être contents pour moi au lieu de me chicaner comme vous le faites. Une télévision contre un simple petit bouchon, ce n'est pas rien.

Luc sait très bien qu'il a mal agi, mais quand il veut quelque chose, il s'organise pour l'obtenir. Il n'ignorait pas que ses parents seraient furieux en découvrant le pot-aux-roses, mais cela lui importe peu puisqu'il aura sa propre télévision dans quelques semaines seulement. Même s'il écope de la pire des punitions, ce ne sera pas trop cher payé. S'il utilise un ton plaintif, c'est uniquement pour essayer d'amadouer ses parents. Pourquoi se priverait-il de recourir à ce stratagème puisque ça marche à tous les coups ? De toute manière, il survivra. Ce n'est pas la première fois qu'il se fait disputer, et ce ne sera certainement pas la dernière non plus.

— Franchement, Luc, tu me décourages, déclare Sylvie d'une voix sévère. Tu as gaspillé 22 petites bouteilles de Coke. Je ne peux pas croire que tu aies fait ça, pas à l'âge que tu as.

— Pourquoi est-ce si grave ? demande innocemment le garçon. Je peux remettre les bouchons sur les bouteilles, si vous voulez.

— J'espère que tu n'es pas sérieux ! réplique Michel à son fils. À cause de toi, ces 22 bouteilles sont toutes bonnes pour la poubelle maintenant.

— Mais c'est bon pareil, du Coke dégazéifié ! objecte Luc.

— Eh bien, si c'est si bon que ça, on va te laisser toutes les bouteilles, décrète Sylvie. Et tu es mieux de ne pas gaspiller une seule goutte de Coke parce que tu vas avoir affaire à moi.

Luc se garde bien de répondre. Pourtant, ce n'est un secret pour personne dans la famille qu'il déteste les bulles. Il aime boire du Coke, mais seulement quand il est dégazéifié. Puisque c'est comme ça, il n'aura qu'à remettre les bouchons sur les bouteilles pour les protéger de la poussière. Pour la première fois de sa vie, il a une caisse de Coke presque entière juste pour lui. Il savait bien que sa punition ne serait pas si terrible.

— Allez, file dans ta chambre, espèce de grand flanc mou! ordonne Sylvie. Je ne veux pas te voir la face avant le souper.

Alors que Luc s'apprête à sortir du salon, Michel lance d'une voix autoritaire:

— J'ai une dernière chose à te dire. Je veux que tu me donnes la télévision quand tu la recevras.

Celle-là, Luc ne l'avait pas vu venir du tout. La tête basse, il prend la direction de sa chambre. Pour l'instant, il vaut mieux qu'il se fasse oublier un peu. Mais il n'a pas dit son dernier mot. «Je veux cette télévision et je l'aurai, coûte que coûte. Il me reste six semaines pour faire changer d'idée mes parents.»

Quand ils entendent la porte de la chambre de Luc se fermer, les jumeaux retournent à leur table de travail.

— Pauvre Luc! dit François. Il a fait tout ça pour rien.

— Il n'est pas à plaindre du tout! proteste Dominic. Je te gage qu'il va l'avoir sa télévision. Tu le connais autant que moi. Quand il veut quelque chose, il finit toujours par l'avoir.

— En tout cas, ça prenait du front tout le tour de la tête pour agir comme il l'a fait.

— Et même une lisière dans le dos, comme dirait maman. Bon, assez parlé de Luc, revenons à nos moutons. Il nous reste à peine une petite demi-heure avant que maman nous appelle pour le souper. Il faut qu'on revoie chaque détail. Cette fois, je ne veux pas qu'on se fasse prendre.

— Ouais, on ne peut pas dire que notre moyenne au bâton soit très bonne ces derniers temps. Ça paraît qu'on manque de pratique ; on a perdu des plumes. Mais cette fois, j'ai confiance que tout va marcher comme sur des roulettes.

Chapitre 5

Junior ne pourrait pas être plus heureux que maintenant. Non seulement il a remporté l'un des deux concours de photo auxquels il a participé, mais il est en train de parler au téléphone avec son parrain.

— D'abord, je m'excuse de ne pas t'avoir rappelé plus tôt, déclare ce dernier. Mais ces temps-ci, je suis débordé de travail comme jamais. J'ai une bonne nouvelle pour toi. Je me suis renseigné sur l'école de photographie de Toronto dont tu m'as parlé et j'ai une proposition à te faire. Bien sûr, c'est à la condition que tu souhaites toujours aller là-bas.

— Plus que jamais, mon oncle. C'est une des meilleures écoles au Canada. J'ai appris des tas de choses pendant la semaine que j'y ai passée. Je viens d'ailleurs de gagner un autre concours.

— Je te félicite ! Puisque c'est comme ça, si tu peux te libérer pendant tout le mois de juillet, je t'ai réservé une place. Ça n'a pas été facile, par exemple. Je ne savais pas que cette école était aussi renommée. Mais ils m'ont dit que tu avais déjà réservé une semaine, alors ça m'a facilité les choses un peu. Tu peux être fier : ils m'ont parlé de toi en termes élogieux quand ils ont su que j'étais ton parrain. Là-bas, on trouve que tu as beaucoup de talent.

Au bout du combiné, Junior jubile. Il est tellement heureux qu'il se retient à deux mains pour ne pas crier sa joie dans les oreilles de son interlocuteur. Il a vraiment de la chance d'avoir un parrain comme le sien.

— Tout ce qu'il te reste à faire, c'est d'appeler l'école pour confirmer les dates de ton séjour. Aussitôt que ce sera fait, avertis-moi et j'enverrai un chèque. Et je vais aussi t'envoyer de l'argent pour ton transport et tes petites dépenses. Pour ton hébergement, tout est réglé, car je t'ai réservé une chambre sur le site. Tu pourras prendre tes repas à la cafétéria. Tu n'auras rien à payer, je vais tout régler.

— Je ne sais vraiment pas comment vous remercier.

— Fais-moi honneur, c'est tout ce que je te demande. Aider quelqu'un qui veut avancer dans la vie, c'est toujours un plaisir.

Junior est tenté de répondre que tout le monde ne pense pas comme lui – en tout cas, pas son père. Certes, Michel est prêt à l'héberger. Mais pour ce qui est de lui faciliter les choses de quelque façon que ce soit pour l'aider dans ses études, il ne doit pas compter sur lui. Son père tolère que ses enfants étudient, mais guère plus ; et même, il agit ainsi dans l'unique but d'éviter que Sylvie ne lui empoisonne la vie. Cela n'est un secret pour personne chez les Pelletier : du plus vieux aux plus petits, tous ont vite compris qu'ils devaient d'abord compter sur eux s'ils voulaient un autre genre de vie que celle de leur père.

— Vous n'avez pas à vous inquiéter. C'est certain que je vais faire tout mon possible pour que vous soyez fier de moi.

— J'ai confiance en toi. Rappelle-toi ce que je vais te dire, car ça va te servir toute ta vie : la personne qui doit être la plus fière de toi, c'est toi. Une dernière chose... J'aurais un petit service à te demander. Je voudrais que tu viennes nous photographier, ta tante et moi, quand nous fêterons notre vingt-cinquième anniversaire de mariage. Mais tu as bien le temps d'y penser : c'est seulement dans sept ans !

— Vous pouvez compter sur moi. Peu importe où je serai dans le monde, je viendrai. Encore merci pour tout, mon oncle !

Ce que son parrain aime le plus chez son filleul, c'est son ambition. « Peu importe où je serai dans le monde. » Ce genre de discours appartient seulement aux gagnants. « Il ira loin, le jeune, c'est certain. Il parle déjà comme s'il y était. Il faudra que j'en glisse un mot à Michel la prochaine fois que je vais le voir. »

Junior reste planté plusieurs minutes à côté du téléphone. Il savoure tout ce qui lui arrive de beau. C'est ainsi que sa mère le trouve quand elle entre dans la cuisine avec un plein panier de linge qu'elle vient de ramasser sur la corde. En voyant Sylvie, Junior sort de sa léthargie. Il lance d'une voix enjouée :

— Je vais t'aider à le plier.

— Tu sais bien que je ne refuse jamais un peu d'aide. Est-ce que c'est encore le concours que tu as gagné qui te rend de si bonne humeur ? Il me semble que tu as l'air encore plus heureux que lorsque tu as ouvert l'enveloppe !

— Oui et non. C'est certain que je suis très content d'avoir gagné le concours, et surtout d'avoir obtenu la bourse qui l'accompagne. Je n'aurai jamais trop d'argent. Mais ce qui me rend encore plus heureux, c'est ce que vient de m'annoncer mon parrain.

— Je me demandais bien avec qui tu parlais aussi longtemps. J'avais deviné qu'il s'agissait d'un appel important. D'habitude, tu n'es pas du genre à t'éterniser au téléphone.

— J'ai vraiment un parrain en or. Imagine-toi qu'il m'offre un mois de cours – j'irai en juillet – à l'école de photographie de Toronto, toutes dépenses payées. Et crois-moi, ce n'est pas donné. En fait, c'est tellement cher qu'après une année entière à économiser tout ce que je pouvais, je n'étais même pas certain de pouvoir me payer une seule semaine là-bas.

— Es-tu sérieux ?

— Oui, répond Junior, le sourire fendu jusqu'aux oreilles. J'ai vraiment beaucoup de chance de l'avoir pour parrain. Sais-tu ce qu'il m'a demandé en échange ?

Sans plus attendre, Junior poursuit :

— Eh bien, il m'a demandé d'aller prendre des photos lors de la fête de son vingt-cinquième anniversaire de mariage.

— Tu as en masse le temps d'y penser. Ce n'est pas pour demain !

Junior dépose la serviette qu'il vient de plier sur la table et, avant d'en prendre une autre, il demande à sa mère :

— Crois-tu que papa va me faire des misères ?

— Laisse-moi m'arranger avec lui. Tant que ça ne lui coûte rien, il n'a pas un mot à dire. Je suis contente et très fière de toi. Ce soir, on pourrait fêter tout ça, si tu veux. Dis-moi ce que tu aimerais manger pour dessert.

Toujours aussi gourmand, Junior réfléchit pendant quelques secondes. Il a la dent sucrée, alors choisir un dessert représente un choix déchirant pour lui.

— Eh bien, si ce n'est pas trop d'ouvrage, j'aimerais bien que tu me fasses des choux à la crème. Ça fait des semaines que j'en rêve !

— J'étais certaine que c'était ce que tu me demanderais, répond Sylvie. Je vais même les faire si petits qu'on va pouvoir les manger en une seule bouchée, ajoute-t-elle d'un air taquin. Finis de plier le linge pendant que je prépare la pâte.

Puis, Sylvie murmure :

— Si Martin était là, il serait fier de toi. Il t'aimait tellement.

Il y avait longtemps que Sylvie n'avait pas prononcé le nom de Martin. Comme chaque fois, elle a les yeux pleins de larmes. Elle a fini par accepter son départ, mais jamais la douleur causée par la mort de son fils ne la quittera totalement. Elle le sait depuis longtemps.

En voyant l'état de sa mère, Junior s'approche d'elle. Il la prend dans ses bras et la console :

— Ne pleure pas, maman. De l'endroit où il se trouve, je suis sûr que Martin veille sur moi.

Puis, il se racle la gorge avant de poursuivre :

— Depuis le temps qu'il est mort, il ne se passe pas une seule journée sans que je pense à lui. Il me manque tellement !

Sylvie s'essuie les yeux avec le coin de son tablier. Elle embrasse ensuite Junior sur la joue.

— Quand tu auras fini de plier le linge, il va falloir que tu ailles m'acheter de la crème douce.

* * *

Alors que la famille est réunie comme tous les dimanches soir, Junior laisse à peine le temps à sa mère de servir tout le monde avant d'annoncer ses grandes nouvelles. Pendant que les félicitations fusent de partout, Michel ronge son frein. Ce dernier meurt d'envie de parler, mais il sait qu'il doit bien choisir ses mots s'il ne veut pas se faire rabrouer par Sylvie devant les enfants.

Il est content que Junior ait gagné un concours de photographie. Mais en ce qui concerne le cadeau que son parrain lui a offert, c'est une autre paire de manches. S'il y a une chose qu'il déteste, c'est bien de passer pour quelqu'un qu'il n'est pas. Et c'est exactement ce qui est en train de se produire. À l'heure qu'il est, le parrain de Junior doit se dire qu'il n'y a que les mauvais pères qui refusent d'aider leurs enfants à poursuivre leurs études. « C'est facile de gâter son filleul quand on gagne autant d'argent que Donald. »

Une fois son orgueil satisfait, Michel finit par se dire que le parrain de Junior n'est absolument pas obligé de se montrer si généreux. Que s'il accepte d'aider Junior, c'est parce qu'il le veut puisque personne ne l'oblige à en faire autant. «Je pourrais au moins reconnaître sa générosité. Donald est un "bon Jack". Je suis aussi pire qu'une vieille fille ; je vois du mal partout. En plus, ce n'est vraiment pas le genre de Donald de juger les gens. On en a déjà discuté ensemble. S'il gâte autant Junior, c'est pour aider celui-ci. Ouais ! Il serait peut-être temps que je vieillisse un peu. »

Michel regarde sa famille. Il a beaucoup de chance d'avoir d'aussi bons enfants ; il devrait peut-être se soucier davantage d'eux. Quand Sylvie se lève pour servir une deuxième assiette à Alain, Michel dit à Junior :

— Je veux que tu saches que je suis très fier de toi. Tu fais honneur à notre famille avec tous les prix que tu gagnes. Et je suis content que tu puisses aller passer un mois à Toronto grâce à ton parrain. C'est tout à son honneur. Après le souper, je vais lui téléphoner pour le remercier. Bravo, mon garçon ! conclut-il en levant son verre de Coke dans les airs.

Dos à la table, Sylvie sourit. Le Michel qu'elle aime tant est en train de revenir à la vie.

— Merci papa, répond Junior, le sourire aux lèvres.

Le jeune homme est ému. Il n'en espérait pas tant. Il connaît suffisamment son père pour savoir que l'orgueil de celui-ci a dû en prendre un coup quand il a su tout ce que son parrain est prêt à faire pour lui. Junior sait aussi que même s'il en avait les moyens, Michel n'agirait pas différemment. Le garçon pourrait en vouloir à ce dernier de tout faire pour que ses enfants finissent par suivre ses traces, mais il n'en a pas envie. Michel est un bon père et, comme tous les pères de la terre, il s'occupe de son mieux de sa famille. C'est déjà bien plus que ce que beaucoup d'enfants reçoivent.

— Et moi, personne ne me félicite ? s'enquiert joyeusement Sonia.

— Pourquoi on devrait te féliciter ? s'informe Dominic d'un air soupçonneux.

— Mais parce que j'ai enfin fini le tableau d'oncle André. Aimeriez-vous le voir ?

— C'est sûr ! répond promptement Sylvie. Va vite le chercher.

Quand Sonia fait son entrée dans la cuisine avec une toile aussi haute qu'elle et d'une bonne largeur, tous restent béats d'admiration. À la demande de son oncle André, la jeune fille a peint plusieurs personnages d'âges différents qui sont assis à une terrasse, où le bonheur de chacun crève la toile. Non seulement la scène est colorée, mais elle donne envie de partir en vacances.

— Bravo, ma fille ! s'exclame Michel dans un cri du cœur. Je suis certain qu'André va adorer sa toile. Je ne sais pas de qui tu tiens ce talent, mais une chose est certaine : ce n'est pas de moi !

— Ni de moi non plus ! renchérit Sylvie. À mon goût, c'est le plus beau tableau que tu aies peint.

Ni Michel ni Sylvie n'ont réalisé ce qu'ils venaient de dire en parlant du talent de leur fille. Pourtant, ils savent de qui elle le tient. Martine a toujours peint. Depuis que Sonia a décidé de ne pas rencontrer sa mère biologique dans un cadre officiel, la jeune fille et ses parents ne sont pas revenus sur le sujet. Sonia a croisé Martine deux fois depuis qu'elle connaît l'identité de sa mère biologique ; tout s'est passé mieux qu'elle n'aurait pu l'espérer. Elle aime toujours autant Martine, sauf que maintenant, elle ne favorise pas les rencontres avec elle. Tout ce qu'elle sait de sa petite histoire, c'est ce que son père lui a raconté, et cela lui convient très bien. Elle considérera toujours Sylvie et Michel comme ses parents. Même si son père est vieux jeu parce qu'il pense que la place d'une femme est à la maison, ou que sa mère est trop sévère avec elle quand elle sort avec ses amis sans que Daniel soit de la partie, elle les aime de tout son cœur. Et elle ne voudrait avoir personne d'autre qu'eux comme parents.

— Je vous aurais bien offert un Coke pour fêter ça, déclare Michel d'un ton ironique, mais Luc a ouvert toutes les bouteilles. Alors, à moins que vous n'aimiez pas les bulles...

À part Luc, tout le monde éclate de rire, même la petite Hélène assise sur les genoux de sa mère.

Chapitre 6

D'une voix trahissant son émotion, Chantal indique :

— J'ai entendu dire que tu avais cassé la baraque, comme disent les Français, et ce, à chaque représentation.

— Arrête donc ! s'exclame Sylvie. J'ai juste fait mon possible. Et puis, je n'ai pas de mérite, j'aime tellement ça. Tu ne peux même pas t'imaginer à quel point ! Quand je suis sur la scène, je me sens comme un poisson dans l'eau.

Cette année, Sylvie a fait fureur lors de tous les spectacles qu'a donnés l'ensemble lyrique que dirige Xavier. Il faudrait être de mauvaise foi pour ne pas reconnaître son immense talent de chanteuse. Non seulement elle chante divinement, mais elle bouge bien aussi. On parle même d'elle dans le journal local.

— En tout cas, si tu n'avais pas sept enfants…

— Six, se dépêche de rectifier Sylvie.

— C'est vrai, reconnaît Chantal sans s'attarder sur le sujet. Figure-toi que j'en connais un qui ferait de toi une diva connue à travers le monde entier. Xavier est ton plus fidèle admirateur. Il croit tellement en toi !

— Je sais tout ça. Mais comme je l'ai dit à Xavier, je n'en demande pas plus. De toute façon, même si je voulais faire une carrière de chanteuse, je ne le pourrais pas. Ma vie est tracée d'avance pour une dizaine d'années encore.

Sylvie est parfaitement consciente de ses limites et elle vit bien avec ça… enfin, la plupart du temps.

— Est-ce que ça veut dire qu'après, tu pourrais reconsidérer toute l'affaire et peut-être accorder plus de temps au chant ? s'enquiert Chantal. Et qui sait, peut-être même envisager de faire carrière ?

— Je n'ai pas dit ça. Mais j'en ai encore pour une dizaine d'années avant que tout le monde ait quitté la maison. Et puis, je ne rajeunis pas, tu sais. Dans dix ans, j'aurai plus de soixante ans. Ce ne sera plus le temps.

— Mais si tu pouvais te faire plaisir, ne serait-ce que pendant cinq ans, tu ne crois pas que ça en vaudrait la peine ? Tu ne serais pas la seule chanteuse d'un certain âge. Xavier m'en a nommé une bonne dizaine.

Ces quelques mots suffisent à faire rêver Sylvie. Elle aurait adoré devenir chanteuse d'opéra, mais il a bien fallu qu'elle se fasse une raison. Elle a choisi de fonder une famille ; tant que celle-ci ne sera pas rendue à bon port, elle la fera passer avant toute chose. Quand Sylvie s'engage dans quelque chose, elle va jusqu'au bout, même si le prix à payer est élevé. Oui, il lui arrive de plus en plus souvent de souhaiter que ses enfants vieillissent de deux jours à la fois au lieu d'un seul. Oui, parfois ses responsabilités de mère pèsent lourd sur ses épaules. Certes, elle adorerait chanter tous les jours, partir en tournée partout dans le pays – et même ailleurs – et se faire applaudir dès qu'elle apparaît sur une scène. Mais la vie s'est chargée de lui apprendre que, plus souvent qu'autrement, on fait ce qu'on peut avec ce qu'on a et non ce qu'on veut.

— La question ne se pose même pas, répond-elle à sa sœur. Tu sais comme moi que les rêves ne se réalisent pas toujours.

Sylvie n'a aucune envie de poursuivre cette discussion.

— Veux-tu un autre café ? demande-t-elle à sa sœur.

— Ne change pas de sujet, lui ordonne Chantal.

— Tout a été dit, répond vivement Sylvie. Il vaut mieux passer à autre chose, étant donné ma situation actuelle. Veux-tu un autre café ? répète-t-elle.

Chantal voit bien qu'elle ne tirera rien de plus de sa sœur pour le moment. Sylvie est une femme de cœur et elle fera toujours passer sa famille en premier. C'est une qualité que Chantal admire, mais elle se dit qu'avec un peu d'organisation, Sylvie pourrait très bien consacrer plus de temps au chant si elle y tenait. Les jumeaux ont quand même douze ans.

— Avec plaisir, répond Chantal. J'ai apporté deux petites tablettes de chocolat belge. J'ai fini par en trouver dans une pâtisserie de la rue Saint-Denis. Si tu aimes ce chocolat, je te donnerai l'adresse.

Sylvie s'approche aussitôt de la table, sans prendre le temps de finir les deux cafés qu'elle était en train de préparer.

— Figure-toi qu'à cause du chocolat belge, s'écrie-t-elle en prenant l'une des tablettes, c'est rendu que je lève le nez sur les Caramilk ! L'autre jour, j'ai eu l'air d'une vraie folle. Je me revois encore tendre la main pour prendre le carré de chocolat que m'offrait Éliane. Au moment où j'allais le toucher, j'ai vu l'emballage : c'était une Caramilk. Je me suis dépêchée de ramener ma main vers moi. Quand Éliane m'a demandé s'il y avait quelque chose qui n'allait pas, tout ce que j'ai trouvé à dire, c'est que je n'aimais pas le caramel.

Chantal éclate de rire. Elle est vite imitée par Sylvie.

— Dois-je comprendre qu'elle ignore à quel point tu aimes le caramel ?

— Tu as tout compris ! s'exclame Sylvie. Mais ne t'inquiète pas pour moi, je trouverai bien le moyen de régler ce malentendu.

Les deux sœurs s'esclaffent de plus belle.

— Est-ce qu'il va falloir que j'aille faire mon café moi-même ? demande Chantal d'un air taquin.

— Laisse-moi juste le temps de goûter à ce chocolat et je m'en occupe.

Aussitôt que Sylvie met un petit carré de chocolat dans sa bouche, elle jubile. Dans de tels moments, elle se souvient pourquoi elle ne veut plus manger de Caramilk ou tout autre chocolat du même acabit. Les yeux fermés, elle prend le temps de laisser fondre la friandise sur sa langue. Elle laisse durer le plaisir jusqu'à ce qu'il n'y ait plus la moindre petite trace de chocolat dans sa bouche.

Chantal sourit en contemplant sa sœur. Depuis toujours, quand Sylvie apprécie quelque chose, elle prend le temps de le déguster. C'est la même chose quand elle mange une pipe de réglisse noire : pendant que Sylvie savoure sa première bouchée, les enfants ont le temps d'avaler leur friandise en entier.

C'est seulement lorsque son carré de chocolat n'est plus qu'un lointain souvenir que Sylvie finit de préparer les cafés.

— Il faudrait vraiment que tu ailles en Belgique un jour ! s'exclame Chantal. Pense au bon chocolat que tu pourrais manger là-bas !

— Je ne crois pas que ce soit une bonne idée. Je ferais comme Sonia : je m'arrêterais dans toutes les chocolateries et je m'achèterais des chocolats que je mangerais avant d'entrer dans la chocolaterie suivante. Mais contrairement à ma fille, ma ligne ne me permet pas d'agir ainsi.

Une fois les cafés déposés sur la table, Sylvie reprend sa tablette de chocolat dans sa main. Avant d'en casser un carré, elle dit à Chantal :

— Parle-moi de ton mariage maintenant.

Un large sourire illumine instantanément le visage de cette dernière.

— Eh bien, tu peux barrer le samedi 12 décembre sur ton calendrier. Non seulement l'église est réservée, mais on a aussi choisi le prêtre. Imagine-toi qu'on va faire la noce à l'hôtel Saint-James dans le Vieux-Montréal !

— Mais à quoi avez-vous pensé ? Ça va vous coûter une fortune !

— Je suis du même avis. Mais Xavier m'a dit de ne pas m'inquiéter, qu'il en avait les moyens.

— Il va falloir qu'on se mette sur notre trente-six !

Sylvie se réjouit pour sa sœur. Il était temps que le vent tourne pour elle aussi. Et cette fois, Chantal est bien tombée. Xavier lui fera un bon mari. En plus d'être charmant, poli et courtois, il est drôle. Sylvie apprécie beaucoup Xavier et elle sait qu'il veillera sur sa petite sœur comme sur le plus beau des trésors. D'ailleurs, ça crève les yeux : ces deux-là s'aiment vraiment.

Quand Sylvie songe qu'elle ira au Saint-James, elle est folle de joie. Xavier Laberge a opté pour l'un des hôtels les plus réputés de Montréal. Sylvie se voit déjà arriver devant le chic endroit ; elle attendra que le majordome vienne lui ouvrir la porte d'entrée. Parfois, elle se dit qu'elle aurait dû naître riche. « Mais qui ne le voudrait pas ? »

— C'est sûr qu'on n'ira pas là avec nos bigoudis sur la tête ! plaisante Chantal. Et tu sais quoi ? J'ai déjà trouvé ma robe.

— Moi qui croyais que tu m'attendrais pour l'acheter… lâche Sylvie d'une voix déçue.

S'il y a une chose à laquelle Sylvie tenait, c'était d'accompagner Chantal quand celle-ci achèterait sa robe de mariée. Elle a toujours eu un faible pour sa petite sœur. Elle ne lui en voudrait pas de l'exclure de cette étape cruciale, mais elle s'en souviendrait jusqu'à la fin de ses jours.

— Je ne l'ai pas encore achetée non plus. Je tiens absolument à ce que tu viennes la voir avec moi pour être certaine que je fais le bon choix. Je suis tellement énervée par tout ce qui m'arrive ! Mais tu ne sais pas la dernière. Imagine-toi que Xavier veut qu'on s'achète une nouvelle maison. Il refuse qu'on vive dans la sienne ou dans la mienne.

— Je ne savais pas qu'il avait autant d'argent, s'étonne Sylvie.

— Il n'est pas à plaindre, loin de là. Sa femme possédait une grosse assurance-vie et, en plus, il y a quelques années, Xavier a hérité d'un oncle qui avait pas mal d'argent.

— Je suis si contente pour toi. Où pensez-vous vous installer ?

— On a regardé quelques maisons sur le bord du fleuve.

— Ma foi du bon Dieu, avec tout ce qui t'arrive, si ça continue tu ne porteras plus à terre ! Est-ce qu'il va falloir qu'on t'appelle madame Laberge quand tu vas être mariée ?

C'est vrai que Chantal ne porte plus à terre par moments. C'est à peine croyable tout ce qui lui arrive depuis que Xavier est entré dans sa vie. Elle se pince parfois pour s'assurer qu'elle ne rêve pas et que son prince charmant existe vraiment.

— Cesse de dire des niaiseries ! s'écrie Chantal. Tu sais bien que je vais toujours rester la même : la petite sœur dont tu t'es occupée et dont tu t'occupes encore. Je suis si heureuse !

— Tant mieux ! Il était grand temps qu'il t'arrive de belles choses.

— C'est sûr que je ne suis pas à plaindre, je vis même plutôt bien si je me compare aux gens que je connais. Mais assez parlé de moi. Je veux connaître toutes les nouvelles qui vous concernent, ta bande et toi.

— J'espère que tu n'es pas pressée parce que ces temps-ci, on dirait que les enfants ne savent plus où donner de la tête pour se faire remarquer. Je vais commencer par te parler des jumeaux. Tu te souviens qu'ils sont entrés dans la chorale de l'église il y a plus d'un an. Eh bien...

Chantal écoute attentivement Sylvie. C'est plus fort qu'elle ; chaque fois qu'il est question des jumeaux, elle ne peut s'empêcher de sourire. Même s'ils ne sont plus les petits garçons qu'on habillait pareil il n'y a pas si longtemps encore, elle trouve ses neveux toujours aussi attachants. Lorsque Sylvie raconte l'histoire du curé qui aime passer sa main dans les cheveux de François, Chantal fronce les sourcils. Cela ne lui plaît pas du tout.

Sylvie indique :

— Pour une fois, je ne sais pas quoi faire.

— C'est simple. Dominic n'a aucune chance de devenir enfant de chœur un jour avec ce curé-là. Non seulement ce dernier est vieux jeu, mais il a la réputation d'être rancunier. Je mettrais ma main au feu qu'il en veut encore aux jumeaux de ce qu'ils lui ont fait endurer. Conseille à Dominic d'aller voir le curé de la paroisse d'à côté s'il veut être enfant de chœur. Je me suis laissé dire que cet homme était plutôt moderne. Je ne sais pas si c'est vrai, mais il paraît que ses messes ne ressemblent à rien de ce qu'on connaît. Je pense que ça s'appelle des messes à gogo.

— C'est la première fois que j'entends parler de cela.

— Quant au « flattage » de cheveux et aux mains baladeuses, si j'étais à ta place, je mènerais ma petite enquête. Tu pourrais réunir les parents des enfants concernés. Le monde est assez fou qu'il vaut mieux ne pas prendre de chance.

— Je ne peux pas croire qu'un prêtre ferait des affaires de même.

Depuis que François lui a parlé de ce qui se passait pendant les répétitions de la chorale, Sylvie n'a pas cessé d'y penser. Michel et elle en ont discuté ensemble à quelques reprises sans jamais trouver une entente pour la suite des choses. Comme elle déteste les soutanes à s'en confesser, elle prend le temps de bien réfléchir avant d'agir quand la situation implique des hommes d'Église. Mais dans le cas présent, elle ne sera pas à l'aise tant et aussi longtemps qu'elle n'en aura pas le cœur net.

— Tu fais comme tu veux, mais moi je ne courrais pas la chance que ce curé gâche la vie de ces jeunes-là. Ce ne serait pas le premier, tu sais ! Je ne veux pas te faire peur, toutefois, j'ai lu des affaires pas trop catholiques sur nos chers prêtres. Mais on n'a pas encore parlé de Michel. A-t-il repris le travail ?

— Pas plus tard qu'hier. Il n'était pas le seul à être content de retourner au magasin. Je ne suis vraiment pas faite pour avoir un homme dans mes jambes à longueur de journée. Tu aurais dû l'entendre. Les premiers jours, Michel passait son temps à se plaindre aussitôt qu'il ouvrait un œil. C'était rendu que je me trouvais des prétextes pour sortir de la maison. Je n'ai jamais autant dépensé.

— Pauvre Michel ! Est-ce qu'il a au moins remarqué que tu t'étais fait percer les oreilles ?

— Même pas ! Je le laisse reprendre le dessus et après, je te jure que je vais me payer la traite.

— Le contraire m'aurait surprise. Si tu veux mon avis, ça ne vaut pas la peine que tu dépenses ta salive. Tu ne changeras pas ton mari. Pour lui, ce genre de détails n'a aucune importance. Je sais de quoi je parle : j'ai fait le même coup à Xavier l'autre jour. J'étrennais une paire de boucles d'oreilles et il n'a rien remarqué. Pourtant, s'il y en a un qui prête attention aux détails, c'est bien lui. Il faut donner une chance aux hommes. Les pauvres, ils sont loin d'être comme nous.

Sylvie raconte ensuite le coup des bouteilles de Coke de Luc, ce qui fait bien rire Chantal.

— Il ira loin celui-là, affirme-t-elle. Quand il a quelque chose en tête, il ne l'a pas dans les pieds. Vous devriez lui donner sa télévision quand il va la recevoir.

— Pas question ! Il n'avait qu'à y penser avant.

— Ne sois pas trop dure avec lui. Il a déjà été assez puni en étant obligé de boire tout le Coke. Rien qu'à y penser, j'ai mal au cœur pour lui ! Moi, j'ai beaucoup d'admiration pour tes enfants. Ils se débrouillent toujours pour obtenir ce qu'ils veulent. C'est vrai que parfois ils dépassent un peu les bornes, mais ils n'ont aucune once de méchanceté. Rien que pour ça, ils méritent toute mon admiration.

Sylvie n'avait jamais vu les choses de cette façon. Chantal a raison. Non seulement Michel et elle ont de bons enfants, mais tous sans exception savent tirer le maximum de leurs capacités. Avec l'héritage que Sylvie a reçu de son amie Jeannine, Michel et elle auraient les moyens de faire plus pour eux, à tout le moins leur donner un peu d'argent de poche. Ils en ont discuté à quelques reprises, mais en fin de compte ils ont décidé de garder les choses telles quelles. Ils considèrent qu'ils n'aideraient pas leurs enfants en leur donnant tout sans que ceux-ci n'aient à faire d'efforts. « Mais on pourrait peut-être leur donner un petit montant d'argent quand ils terminent leur cégep », songe Sylvie.

Chapitre 7

— Elle est vraiment très belle ta photo, affirme Sonia. Je comprends que les juges l'aient choisie.

— Elle m'aura au moins servi à gagner ce concours, répond Junior d'un air dédaigneux.

La dernière chose que Junior voulait, c'est gagner le concours avec la photo de Christine. Pourtant, personne ne l'a forcé à l'envoyer. Il aurait très bien pu choisir une autre photo, mais il a pris celle-là parce que c'était la plus belle. Il est très content d'avoir remporté le premier prix. La vie est remplie de surprises. Elle vous fait endurer le martyre à cause d'une personne, pour ensuite vous offrir un cadeau sur un plateau d'argent. Un peu comme si elle voulait mettre un baume sur une plaie encore trop vive.

— Ne sois pas méchant, ça ne te ressemble pas. Christine avait sûrement des qualités, sinon tu ne te serais pas intéressé à elle. Tu devrais la remercier de t'avoir fait gagner le concours au lieu de lui en vouloir.

— Je sais tout ça, mais j'ai de la misère.

— Je te comprends. Mais il va bien falloir que tu passes à autre chose.

— Non seulement je suis passé à autre chose, déclare Junior en gonflant le torse, mais je suis passé d'une fille à des dizaines de filles. Qu'est-ce que tu veux de plus ?

— Mon pauvre Junior, ton corps est passé à autre chose, c'est vrai, mais pas ton cœur.

Junior est surpris par les propos de sa sœur. Ce n'est pas d'hier que Sonia sait lire dans les pensées des gens. Ses commentaires sont souvent difficiles à entendre, mais toujours justes.

— Pour le moment, répond-il, c'est tout ce que je peux faire.

Même si l'intention de Sonia n'était pas de faire souffrir son frère, elle voit bien qu'elle a visé en plein dans le mille. C'est pourquoi la jeune fille s'approche de Junior et le serre très fort dans ses bras. Puis, elle lui chuchote à l'oreille :

— Je te souhaite de trouver l'amour à Toronto.

Elle l'embrasse ensuite sur la joue avant de retourner prendre place sur le divan. La seconde d'après, elle ajoute d'une voix joyeuse :

— Maintenant, que tu le veuilles ou non, je vais te parler de mon voyage. Je pars dans trois jours et j'ai vraiment hâte. Je suis tellement énervée que la nuit passée, je n'ai pratiquement pas dormi. Ce sera la première fois que je prendrai le train ; on va même dormir à bord. Tante Chantal nous a réservé une chambrette. On va aller jusqu'à Edmonton en train, et sur place on va louer une auto. On est supposées se rendre jusqu'à Victoria. Tante Irma m'a dit que cette ville ressemble beaucoup à Québec. Puisque c'est une île, on va devoir prendre le bateau. Décidément, pendant ce voyage, je vais emprunter tous les moyens de transport possibles ! On va aller à Banff, à Jasper, à Lake Louise. J'ai vu des photos ; c'est à couper le souffle : le lac est entouré de montagnes enneigées. On va traverser la vallée de l'Okanagan au passage, puis on va se rendre à Vancouver. Il paraît que l'eau est turquoise et glaciale en Colombie-Britannique.

Le temps de reprendre sa respiration, et Sonia reprend :

— Mais j'y pense, déclare-t-elle d'un air déçu, tu as déjà entendu tout ça quand maman et papa sont allés voir oncle André.

— J'ai vu quelques photos floues, mais je ne sais pas grand-chose de leur voyage.

— En tout cas, je peux te dire c'est que ça promet ! J'ai vraiment beaucoup de chance de voyager avec tante Chantal et tante Irma.

— Je t'avoue que j'ai un peu de misère à te comprendre. Sincèrement, tu n'aimerais pas mieux voyager avec des gens de ton âge ?

— Si c'était avec toi, n'importe quand. Je suis certaine qu'on aurait beaucoup de plaisir ensemble.

L'idée de partir en voyage avec sa sœur n'avait jamais effleuré l'esprit de Junior, mais il trouve l'idée excellente. Comme Sonia a déjà fait quelques voyages, il aurait l'esprit tranquille avec elle.

— Pour ce qui est de partir avec n'importe qui, poursuit Sonia, c'est une autre affaire. Une fois à l'autre bout du monde, il est trop tard pour s'apercevoir que ça ne marchera pas. Trois semaines avec des gens que tu aimes, ça passe très vite – trop parfois –, mais ça peut être long si tu ne t'entends pas avec les personnes qui t'accompagnent. Sérieusement, voyager avec nos tantes, c'est un charme.

— Plus je t'écoute, plus tu me donnes le goût de partir. Je trouve que ce serait une bonne idée de voyager ensemble. Moi, j'adorerais aller aux États-Unis. Il y a pas mal d'endroits que je voudrais voir.

Sonia ne prend même pas le temps de réfléchir avant de répondre.

— Ce serait vraiment génial d'aller là-bas avec toi ! On pourrait partir tout de suite après la fin du cégep. Dépendamment de l'endroit qu'on va choisir, on pourrait même y aller en auto. Je ne l'ai pas dit à personne encore, mais si mes affaires continuent à bien aller, je devrais avoir assez d'argent pour m'acheter une auto à l'automne.

— Une auto ! s'exclame Junior. Wow !

— Il vaut mieux que tu gardes ça pour toi pour le moment. Je vais commencer par faire mon voyage dans l'Ouest canadien. Si j'ai la chance de vendre quelques tableaux et que je travaille comme prévu à la galerie du père d'Antoine pendant tout le mois d'août, je devrais avoir suffisamment d'argent. Mais il faudrait que tu apprennes à conduire d'ici là. Tu comprends, je ne voudrais pas tenir le volant pendant tout le voyage.

Junior est fou de joie ; aller aux États-Unis en auto, avec Sonia, il ne pouvait espérer mieux. Il tenait tellement à visiter ce pays qu'il envisageait même de voyager en autostop. Partir en auto, c'est le grand luxe. Comme il n'a pas besoin de mettre la main dans sa poche pour payer son cours à Toronto, il a déjà tout l'argent qu'il lui faut pour ce voyage.

— Il me reste juste à trouver quelqu'un qui voudra bien m'apprendre à conduire. Au pire, je demanderai à Alain.

— Demande à n'importe qui, mais pas à lui. Il conduit comme un malade !

* * *

Bien installée sur la galerie arrière du logement de Marie-Paule, cette dernière et Irma discutent tranquillement en sirotant deux doigts de whisky. Il a fait beau pendant tout le mois de juin et ça continue. D'ailleurs, dans le Bulletin des agriculteurs, on annonçait un été chaud. Comme les prédictions du magazine en matière de météo s'avèrent justes la plupart du temps, les attentes des Québécois sont grandes.

Heureusement que le gros érable du voisin fait un peu d'ombre parce que le soleil mordrait la peau des deux femmes tellement il est chaud. Étant donné que ni l'une ni l'autre ne courent après les coups de soleil, elles ont placé leurs chaises en conséquence.

Même si Marie-Paule a passé la majorité de sa vie dans une grande maison, elle n'a pas souffert du tout de se retrouver dans un quatre pièces et demie. Le grand jardin dans lequel elle passait la moitié de l'année ne lui manque pas non plus. Pendant une partie du printemps et tout l'été, elle travaillait d'arrache-pied pour que la récolte soit bonne. Elle passait des journées entières à équeuter des fèves jaunes, à nettoyer des carottes et des betteraves. Et quand elle n'était pas en train de préparer des marinades, elle faisait des confitures de fraises, de framboises et de bleuets. À mesure que les légumes venaient à maturité, elle travaillait encore plus fort pour mettre les surplus en pots. Elle a adoré s'occuper de tout ça, mais aujourd'hui, elle considère qu'elle a fait largement sa part. Évidemment, comme ils n'étaient plus que deux à la maison, elle donnait une bonne partie de ses conserves. Il y avait des journées où elle faisait cinquante pots de tomates sans l'aide de personne. Le soir, Marie-Paule s'endormait dans sa chaise aussitôt qu'elle s'asseyait tellement elle était fatiguée. Elle aimait son ancienne vie, mais celle-ci ne lui manque pas. Maintenant, quand elle veut des légumes frais, elle les achète à l'épicerie comme tout le monde et cela lui convient parfaitement. Aujourd'hui, Marie-Paule a enfin du temps pour faire autre chose que travailler.

Jamais elle n'a regretté sa décision de quitter Jonquière. Ici, elle peut visiter des musées et des galeries d'art, voir des spectacles qui ne sortent pas de Montréal, découvrir des restaurants d'autres cultures… Ici, sa vie a changé du tout au tout.

— Des fois, confie Marie-Paule, j'ai l'impression que je retombe en enfance. Ce n'est pas drôle, à mon âge. Je t'assure, je ne me reconnais plus. Imagine-toi que j'ai de plus en plus une envie folle de changer tous mes meubles. Cette idée me tient réveillée la nuit. Il me semble que ça me ferait du bien de vivre dans un nouveau décor. Il y a des jours où j'ai l'impression qu'Adrien va arriver tellement tout est pareil. Il faut dire qu'à part l'horloge grand-père que j'ai donnée à Michel, tout est exactement comme avant. Ce n'est pas parce que je veux oublier ma vie avec mon mari, là n'est pas la question, c'est seulement que je suis installée à près de cinq heures de route de Jonquière et que c'est comme si j'avais traîné mon ancienne vie avec moi. Je ne sais pas si tu comprends ce que je veux dire.

— Je peux imaginer ce que tu ressens, déclare Irma. C'est un peu comme si mon appartement ressemblait au couvent… Mais pourquoi tu ne remplaces pas tes meubles ?

— J'ai un peu peur de la réaction des enfants. N'oublie pas que depuis que j'ai vendu la maison, ces vieux meubles sont tout ce qu'il leur reste de leur enfance.

— C'est simple : offre-leur tes meubles avant de les vendre. Tu verras bien s'ils y tiennent autant que tu le crois.

— Tu as peut-être raison. Tu sais, j'ai encore des relents de mon ancienne vie où les choses ne changeaient pas si ce n'était pas absolument nécessaire. On estimait qu'il valait mieux ne pas changer une formule gagnante. En réalité, on agissait beaucoup en fonction de ce que les autres allaient dire ou penser. Plus ça va, plus j'aime ton idée de les proposer aux enfants. S'ils n'en veulent pas, je pourrai toujours les offrir à mes petits-enfants. Dans le pire des cas, je les donnerai aux pauvres. C'est ce que je vais faire. Et je vais tout changer : même la vaisselle, les draps et les serviettes. Je vais aussi me débarrasser de ma coutellerie et de mon verre taillé. Rien qu'à penser que je vais repartir à neuf, je sens un poids de moins sur mes épaules.

— Une chose est certaine : c'est de l'argent que tu vas avoir en moins ! s'exclame Irma en riant.

Puis, sur un ton plus sérieux, elle poursuit :

— Je n'ai pas vécu les mêmes choses que toi, loin de là. Mais je te trouve bien courageuse d'avoir tout laissé derrière toi, même plusieurs de tes enfants. Comme si ce n'était pas encore assez, voilà que tu veux repartir à neuf. Je t'admire, tu sais. Moi, tu vois, je n'ai jamais rien possédé et maintenant que j'ai quelques affaires à moi, je peux te dire que je me battrais bec et ongles avant d'accepter de m'en séparer. C'est quand même drôle. Toi et moi, on est aussi opposées que le Nord l'est par rapport au Sud.

Contrairement à Irma, Marie-Paule n'a jamais considéré son changement de vie comme un geste courageux. Non ! Elle était prête à vivre une nouvelle vie, là où les souvenirs de son Adrien ne viendraient pas la hanter à longueur de journée. Elle a beaucoup aimé cet homme malgré ses quelques travers. Cela lui a plu de vieillir à ses côtés. Quand elle s'est retrouvée veuve, son mari lui manquait terriblement et elle sentait sa présence. Tranquillement, le temps a fait son œuvre ; maintenant, quand elle y pense, elle ne souffre plus. Elle se souvient d'Adrien comme d'une autre époque. D'ailleurs, Marie-Paule devra aborder un autre sujet avec ses enfants quand elle les appellera pour savoir s'ils veulent ses meubles. René et elle passent de plus en plus de temps ensemble. Elle est bien avec lui. L'autre jour, ce dernier lui a dit qu'il aimerait se marier avec elle. Au début, Marie-Paule a cru qu'il plaisantait. Devant son sérieux, elle s'est mise à rire et a déclaré qu'ils étaient beaucoup trop vieux pour ces histoires. Il l'a regardée dans les yeux et lui a avoué qu'il souhaitait de tout son cœur se réveiller à ses côtés tous les matins. Ces quelques mots ont touché Marie-Paule bien plus qu'elle ne l'aurait voulu. Elle lui a promis d'y réfléchir.

— Moi, je trouve qu'on s'entend plutôt bien pour des extrêmes, réplique Marie-Paule d'un air taquin.

Les deux femmes rient un bon coup. Elles entrechoquent leurs verres et avalent ensuite une gorgée de whisky.

— Je ne te l'ai pas dit encore, mais René m'a demandée en mariage.

— C'est vrai ? s'enquiert Irma. Lionel va être content d'apprendre la nouvelle. Ce n'est pas croyable : René, le vieux garçon endurci, va se marier !

— Pas si vite ! Je n'ai pas encore accepté.

— Pourtant, vous paraissez tellement bien ensemble. Et il semble te plaire.

— C'est vrai. N'oublie pas que j'ai même arrêté de fumer pour lui. En fait, c'est toujours la même histoire : j'ai peur de la réaction de mes enfants.

— Ma pauvre Marie-Paule ! Mais eux, est-ce qu'ils viennent te consulter quand ils font des changements dans leur vie ?

Marie-Paule n'a pas à réfléchir longtemps avant de répondre. Depuis qu'ils ont quitté le nid familial, aucun de ses enfants – pas même ses filles – ne lui a demandé le moindre petit conseil. Ses enfants agissent d'abord et la mettent ensuite devant le fait accompli, ce qui n'est pas grave puisque, jusqu'à maintenant, tous ont assumé les conséquences de leurs gestes.

— Jamais ! Une fois de plus, Irma, tu as raison. Mais je ne suis pas obligée de faire comme eux et d'attendre d'être mariée pour leur transmettre la nouvelle. À force de parler avec toi, je me trouve bête de m'en faire autant. Ce soir, je vais dire à René que j'accepte de me marier avec lui. Et demain, j'appellerai mes enfants non seulement pour leur offrir mes meubles, mais aussi pour leur annoncer que je vais me remarier. Prendrais-tu un autre whisky ?

— Avec le plus grand des plaisirs.

Marie-Paule prend la bouteille à côté de sa chaise et remplit les deux verres.

— C'est à mon tour maintenant de te parler de quelque chose, commence Irma.

Sans plus attendre, celle-ci poursuit :

— La semaine passée, le curé de la paroisse a demandé à Lionel si on accepterait de s'occuper d'un jeune, le temps de le remettre sur les rails. Tu comprendras qu'il s'agit d'un jeune à problèmes. Eh bien, après en avoir parlé en long et en large, Lionel et moi avons décidé de le prendre avec nous et d'essayer de l'aider.

— Mais vous n'avcz pas peur d'être à l'étroit dans votre logement ?

— C'est certain qu'on va l'être, tant et aussi longtemps qu'on va rester en appartement. Je ne sais pas si tu t'en souviens, mais je t'avais dit qu'on était allés visiter une maison à la campagne... Elle se trouve à seulement quelques milles d'ici. Eh bien, on est retournés la voir et, pas plus tard qu'hier, on a fait une offre d'achat. L'endroit est vraiment très beau : une grande maison de ferme comme on les aime Lionel et moi, un ancien poulailler et une vieille étable qui ne demandent qu'à être transformés en écurie. À l'heure qu'il est, Lionel sait probablement déjà si notre offre d'achat a été acceptée. Mais j'y pense... Si personne ne veut de tes affaires, moi je les prendrais. La maison est tellement grande qu'on n'aura jamais assez de meubles pour la meubler.

Marie-Paule trouve Irma et son mari bien braves de vouloir s'occuper d'un jeune en difficulté. C'est vrai qu'ils n'ont pas eu la chance d'avoir des enfants, mais ils s'apercevront vite à quel point la tâche est exigeante. Aussitôt que le jeune aura franchi le seuil de leur maison, leur vie basculera, c'est certain.

— J'en prends bonne note. Mais vous avez vraiment envie de vous occuper d'un jeune en difficulté ? Je vous trouve très courageux.

— Ça n'a rien à voir avec le courage. Avant de sortir des ordres, aider notre prochain, c'était notre vie. Tu comprends, on ne peut pas passer le reste de nos jours sans faire profiter les autres de notre bagage de connaissances. Et puis, la vie est tellement bonne avec nous depuis que nous sommes ensemble, Lionel et moi, que nous nous sentons redevables. Je vais te faire une confidence : notre idée est de monter une sorte de centre pour ces jeunes dont personne ne s'occupe.

— Lionel et toi, vous êtes vraiment de bonnes personnes. C'est quand même drôle, la vie. J'ai quitté la campagne pour venir m'installer en ville, et toi, tu t'apprêtes à faire l'inverse.

— Comme le disait si bien Einstein : « Rien ne se crée, rien ne se perd, tout se transforme. »

* * *

— Il faudrait que je vous parle de quelque chose avant que vous partiez, explique Fernand à Michel et à Paul-Eugène. Mais ce ne sera pas long.

— Laisse-moi le temps d'aller verrouiller la porte et on t'écoute, dit Paul-Eugène.

— J'espère que ce n'est pas pour nous annoncer que tu t'en vas… s'inquiète Michel.

— Non, non, ne t'en fais pas avec ça.

Aussitôt que Paul-Eugène revient, Fernand reprend la parole.

— Vous vous souvenez que j'ai quelques antiquités dans mon garage ?

— Ce sont tellement des belles pièces que c'est difficile à oublier, réplique Michel.

— Eh bien, je suis prêt à les vendre. Si vous êtes toujours intéressés, on pourrait discuter des conditions.

Il y a tellement longtemps que les deux associés attendent ce jour qu'ils n'y croyaient plus. Ils en parlaient souvent, mais jamais ils n'ont fait pression sur Fernand pour qu'il se décide enfin à vendre ses antiquités. Peu importe le prix qu'il demandera, Michel et Paul-Eugène sont certains de faire de l'argent. Des pièces comme celles-là se font de plus en plus rares.

— As-tu une idée du montant que tu veux en tirer ? demande Paul-Eugène.

— Oui. J'ai établi une liste. Je peux vous la laisser si vous voulez. Vous pourrez prendre tout votre temps pour la consulter.

— À mon avis, ce ne sera pas long. On sait déjà que si on achète tes antiquités, elles ne traîneront pas longtemps ici.

— Vous en ferez ce que vous voudrez, déclare Fernand. Mais j'ai pensé à quelque chose. Au lieu de les vendre à la pièce, vous pourriez les offrir à votre nouveau client pour meubler une partie de son auberge.

— C'est une excellente idée ! approuve Michel. Montre-nous ta liste tout de suite.

— Avec plaisir ! Mais si vous préférez passer à la maison, il n'y a pas de problème. Ça fait quand même un sacré bout de temps que je vous les ai montrées.

— On pourrait y aller tout de suite, propose Paul-Eugène. Comme ça, on en aurait le cœur net.

— C'est parfait ! répond Michel. Le client en question doit justement passer au magasin demain matin.

Avant de sortir, Michel regarde rapidement la liste de Fernand. Il la passe ensuite à Paul-Eugène.

— Ça va pour moi, annonce ce dernier.

— Pour moi aussi, signale Michel. Allons maintenant voir ce qu'on vient d'acheter, ajoute-t-il d'un ton taquin. J'espère qu'on ne s'est pas fait avoir... Il vaut mieux qu'on y aille immédiatement si on ne veut pas passer en dessous de la table. Vous connaissez Sylvie... J'ai tout intérêt à être à l'heure !

Les trois hommes éclatent de rire et se dirigent ensuite vers la sortie.

— Loin de moi l'intention de vous priver de nourriture, indique Fernand, mais si vous avez quelques minutes, j'ai de la bonne bière froide dans mon garage.

Chapitre 8

Les vitres baissées et la musique au fond, Sylvie roule en direction de L'Avenir. Elle était impatiente que le beau temps arrive pour sortir enfin sa Mustang. Quand elle s'installe derrière le volant de son auto, elle a l'impression de rajeunir d'au moins trente ans. Ce n'est que lorsqu'elle jette un coup d'œil dans le rétroviseur que la réalité la rattrape durement. Elle n'a plus vingt ans; elle n'a même plus l'âge d'écouter aussi fort de la musique. D'ailleurs, les jeunes ne se gênent pas pour la regarder de travers lorsqu'elle s'immobilise à un feu de circulation. Quand Sylvie s'est levée ce matin, elle était tellement déprimée après s'être regardée dans le miroir qu'elle a failli se mettre à pleurer. Le pire dans tout ça, c'est qu'elle n'aurait su dire pourquoi. Même après son deuxième café, elle avait encore le cœur lourd. C'est là qu'elle a décidé d'aller rendre une petite visite à son père. Après avoir averti celui-ci de son arrivée, elle a appelé Michel pour lui annoncer qu'elle partait pour la journée. Cela a surpris ce dernier. Sa femme n'est pas du genre à agir sur un coup de tête. Mais, ces derniers temps, elle file un mauvais coton. D'ailleurs, en raccrochant, Michel s'est dit qu'à son retour il en discuterait avec Sylvie. « Il serait temps que je m'occupe un peu d'elle. » Ensuite, celle-ci a déposé un mot pour les enfants sur la table. Elle leur a même laissé de l'argent pour qu'ils s'achètent des frites et des hot dogs pour le dîner. Michel s'occupera du souper pour une fois. Comme elle devait aller faire l'épicerie aujourd'hui, le menu risque de se résumer à des grilled cheese ou à des sandwiches aux œufs. « Il ne reste vraiment pas grand-chose dans le frigidaire. »

Les garçons sont assez grands maintenant pour se passer de leur mère une petite journée. Non seulement ça lui fait du bien à elle, mais à eux aussi. De toute façon, à part le temps qu'ils passent à l'école, ils sont toujours dehors, qu'il fasse soleil ou qu'il tombe des trombes d'eau. Quand leur mère leur demande où ils traînent pendant tout ce temps, François et Dominic lèvent les épaules en guise de réponse. Sylvie pourrait mener sa petite enquête sur le sujet, mais elle considère qu'elle n'est pas obligée de tout savoir.

Depuis le début de l'année, Sylvie a remarqué que Luc se tenait moins avec les jumeaux. C'est probablement à cause de leur différence d'âge. Deux ans de plus ou de moins dans l'enfance, ce n'est pas très grave, mais à quatorze ans – comme Luc – ce n'est pas la même chose. Les intérêts de ce dernier ne sont pas les mêmes que ceux de ses frères. Bien que Luc ne semble pas s'intéresser encore aux filles, il passe plus de temps avec ses amis qu'avec ses petits frères. De nature discrète, il n'est pas très volubile à propos de ses amis, ni de ses allées et venues. Quand Sylvie finit par savoir quelque chose, c'est parce que les jumeaux ont colporté sur son compte. Pas plus tard que la veille, ils ont clamé haut et fort que Luc avait une blonde, ce dont le principal intéressé s'est défendu bec et ongles. « Combien de fois va-t-il falloir que je vous le dise ? Vous ne comprenez rien ! Cette fille, c'est juste une amie. » Mais les jumeaux ne s'en laissent jamais imposer. Ils sont revenus à la charge jusqu'à temps que Luc manque de leur sauter dessus pour qu'ils le laissent tranquille. François et Dominic sont tout sauf reposants. Quand ils ne sont pas en train de préparer un mauvais coup, ils espionnent Luc. Pour eux, leur frère est la victime parfaite. Ils ont essayé de faire la même chose avec Junior, mais ils se sont vite fait remettre à leur place. Avec lui, ils savent qu'ils doivent tenir leur langue, ce qui ne les empêche pas de l'épier dès qu'ils le voient avec une nouvelle fille. Il y a fort à parier qu'ils connaissent tous les endroits où Junior emmène ses conquêtes. Depuis que celui-ci a commencé à « jouer au playboy », comme François et Dominic se plaisent à dire, ils notent tout dans un petit carnet noir en se disant que cela pourra servir un jour. Une chose est certaine : à regarder Junior agir avec les filles, les jumeaux ont déjà beaucoup appris sur le sujet. Chez les Pelletier, personne ne fait l'éducation sexuelle des enfants. Sylvie s'est contentée de remettre une brochure sur les menstruations à Sonia en lui disant de venir la voir si elle avait des questions.

Plus elle approche de la maison de son père, mieux Sylvie se sent. La campagne la réconforte. Elle respire à pleins poumons malgré les relents de fumier frais qui viennent parfois taquiner ses narines. Ce n'est que lorsqu'elle passe sur une mouffette écrasée au beau milieu de la route qu'elle cesse de respirer quelques secondes. Cette odeur-là lui a toujours levé le cœur.

Bien qu'elle n'ait jamais songé à s'installer à la campagne, elle aime ce coin de pays. Les montagnes environnantes et la belle rivière qui y coule le rendent attrayant. Quand elle aperçoit la maison de son père, elle sourit. Une fois dans la cour, elle se dépêche d'éteindre le moteur de son auto. Alors qu'elle s'apprête à sortir du véhicule, sa portière s'ouvre.

— Tu en as mis du temps pour arriver ! s'exclame joyeusement Camil. Viens que je te serre dans mes bras.

Sylvie ne se fait pas prier. Elle se dépêche de sauter au cou de son père.

— Je suis si contente de vous voir, papa ! Suzanne n'est pas là ?

— Elle est allée au village faire quelques achats. Suis-moi, j'ai préparé du café.

Bras dessus, bras dessous, le père et la fille entrent dans la maison.

— Tu ne pouvais pas mieux tomber, dit Camil. Suzanne s'est enfin décidée à faire des brioches. Je suis bien obligé de le reconnaître : ses brioches sont cent fois meilleures que celles de ta mère.

— Vous êtes injuste ! déclare Sylvie en riant. Vous savez bien que maman n'avait pas son pareil en cuisine !

— Ça prenait tout pour qu'elle ne fasse pas prendre l'eau au fond de la casserole ! répond Camil d'un ton sarcastique. Sers-toi ! Je suis à peu près certain qu'une fois que tu auras goûté aux brioches de Suzanne, tu ne voudras plus jamais en acheter à l'épicerie.

— Dans ce cas, je suis peut-être mieux de ne pas courir le risque que ça m'arrive. Je ne tiens pas des voisins, vous savez ! Je ne suis pas aussi mauvaise cuisinière que maman, Dieu m'en garde, mais je n'arrive pas à la cheville de votre Suzanne, c'est sûr.

Dès sa première bouchée, Sylvie sait que son père avait raison. Elle n'a jamais mangé une aussi bonne brioche : roulée à la perfection, avec juste assez de beurre fondu et de sucre entre chaque couche et la bonne quantité de copeaux de sucre d'érable sur le dessus. Elle voudrait prendre son temps pour déguster chaque bouchée, mais c'est si délicieux que sa gourmandise l'emporte ; elle engouffre la pâtisserie en quelques secondes seulement.

— Je n'ai jamais mangé une brioche aussi exquise ! Je n'oserai même pas lui demander sa recette. Je sais d'avance que je ne pourrai jamais être à la hauteur.

Alors que son regard est fixé sur l'assiette de brioches, elle ajoute :

— J'aimerais en prendre une autre. Est-ce que je peux ?

Sans attendre la réponse de son père, Sylvie saisit une brioche. Avant de mordre dedans, elle dit :

— J'ai bien fait de venir toute seule. Si les jumeaux étaient ici, ils se seraient empiffrés.

— Je suis content de te voir. Chantal m'a raconté que tu avais encore fait fureur lors des spectacles de l'ensemble vocal. Ta mère aurait été très fière de toi. Elle aimait tellement chanter.

Frappée par les propos de son père, Sylvie fronce les sourcils. Elle est arrivée depuis quelques minutes seulement et c'est la deuxième fois que Camil fait allusion à sa défunte épouse. Cela ne lui ressemble pas. Sylvie dépose sa brioche dans l'assiette posée devant elle et demande :

— Est-ce que vous allez bien, papa ?

Surpris par la question, Camil regarde sa fille.

— Voyons, papa, il y a sûrement quelque chose qui ne va pas. D'habitude, vous ne parlez jamais autant de maman. Est-ce que tout va comme vous le voulez avec Suzanne ?

— Mais oui ! Ne t'inquiète pas, tout va très bien, même que je ne pourrais pas souhaiter une meilleure vie. Depuis que Suzanne et moi vivons ensemble, j'ai l'impression d'avoir rajeuni. Et j'adore ma vie ici. Je suis juste un peu nostalgique. Aujourd'hui, ta mère et moi aurions célébré notre cinquante-deuxième anniversaire de mariage. C'est pourquoi j'ai une petite pensée pour elle. Tu sais, j'aimais beaucoup ta mère.

Camil n'a pas parlé souvent de sa souffrance à la suite du suicide de sa femme, pas même à Sylvie. Il s'est arrangé pour traverser cette épreuve sans l'aide de personne. Le seul réconfort qu'il se permettait quand la poitrine voulait lui exploser tellement il avait mal, c'était quelques onces de whisky qu'il sirotait en cachette – soit au fond d'une chambre d'hôtel, dans son auto ou dans son garage. Il comprenait la détresse de sa femme, mais il n'est jamais parvenu à comprendre le geste qu'elle a posé. Près de quarante ans plus tard, cela demeure un mystère pour lui. Mais il n'en a jamais voulu à sa compagne, il l'aimait trop pour ça.

— Pauvre papa ! dit Sylvie en posant sa main sur le bras de Camil. Maman avait de la chance de vous avoir.

Comme la tournure que prend la discussion lui déplaît, Camil revient vite au sujet qui les a entraînés, sa fille et lui, autant d'années en arrière.

— Comme ça, c'est encore toi qui as été la grande vedette ?

Sylvie aurait préféré parler encore un peu de sa mère, mais l'air de son père la convainc qu'il vaut mieux ne pas insister. Elle aime trop Camil pour l'obliger à ressasser davantage ses souvenirs.

— D'abord, il ne faut surtout pas croire tout ce que raconte Chantal. Elle a un parti pris, surtout depuis qu'elle sort avec Xavier. C'est vrai que ça s'est bien passé, mais pas seulement pour moi. Tout le monde a fait de l'excellent travail.

— Je ne veux pas te contredire, mais j'ai trouvé que tu étais la meilleure. Et je ne dis pas ça parce que tu es ma fille. De plus, même si j'ai bien aimé les spectacles des autres années, cette opérette est de loin ma production préférée. Vous aviez toutes l'air de vraies princesses dans vos belles robes. J'ai rarement assisté à quelque chose d'aussi grandiose. Il paraît que Xavier ne tarit pas d'éloges à ton égard.

Chaque fois que Camil entend Sylvie chanter, il éprouve des remords. Jamais il ne se pardonnera de l'avoir prise en otage comme il l'a fait. Pendant qu'elle élevait ses frères et sœurs, elle est peut-être passée à côté d'une grande carrière de chanteuse d'opéra. Et cela, c'est parce qu'il a abandonné sa famille au moment où celle-ci avait le plus besoin de lui, laissant ainsi sa fille aînée porter le fardeau à sa place.

— Je trouve que tu as un drôle d'air, poursuit Camil. On dirait que tu portes le poids du monde sur tes épaules.

— Ce n'est rien. J'ai mal dormi cette nuit.

— Ne le prends pas mal, mais tu as l'air plus amochée que ça. Si tu veux m'en parler, je suis prêt à t'écouter.

Sylvie hésite avant de se confier à son père. De toute façon, il ne pourrait pas changer grand-chose à ce qu'elle vit. Mais en parler avec un homme qui veut bien l'écouter la changera des quelques fois où elle a essayé d'expliquer à Michel pourquoi elle n'était pas dans son assiette.

— Je vous avertis d'avance, ce sont des histoires de femmes. Je suis en pleine ménopause et ça me cause bien des désagréments. J'ai des bouffées de chaleur épouvantables ; par exemple, l'autre jour, je suis devenue trempe à lavette alors que j'écoutais tranquillement la télévision. Je fais de l'insomnie au moins une nuit sur deux. J'ai facilement la larme à l'œil : un rien m'émeut. Je n'ai aucune patience ; déjà que je n'en avais pas beaucoup avant, imaginez-vous maintenant... Sincèrement, je me demande comment Michel fait pour me supporter, car j'ai moi-même de la misère à m'endurer.

— Ma pauvre fille ! En as-tu parlé à ton médecin ?

— Oui, mais il paraît qu'il n'y a pas grand-chose à faire à part attendre. Moi qui pensais me débarrasser de tout ça en subissant la grande opération, je me suis mis un doigt dans l'œil.

— Tu devrais en parler à Suzanne. Nicole, la meilleure amie de sa plus vieille, vient de finir une formation en naturopathie. On ne sait jamais, elle pourrait peut-être t'aider. Après tout, il n'y a pas si longtemps, les gens se soignaient uniquement avec des plantes...

Tout ce que Sylvie sait sur la naturopathie, c'est que les médecins contestent cette nouvelle façon de soigner qui n'a rien en commun avec la médecine conventionnelle. Mais au point où elle en est, elle n'a rien à perdre, si ce n'est quelques dollars et un peu de temps.

— Je suis prête à essayer n'importe quoi pour améliorer mon sort.

— Bon, avant que tu manges toute l'assiette de brioches, que dirais-tu si on allait se promener à cheval ? demande Camil. Il me semble que ça te ferait du bien, ça te changerait les idées.

— Mais vous savez bien que je ne suis jamais montée à cheval, répond Sylvie, inquiète.

Elle n'a jamais eu l'occasion de faire de l'équitation ni un intérêt marqué pour cette activité. Elle est morte de peur à la seule idée de monter sur une aussi grosse bête; pourtant, Sylvie adore les chevaux. Mais elle a bien envie de tenter l'expérience, surtout avec son père. Avec lui, elle se sent en confiance. S'il croyait qu'elle ne serait pas capable, il ne lui aurait pas fait cette proposition.

— Ça prend un commencement à tout. Aurais-tu par hasard des pantalons dans ton auto? Ou mieux encore, des jeans?

— Je ne me suis pas encore décidée à porter des jeans, mais j'ai un pantalon par exemple. Je devais aller le porter dans la chute de linge pour les pauvres hier et j'ai complètement oublié. Vous me connaissez assez pour savoir que lorsque je donne mes vêtements, ils ont perdu de leur lustre depuis longtemps. Je vous avertis, je n'aurai donc pas l'air très à la mode. Il n'y a que vous pour me décider à monter à cheval! Je vais chercher mon pantalon tout de suite.

* * *

Les jumeaux sont assis sur la galerie arrière de leur maison. Ils n'ont pas été déçus du tout quand ils ont lu le mot laissé par leur mère. À leur grand soulagement, Luc a décidé de manger au snack–bar, ce qui leur laisse le champ totalement libre.

François et Dominic n'auront pas besoin de surveiller leurs paroles en finalisant le tour qu'ils réservent à monsieur Raynald. Ils n'ont jamais habité à côté de chez cet homme. Ils ne le connaissent pratiquement pas. Pourtant, quand ils cherchent une victime, monsieur Raynald s'impose chaque fois. Ce dernier est tellement bizarre qu'il en est pathétique. Avec lui, tout doit être rodé au quart de tour. D'après les jumeaux, l'armée ce n'est rien à côté de ce qu'il fait subir à ses enfants et à ceux du voisinage.

Entre deux bouchées de hot dog et de frites bien graisseuses, les deux complices discutent ardemment.

— Ce n'est pas compliqué, dit Dominic. On remplit un sac de papier de merde de chien et...

— On a déjà tout ce qu'il nous faut de ce côté-là grâce à Prince 2, déclare François.

— Laisse-moi finir, proteste Dominic. On guette ensuite le retour du travail de monsieur Raynald. Après qu'il est entré dans la maison, on attend un peu, le temps qu'il s'éloigne de la porte. Je laisse tomber le sac déjà en feu sur son perron pendant que tu sonnes. On déguerpit ensuite en quatrième vitesse.

Quand les jumeaux sont en pleine préparation d'un mauvais coup, ils sont sérieux et ne laissent aucun détail au hasard. Au nombre de tours qu'ils jouent dans une année, leur taux de réussite est relativement élevé.

— As-tu pensé à l'endroit où on pourrait se cacher ? s'enquiert François. Je ne veux rien manquer. Ce sera tellement drôle de voir monsieur Raynald en train d'essayer d'éteindre le feu avec ses beaux souliers de cuir.

— Imagine un peu sa réaction quand il va réaliser que ses pieds sont pleins de merde ! J'espère que je ne pisserai pas dans mes culottes à force de trop rire !

— Mais où va-t-on se cacher ?

— Selon moi, la meilleure cachette serait derrière la haie chez le voisin de droite, propose Dominic.

— Oui, c'est une bonne idée, reconnaît François. Quand est-ce qu'on s'occupe du cher monsieur Raynald ? s'enquiert-il d'un ton moqueur.

— On pourrait passer à l'action ce soir. Il devrait être tout seul à la maison, au moins jusqu'à cinq heures. Je me suis informé ; ses deux enfants ont des cours de judo.

— Parfait !

Les deux frères se tapent dans les mains en riant. Ils sont fiers d'eux. Faire des mauvais coups, c'est le plus grand plaisir de leur vie. Chaque fois qu'ils en préparent un, ils se sentent invincibles. Quand ils sont en panne d'inspiration, c'est comme si la vie perdait ses couleurs.

— Aujourd'hui, pendant le cours de français, j'ai eu une idée, déclare fièrement François. Tu sais, l'autre jour, quand on est allés chercher Pierrot chez sa grand-mère…

En voyant l'air surpris de son frère, François ajoute quelques détails.

— Voyons donc, c'était dans un édifice de six logements ! Tu te souviens ? Je ne suis pas monté avec toi, parce que j'avais trop envie. Eh bien j'ai jeté un coup d'œil au sous-sol en t'attendant. Sais-tu ce que j'y ai découvert ?

Pour toute réponse, Dominic hausse les épaules. François reprend son histoire.

— Eh bien, j'ai vu des tas de pots de cornichons, entiers et en rondelles. Je n'en ai jamais vu autant dans un même endroit. C'est à croire que la grand-mère ne mange que ça. Je suis certain qu'en allongeant le bras, on pourrait en attraper quelques-uns. C'est facile, car la porte est constituée de lattes clouées sur un cadre. On n'a qu'à en tasser une ou deux et le tour est joué.

Dominic sent une vague d'impatience l'envahir.

— Oui, mais pourquoi me racontes-tu tout ça ?

— J'ai eu une idée. Attends de voir, elle est pas mal bonne. On pourrait aller piquer deux pots de cornichons là-bas. Le premier, on le mangerait. Il y a tellement de pots que la grand-mère ne s'apercevrait même pas qu'il lui en manque.

Pourtant très brillant, Dominic n'a vraiment aucune idée de ce que prépare François.

— Et que ferait-on avec le deuxième ? demande-t-il avec vivacité.

— Comme le vinaigre est de la même couleur que la pisse, on le remplacerait par notre pipi. On irait ensuite remettre le pot à sa place. Qu'en dis-tu ?

La première réaction de Dominic en est une de dégoût. Le simple fait de penser qu'une bonne vieille grand-mère mettra peut-être un de ces cornichons dans sa bouche lui donne des frissons. Sa deuxième réaction vient amoindrir la précédente. D'après François, il y a énormément de pots. Alors, la grand-mère en offre sûrement en cadeau, ce qui diminue les chances que ce soit elle qui tombe dessus. Plus les secondes passent, plus l'idée de son frère lui plaît. Il n'a qu'un seul regret : ne pas avoir manigancé ce tour lui-même.

— Voici ce que j'en pense. D'abord, j'ai hâte de manger les cornichons. Ensuite, j'aimerais être un petit oiseau pour voir la tête de celui ou celle qui va ouvrir le pot dans lequel on va pisser. C'est vraiment une bonne idée !

Quand ils entendent sonner l'horloge grand-père, François et Dominic se lèvent en vitesse. Ils abandonnent les restes de leur dîner sur la galerie et filent à l'école. Ils devront courir une bonne partie du chemin s'ils ne veulent pas arriver en retard.

Une fois de plus, Prince 2 est laissé pour compte. Ni Luc ni les jumeaux ne l'ont emmené dehors. Il devra se retenir jusqu'à ce que quelqu'un daigne le sortir.

Tous les membres de la famille aiment Prince 2. Ils lui donnent souvent une petite gâterie même s'il ne la mérite pas. Mais quand il s'agit d'emmener l'animal à l'extérieur, les choses se compliquent. Tous se trouvent des excuses quand c'est leur tour de sortir Prince 2. Avant, Luc le traînait partout avec lui, mais en vieillissant il s'est déresponsabilisé peu à peu face à son chien. Il n'y a pas si longtemps, il a dit à Sylvie que c'était injuste que ce soit toujours à lui de s'en occuper, que tout le monde profitait de la présence du chien, qu'il en avait plus qu'assez d'aller se promener avec celui-ci, qu'il n'en pouvait plus de ramasser ses crottes et, finalement, qu'il avait autre chose à faire.

— Je t'avoue que ton attitude m'inquiète, a déclaré Sylvie. Un chien, c'est un être vivant. Tu ne peux pas le mettre sur une tablette quand ça ne fait plus ton affaire. Vas-tu arrêter de t'occuper de tes enfants le jour où tu vas avoir mieux à faire ?

— Ce n'est pas pareil, a objecté Luc.

— Moi, je trouve qu'il n'y a pas tant de différences que ça entre les deux.

— Mais, maman, il faut que tu comprennes. Je suis tanné d'être le seul à m'occuper de Prince 2.

— J'ai très bien compris. Laisse-moi voir ce que je peux faire.

C'est alors que Sylvie s'est souvenue pourquoi Michel et elle avaient résisté si longtemps avant d'acheter un chien. Un jour, il n'y aurait plus personne à part eux pour s'occuper de la bête, lui faire mener une vie de chien normale. Et voilà que ce moment est arrivé.

Bien qu'elle aime beaucoup Prince 2, il n'est pas question que Sylvie le prenne en charge toute seule – et Michel non plus. Elle ne veut pas courir le risque que l'envie prenne à son mari d'aller porter le chien à la fourrière. Puisque Prince 2 est le chien de la famille, alors tous devront faire leur part. En tout, ils sont sept pour s'en occuper ; chacun sera donc responsable d'une journée. Quand quelqu'un s'absentera, comme ce sera le cas pour Sonia et Junior, il devra alors remettre ses journées.

Ce soir-là, une fois toute la famille attablée, Sylvie a expliqué les nouvelles règles visant à améliorer la vie de Prince 2. Il y a eu des cris et des grincements de dents, mais elle s'est montrée intraitable. Elle a conclu la discussion en ces termes : « Croyez-moi, vous êtes bien mieux de prendre soin de notre chien. »

Depuis, elle a dû rafraîchir la mémoire de quelques-uns de temps en temps, et ce, même si l'horaire est affiché à côté de la porte d'entrée. Le plus délinquant est Luc. Quand sa mère le prend en défaut, il se défend en disant qu'il devrait bénéficier d'un passe-droit étant donné qu'avant, il s'occupait davantage de Prince 2 que les autres. Mais Sylvie reste insensible face à cet argument.

* * *

Lorsque Sylvie revient de chez son père, le soleil est couché depuis plus d'une heure. Elle se sent aussi légère qu'une plume. Non seulement elle a passé une belle journée avec son père et Suzanne, mais elle s'est découvert des talents de cavalière. Elle a tellement aimé monter à cheval qu'elle s'est promis de faire de l'équitation à chacune de ses visites à L'Avenir. Elle est vite tombée en amour avec sa monture. Le cheval s'appelle Bouillon, mais il est aussi tranquille qu'une mer sans vagues. Sa robe couleur café au lait brillait au soleil.

Pendant sa courte absence, Monsieur Raynald, lui, a passé de moins beaux moments. Il a mis les deux pieds dans la crotte, et pas seulement une fois. Selon les jumeaux, il fallait le voir. Et tôt ou tard, une grand-mère – dont les jumeaux ignorent le nom – ou quelqu'un de sa connaissance portera à sa bouche un cornichon ayant un drôle de goût. Luc a bu la dernière petite bouteille de Coke. À plusieurs reprises, il a eu envie de jeter le liquide insipide dans l'évier de la cuisine, mais il a purgé sa punition jusqu'au bout. Peut-être que cela lui donnera une chance de récupérer la télévision qu'il a gagnée.

Quant à Prince 2, malgré les règles, personne ne l'avait emmené marcher lorsque Sylvie est rentrée. Tapi dans son coin, le chien somnolait. Alors que Sylvie était sur le point de s'emporter, elle est allée vérifier l'horaire. C'était son jour de corvée. Au moment où elle allait sortir, Michel lui a crié du salon :

— Attends-moi, je viens avec toi.

Demain, elle fera le nécessaire pour que ce genre de choses ne se reproduise plus. « Ce n'est pourtant pas si compliqué. On est une famille et une famille doit s'entraider. C'est simple : si quelqu'un n'est pas là, un autre doit prendre sa place sans qu'il soit nécessaire de rien demander. »

Chapitre 9

Chaque fois qu'il manque quelqu'un autour de la table au souper du dimanche, Sylvie ne peut s'empêcher de penser que dans un avenir relativement proche, Michel et elle se retrouveront tout fin seuls, comme au début de leur mariage. Cela l'effraie. Elle rêvait d'une grande famille ; maintenant qu'elle l'a, celle-ci est en train de s'effriter. Alain et Martin sont partis. Sonia et Junior peuvent quitter la maison bien plus vite qu'elle ne le pense. Sylvie n'a pas vu vieillir ses enfants. « Pas plus que je me suis vue vieillir. »

Rien que ce soir, il en manque trois – incluant Martin. Même si Sylvie sait que son fils ne reviendra jamais, certains jours, quand la porte d'entrée s'ouvre, elle se met à croire que c'est peut-être lui. Junior est à Toronto alors que Sonia découvre l'Ouest canadien avec Chantal et tante Irma. Tous sont partis depuis plus d'une semaine. Sauf exception, Alain et sa petite famille ne manquent jamais un souper du dimanche soir. Tout ce que Sylvie espère, c'est qu'ils en tirent autant de plaisir qu'elle. Depuis que son fils et Lucie ont leur petite Hélène, son plaisir est décuplé. Sylvie aime avoir tous ses poussins autour d'elle, au moins une fois par semaine. Pour sa part, Daniel ne rate pas un dimanche soir chez les Pelletier quand il est en ville. Même pendant l'absence de sa douce, non seulement il fait acte de présence, mais il offre son aide à Sylvie dès qu'il met les pieds dans la maison. Quand Michel lui dit que la cuisine c'est l'affaire des femmes, le jeune homme donne un coup de main malgré tout.

Alors que Sylvie n'a pas encore fini de trancher le rosbif, tout le monde est déjà installé à table. Quand elle dépose le couteau électrique, elle demande à Luc d'aller chercher un pot de cornichons dans la chambre froide. La seconde d'après, les jumeaux sont pliés en deux tellement ils rient. Tout le monde se demande quelle mouche les a piqués. Mais à cause de ce qu'ils ont fait à cette pauvre grand-mère, les deux garnements ne pourront plus jamais regarder un pot de cornichons sans penser au tour qu'ils ont joué, ni peut-être même manger un seul cornichon.

Alors que tout le monde est servi, Sylvie vient s'asseoir à table. Comme elle adore les cornichons, la première chose qu'elle demande, c'est de lui passer le pot qui trône au centre de la table.

— Je ne veux pas me vanter, mais il y a longtemps que je n'avais fait d'aussi bons cornichons. Goûtez-y, vous allez voir.

À peine a-t-elle prononcé le mot *cornichons* que les jumeaux se remettent à rire. Tous les regards se tournent vers eux.

— Voulez-vous bien arrêter de rire pour rien, François et Dominic ! leur ordonne Michel d'un ton sévère.

— On ne rit pas pour rien, parvient à prononcer François, les yeux remplis de larmes.

— Eh bien, dépêchez-vous de nous dire pourquoi vous réagissez comme ça ou arrêtez. C'est très impoli ; à votre âge, vous devriez le savoir.

Les deux garçons se jettent un coup d'œil et s'esclaffent de plus belle, ce qui fait monter la moutarde au nez de leur père.

— C'est la dernière fois que je vous le dis ; prenez sur vous, sinon, je vais vous envoyer dans votre chambre.

— Voyons, papa, dit Alain, laisse-les tranquilles. Tu les connais aussi bien que moi. Ils ont dû encore jouer un tour à quelqu'un. Ils vont finir par se calmer.

Luc observe la scène attentivement. Alain a raison. Quand les jumeaux déraillent, moins on leur prête attention, plus l'épisode se termine rapidement.

— Maman, peux-tu me passer le pot de cornichons? demande Luc.

Alors que François et Dominic commençaient à peine à reprendre leur souffle, voilà que le fou rire les reprend. En une fraction de seconde, tout devient clair pour Luc.

— Je sais ce qui les fait rire, affirme-t-il. C'est quand ils entendent le mot *cornichon*.

La réaction des deux malfaisants est instantanée. Non seulement ils se tiennent les côtes parce qu'ils rient trop, mais voilà qu'ils ont le hoquet.

— Ça suffit maintenant! s'écrie Michel en frappant des mains sur la table. Vous deux, allez vous calmer dans votre chambre. Vous reviendrez quand vous serez capables d'être sérieux.

Alors que les chenapans s'apprêtent à sortir de table, Sylvie intervient.

— Mais Michel, ce n'est pas si grave. Depuis quand on n'a pas le droit de rire chez nous? François et Dominic, rassoyez-vous et mangez, sinon ça va être froid.

Les jumeaux, qui essaient de toutes leurs forces de se calmer, se laissent tomber sur leur chaise. De son côté, Michel fait tout son possible pour ne pas éclater.

Daniel observe la scène avec un petit sourire en coin. Il aime beaucoup les Pelletier, et adore participer à leur vie de famille. Partager des moments comme celui-là avec eux lui fait du bien. Parfois, il se demande ce qu'il fera si un jour Sonia et lui cessent de sortir ensemble. Il se dépêche alors de se dire qu'il traversera le pont quand il sera rendu à la rivière. Une chose est certaine : il souhaite de tout son cœur passer sa vie avec sa dulcinée. Il n'est pas sorti avec beaucoup de filles, mais suffisamment pour savoir qu'avec Sonia c'est différent. C'est la fille qu'il attendait.

Et puis, Daniel a un petit faible pour les jumeaux. Lui aussi, quand il avait leur âge, il aimait bien jouer des tours. C'est pourquoi, dans l'espoir de détendre l'atmosphère, il dit :

— Un jour, je vous raconterai une petite histoire de cornichons, mais pas à table.

Cela provoque l'hilarité des jumeaux, qui venaient à peine de se calmer. Brusquement, Michel plaque ses mains sur la table avant de foudroyer ses deux derniers d'un regard chargé de colère. Cette fois, personne n'essaie de défendre François et Dominic, pas même leur mère.

— J'en ai plus qu'assez ! hurle Michel. Disparaissez de ma vue et vite.

Les jumeaux obtempèrent sur-le-champ. Ensuite, les autres convives se taisent, le temps de laisser la poussière retomber. Comme c'est lui qui a fait un éclat, Michel se dit qu'il lui incombe de ranimer la conversation.

— Je n'ai jamais mangé un aussi bon rosbif, dit-il.

— Et moi, je n'ai jamais vu un père s'emporter comme ça parce que ses enfants rient ! réplique Sylvie d'un ton chargé de reproches. Depuis quand on n'a pas le droit de rire ici ?

Si personne n'intervient, le souper risque de devenir pénible, ce qu'évidemment personne ne souhaite. C'est pourquoi, en aîné de la famille, Alain se jette à l'eau. Il déclare :

— J'espère qu'on annonce beau demain parce que je vais aller faire du cheval.

Il s'adresse ensuite à sa mère.

— As-tu fini par essayer, finalement ?

Alain a visé juste, car un éclair de plaisir vient de passer dans les yeux de sa mère. Les sujets ayant la capacité de la faire revenir à de meilleurs sentiments n'étaient pas légion. Mais Sylvie a tellement aimé monter à cheval que cette simple question a suffi pour lui redonner le sourire.

— Mais oui ! s'exclame-t-elle d'un ton joyeux. Imagine-toi donc que ton grand-père avait tout organisé quand je suis allée le voir l'autre jour. Au début, j'étais craintive. Mais dès que j'ai été assise sur le cheval, ma peur s'est envolée. J'ai vraiment adoré l'expérience. D'ailleurs, je me promets de faire de l'équitation chaque fois que j'irai à L'Avenir.

— Il me semblait que tu détestais la campagne, laisse tomber Michel d'un ton ironique.

Sylvie se contente de lui jeter un regard noir. C'est à ce moment que les jumeaux font discrètement leur entrée dans la cuisine. Comme ils ne veulent pas courir le risque de recommencer à rire, ils prennent garde de ne regarder personne. La tête penchée sur leur assiette, ils mangent en silence. Ils étaient affamés.

— Quelqu'un voudrait-il ravoir du rosbif? s'informe Sylvie.

De nombreuses assiettes s'élèvent instantanément, comme si leurs propriétaires n'attendaient que cette question.

— Pas de problème, il y en a en masse pour tout le monde, assure Sylvie.

Au moment où elle va saisir l'assiette d'Alain, c'est le sourire fendu aux oreilles que Luc demande :

— Quelqu'un peut-il me passer le pot de cornichons ?

Cette fois, tous sauf Michel emboîtent le pas aux jumeaux et rient à gorge déployée. Ce n'est que lorsqu'ils entendent claquer la porte d'entrée qu'ils se rendent compte que Michel n'est plus à table. Tout le monde s'esclaffe alors de plus belle, même Sylvie.

Depuis qu'il a fait une mononucléose, Michel n'est pas à prendre avec des pincettes. Sylvie est bien placée pour le savoir. Avant que le médecin le mette au repos complet, il était tellement fatigué qu'il n'avait aucune patience. Tout le monde mettait son mauvais caractère sur le compte de la maladie. Mais là, cela empire. Michel a dormi pratiquement jour et nuit pendant trois semaines mais, selon Sylvie, il est pire qu'avant. À la moindre petite contrariété, il explose. Pourtant, d'après le médecin, il a retrouvé la forme.

Quand tous ont ri un bon coup et après être parvenue à reprendre son souffle, Sylvie se rend jusqu'à la cuisinière. Elle lance suffisamment fort pour que tout le monde l'entende :

— Tous ceux qui ont encore faim, venez me voir. Je vais vous servir.

Pour le moment, il vaut mieux faire comme si tout était normal. « Il y avait pourtant bien assez de moi qui avais des sautes d'humeur… Il va falloir que je parle à Michel. »

* * *

Michel a marché sans se préoccuper de l'endroit où ses pas le mèneraient. Il fallait qu'il sorte de la maison au plus vite. Il n'est pas fier de lui ; ça ne lui ressemble pas du tout d'exploser comme il vient de le faire. Habituellement, il est plutôt du genre à en remettre pour encourager la galerie à rire encore plus. Il ignore ce qui lui a pris. Certes, les jumeaux ne sont pas de tout repos, mais ce n'était pas la première fois qu'une situation semblable arrivait et ce ne sera probablement pas la dernière. Les jumeaux ont leur petit monde à eux, un monde qu'ils sont souvent les seuls à comprendre. Et ils sont très « ricaneux ».

Lorsqu'il se retrouve devant l'appartement de sa mère, Michel reste quelques secondes sur place sans bouger. Il ne sait pas trop ce qu'il fait ici. Il se demande si c'est une bonne idée d'aller voir sa mère dans l'état où il se trouve. Il pourrait plutôt aller rendre visite à Paul-Eugène, ou encore à Fernand. Ou même aller prendre une bière à la taverne. Ça le changerait un peu, d'autant que c'est peut-être ce qu'il aurait de mieux à faire. Il se frotte le menton et réfléchit quelques secondes. « Je viendrai plutôt voir ma mère un soir de cette semaine. » Alors qu'il s'apprête à poursuivre sa route, il entend la voix de Marie-Paule :

— Michel !

Il lève la tête. Sa mère lui fait des grands signes de la fenêtre de sa cuisine.

— Qu'est-ce que tu attends pour monter ? lui demande-t-elle. Viens, j'ai un bon petit pouding aux fraises.

Il lui envoie la main avant de se diriger lentement vers la porte d'entrée. Fidèle à son habitude, sa mère lui prend la tête entre les mains aussitôt qu'il se retrouve devant elle. Elle le regarde droit dans les yeux avant de l'embrasser. Rien n'échappe à la vieille femme, ce qui n'a rien de nouveau non plus.

— Tu as un drôle d'air… Viens t'asseoir. Prendrais-tu une bière ?

— Oui, répond Michel sans grand enthousiasme.

— As-tu mangé au moins ?

— Pas vraiment, mais je n'ai pas tellement faim.

— Vas-y, je t'écoute.

Michel raconte ce qui l'a mis dans cet état. Dès qu'il termine son récit, Marie-Paule commente :

— Mon pauvre garçon ! Je ne comprends pas pourquoi tu t'es emporté de la sorte, toi qui aimes tant rire. Ça ne te ressemble pas.

— Je ne le sais même pas moi-même. J'ai eu l'air d'un vrai fou.

— As-tu pris des vacances cet été ?

Depuis qu'il a ouvert son magasin, Michel a de la difficulté à s'octroyer des vacances. Afin de ne pas perturber les affaires, il préfère s'accorder une journée de repos ici et là, sans plus. D'ailleurs, chaque année, ce sujet est l'objet d'une bonne discussion avec Paul-Eugène qui, lui, tient mordicus à prendre des vacances comme lorsqu'il travaillait sur la construction. D'après ce dernier, une période de deux semaines est nécessaire pour se reposer et « recharger ses batteries ». Michel sait que son beau-frère a raison, mais il souffre tellement d'insécurité qu'il n'ose pas s'absenter deux jours d'affilée du magasin.

— Vous n'y pensez pas ! J'ai dû m'arrêter trois longues semaines à cause de la mononucléose, alors il n'en est pas question. Il faut que je travaille. J'ai promis à André de prendre quelques jours de vacances quand il viendrait, mais c'est tout ce que je peux faire.

— Mais de quoi as-tu peur ? Ton commerce va continuer à marcher, même sans toi. Tu devrais prendre exemple sur Paul-Eugène. Même si vous avez beaucoup de travail, vous êtes sûrement capables de vous organiser. Je pense que ça te ferait du bien d'arrêter au moins deux semaines. J'ai une idée : tu pourrais aller passer une semaine au camp de pêche de ton cousin Gaétan. Je suis certaine que ça lui ferait plaisir.

Le mot *pêche* a retenu l'attention de Michel. Quand il était petit, il adorait aller pêcher. C'est fou, il l'avait presque oublié. Il pratiquait cette activité avec ses oncles maternels. Contrairement à bien des jeunes de son âge, il adorait passer des heures dans une chaloupe même si ça ne mordait pas. Jamais il ne montrait le moindre signe d'impatience. Quand il était sur l'eau, il se sentait bien. Heureux, il écoutait battre la vie autour de lui sans se poser la moindre question. C'est d'ailleurs ce qui lui a manqué le plus une fois installé à Montréal : les lacs, les rivières, les forêts... la nature, en somme. Par la suite, lorsqu'il allait faire un tour au Saguenay, il était toujours trop pressé pour prendre le temps d'aller taquiner la truite.

En plus, la truite, c'est son poisson préféré. Il se souvient de ses journées de pêche comme si c'était hier. Il croit même qu'il pourrait sentir l'odeur du poisson sur ses doigts s'il s'arrêtait un instant pour y penser. Il se rappelle aussi la première fois où il a mis un ver de terre sur un hameçon. Il avait d'abord fermé les yeux pour le couper avec son ongle tellement ça le dégoûtait. Ensuite, il avait tenté maintes fois de glisser le ver sur l'hameçon. Son oncle le regardait faire en souriant. Le pauvre ver se débattait de toutes ses forces pour ne pas finir sur la broche. Plus celui-ci se contorsionnait, plus Michel éprouvait de la difficulté. Ce dernier a mis tellement de temps avant de parvenir à ses fins que son oncle a sorti deux belles grosses truites du lac avant même qu'il jette sa ligne à l'eau. Heureusement, avec le temps, Michel a fini par s'habituer à appâter sa ligne. Chaque fois qu'il revenait de la pêche, il se dépêchait d'arranger ses prises et les faisait cuire à la poêle sur-le-champ, peu importe le moment de la journée. Elles étaient tellement fraîches qu'elles frisaient dans tous les sens. Michel se régalait ensuite jusqu'à en avoir mal au ventre. Ce n'est qu'après s'être rassasié qu'il en offrait à ses frères et sœurs. Comme il était le seul à aimer autant le poisson, surtout les truites, le plus souvent, il ne trouvait pas preneur. Il devait mettre les truites au réfrigérateur et les manger le lendemain.

— C'est la première nouvelle que j'en ai ! Depuis quand Gaétan a-t-il un camp de pêche ?

Marie-Paule cherche dans sa mémoire pendant quelques secondes.

— J'étais pourtant certaine de te l'avoir dit. Je commence sérieusement à vieillir. Gaétan a acheté son camp de pêche l'automne dernier ; il est situé dans la zec La boiteuse, sur le bord d'une rivière. C'est à moins d'une heure de Jonquière, et le trajet pour s'y rendre passe par Saint-Ambroise. Selon sa mère, l'endroit est vraiment très beau.

— Ça fait tellement longtemps que je n'ai pas pêché… déclare Michel, l'air rêveur. Je pourrais en parler avec Paul-Eugène, même si le mois de juillet n'est pas le meilleur moment pour la pêche.

— Peut-être, mais on ne sait jamais. Cette année, l'été n'est pas très chaud. Quand tu étais jeune, tu disais que l'important c'était d'aller pêcher, pas de revenir avec un plein panier de poissons. Tu devrais appeler ton cousin.

— Ça me tente pas mal. Je pourrais emmener mes trois plus jeunes avec moi. Vous auriez dû les entendre l'autre jour : ils se plaignaient parce que vous ne restez plus à Jonquière et qu'à cause de ça, ils ne peuvent plus partir tous seuls.

— Ils sont drôles, tes enfants !

Marie-Paule fait une courte pause avant de poursuivre.

— Ce n'est pas de mes affaires, mais si tu veux te reposer, tu es peut-être mieux de partir tout seul.

— Vous savez, c'est tellement rare que je fasse quelque chose avec eux que j'ai très envie de les emmener avec moi. Je vais d'abord appeler Gaétan. Si ça marche avec lui, j'en parlerai ensuite à Paul-Eugène. Merci maman !

Marie-Paule déteste quand un des siens ne va pas bien ; parfois, ça l'empêche même de dormir. Avant de s'installer à Longueuil, elle ne connaissait pas grand-chose des humeurs de Michel – pas plus que de sa vie, d'ailleurs. En fait, elle ne savait que ce qu'il voulait bien lui dire. Mais maintenant qu'elle vit tout près de lui, elle voit quand il n'est pas au meilleur de sa forme. Il faut dire que son fils a travaillé fort ces dernières années. Il a démarré un commerce en même temps qu'il travaillait comme camionneur, ce qui lui laissait bien peu de temps pour faire autre chose que travailler. Depuis qu'il a quitté son emploi pour se consacrer entièrement à son magasin, il n'a pas vraiment réduit la cadence, même si cela était prévu. « Michel a toujours été ambitieux et il n'a jamais pris garde à lui. Il faudrait être aveugle pour ne pas s'apercevoir que depuis la mort de Martin, il n'a pas repris le dessus. »

— Tu n'as pas à me remercier, mon garçon. Tu sais, je m'inquiète pour toi. Tu ne rajeunis pas, mais tu roules encore comme si tu avais vingt ans. Il faudrait que tu te ménages un peu, si tu veux durer aussi longtemps que ton grand-père Pelletier et vivre jusqu'à quatre-vingt-quatorze ans.

— Je comprends tout ça, mais j'ai des obligations. Vous savez, avoir un commerce c'est un peu comme avoir une deuxième femme... Il faut qu'on s'en occupe si on veut que ça tienne.

— Si ton grand-père était ici, il te dirait qu'il faut respecter le rythme de la vie, qu'il y a des moments pour travailler et d'autres pour se reposer.

Michel aimait beaucoup son grand-père Pelletier. Quand il était petit, il passait des heures assis à côté de lui sur le petit perron du garage. Le vieil homme parlait si peu qu'un jour Michel avait demandé à sa mère pourquoi Pépère ménageait autant ses mots. Marie-Paule avait confié à son fils : « Parce que c'est un sage et que les sages ne parlent jamais pour rien. »

— Je ne comprends pas comment j'ai pu oublier ça. J'ai passé tellement de temps avec lui.

— Tu sais, on n'est pas obligé de tout comprendre. La vie se charge parfois de rafraîchir notre mémoire. L'essentiel, c'est de se reprendre.

Je te refais mon offre. Si tu veux manger, je peux te faire réchauffer de la bouillie de légumes. C'est ce que j'ai mangé pour dîner.

— C'est une excellente idée ! Ne vous gênez pas pour me servir une portion généreuse parce que j'ai une faim de loup.

Marie-Paule songe que c'est le moment d'apprendre sa grande nouvelle à Michel. Une fois la bouillie sur le feu, elle déclare :

— J'ai quelque chose à t'annoncer.

Elle prend une grande respiration, puis elle plonge :

— Qu'est-ce que tu dirais si je me remariais ?

La réaction de Michel est instantanée : il sourit. Il savait que tôt ou tard cela arriverait. Depuis que sa mère voit René, elle ne tarit pas d'éloges à son égard. Bien qu'elle se soit toujours entêtée à dire que ce dernier est seulement un ami, Michel se doutait bien que les choses allaient plus loin. Ça crevait les yeux rien qu'à les voir ensemble tous les deux.

— Si ça vous rend heureuse, allez-y. Même si vous n'en avez pas besoin, je vous donne ma bénédiction. Les autres sont-ils au courant ?

Marie-Paule est ravie. La réaction de Michel lui donne l'espoir que ses autres enfants réagiront aussi bien.

— Pas encore. Mais je ne t'ai pas encore tout raconté. Je ne voudrais pas que tu le prennes mal, mais je voudrais changer tous mes meubles. Alors, si tu tiens à quelque chose, il faut vite que tu me le dises avant que je fasse la même offre au reste de la famille. Si personne ne veut de mes vieilleries, je vais les donner à Irma et à Lionel pour leur nouvelle maison.

Michel n'est pas du genre nostalgique, mais apprendre que sa mère veut se débarrasser de tout ce qu'il a connu depuis qu'il est jeune lui fait un petit pincement au cœur. « On dirait qu'elle ne veut conserver aucun souvenir de sa vie d'avant. » Mais sa mère n'a pas à connaître le fond de sa pensée. Jusqu'ici, Marie-Paule a consacré sa vie à sa famille, alors il est grand temps qu'elle pense à elle.

— Décidément, c'est la journée des surprises ! répond-il. À mon avis, vous faites bien de profiter du temps qu'il vous reste. Ce n'est certainement pas moi qui vais vous en empêcher. Pour les meubles, je vous remercie mais je vais laisser la chance aux autres. Notre maison est pleine à craquer.

Satisfaite que les choses se soient aussi bien passées, Marie-Paule embrasse son fils sur le front.

— Prendrais-tu une autre bière pendant que la bouillie réchauffe ?

Chapitre 10

Michel n'a pas eu à plaider sa cause bien longtemps auprès de Paul-Eugène. Ce dernier était ravi que son associé comprenne enfin que les vacances sont nécessaires.

— Tu peux entreprendre ton congé dès demain, si tu veux, lui a-t-il dit. Ne t'inquiète pas, je m'arrangerai. Si j'ai besoin d'aide, je demanderai à Fernand de me donner un coup de main. Il ne prend ses vacances qu'en septembre. Pars en paix.

Deux jours plus tard, Michel prenait la route avec ses trois derniers. Fiers comme des paons mais énervés comme des puces de partir seuls avec leur père, c'est à peine si les garçons ont salué leur mère en quittant la maison.

— Ne vous excitez pas trop ! leur a recommandé Sylvie.

— Ils peuvent s'exciter autant qu'ils le veulent, a déclaré Michel d'un air joyeux, à la condition qu'ils m'expliquent ce qui les faisait tant rire dimanche soir.

Il n'en fallait pas plus pour déclencher un rire collectif dans l'auto. C'est sur cette note que les vacanciers ont pris la route de Jonquière, sous le regard attendri de Sylvie.

C'est la première fois depuis la naissance d'Alain que Sylvie se retrouve seule à la maison. C'est un vrai cadeau du ciel : elle a toute une semaine rien que pour elle. La veille, après le départ de ses hommes, elle se sentait toute drôle. Elle s'est mise à tourner en rond. Ne sachant comment s'occuper, elle s'est lancée dans le nettoyage du gros congélateur du garage. Quand elle est allée se coucher, elle a décidé qu'il n'était pas question qu'elle passe sa semaine à faire du ménage. De l'ouvrage en retard, ce n'est pas ce qui lui manque : nettoyer le garage, même si celui-ci est le royaume de Michel ; ranger la garde-robe de l'entrée ; classer ses tissus… Mais du temps pour elle, c'est une denrée tellement rare qu'elle n'a pas l'intention d'en gaspiller ne serait-ce qu'une minute.

Dès qu'elle ouvre les yeux ce matin-là, Sylvie se demande ce qu'elle aurait envie de faire. En moins d'une minute, elle dresse une liste dans sa tête : aller magasiner, rendre visite à son père, monter à cheval, voir un film au cinéma, visiter quelques galeries d'art, pique-niquer au Jardin botanique, voir un spectacle à la boîte à chanson Chez Clairette, passer une journée seule avec sa petite-fille… Devant l'ampleur de ses désirs, Sylvie se lève et part à la recherche d'un stylo et d'un papier pour tout noter. Elle procède vite à un premier élagage, puis elle inscrit ensuite à côté de chaque activité le nom de la personne avec qui elle aimerait la réaliser.

En regardant l'heure sur l'horloge de la cuisine, Sylvie se dit qu'elle a une chance d'attraper Shirley avant que celle-ci parte travailler. Son amie répond dès la première sonnerie.

— Je ne te réveille pas, j'espère ? s'inquiète Sylvie.

— Non, mais je ne voulais pas que la sonnerie réveille les enfants. Ils se sont couchés tard hier soir. Qu'est-ce qui t'arrive ? Tu n'as pas l'habitude d'appeler d'aussi bonne heure. Tu n'as pas de problèmes, au moins ?

— Rassure-toi, je vais très bien. Comme tu le sais, Michel est parti à la pêche avec les garçons, ce qui fait que je suis seule. Je me demandais si tu avais envie qu'on fasse quelque chose ensemble.

— Certain ! Je suis en congé demain.

— C'est parfait pour moi. J'ai dressé la liste des choses que j'aimerais faire. Tu n'as qu'à me dire s'il y a quelque chose qui t'intéresse.

Sylvie énumère rapidement les quelques activités qu'elle a retenues. Avant qu'elle arrive au bout de sa liste, Shirley lui dit :

— Je meurs d'envie d'aller magasiner à Montréal, de souper en ville et d'assister à un spectacle à la boîte Chez Clairette.

— Excellent ! On pourrait y aller en Mustang, si tu veux.

— C'est sûr ! Il faut que te laisse, j'ai juste le temps de me rendre au métro si je ne veux pas être en retard. On se rappelle ce soir pour convenir de l'heure de notre rendez-vous de demain. Bonne journée !

Sitôt le combiné raccroché, Sylvie se dépêche d'écrire le nom de Shirley à côté des trois activités que celle-ci a choisies. Avant de poursuivre ses appels, elle décide de se préparer un café instantané. La dernière gorgée avalée, elle compose le numéro de téléphone d'Éliane. Elle téléphone ensuite à sa belle-fille et à sa belle-mère, et à son père aussi. Camil était fou de joie quand elle lui a demandé si elle pouvait dormir chez lui. En moins d'une heure, Sylvie s'est organisée une semaine à son goût.

Elle se fait un autre café et, avant de mettre du pain à griller, elle va vérifier si le facteur est passé. Quelle n'est pas sa surprise de voir qu'elle a deux lettres : une de Junior et une de Sonia. Sylvie retourne ensuite dans la cuisine et s'assoit devant son café. Deux lettres la même journée, c'est son record à vie – à part, bien sûr, quand les gens ont répondu à son invitation de mariage, il y a de cela très longtemps. Sylvie se demande quelle lettre elle lira en premier. Comme c'est elle qui a fourni l'enveloppe et le papier à Sonia et à Junior, elle tourne plusieurs fois les lettres dans tous les sens. Puis, elle en choisit une, qu'elle retourne vivement. C'est celle de Junior.

Maman,

Ça fait une bonne heure que je regarde ma feuille de papier comme si les mots allaient apparaître automatiquement. Je viens de réaliser que c'est la première vraie lettre que j'écris de toute ma vie. Eh bien, tout va pour le mieux ici. J'adore Toronto. Je travaille fort, mais j'apprends beaucoup – pas seulement dans le domaine de la photo, mais l'anglais aussi. Même si mes cours sont en français la plupart du temps, je suis entouré d'anglophones. C'est parfait pour moi, car ça m'oblige à parler leur langue.

Maman, ne laisse plus jamais personne dire que tu n'es pas une bonne cuisinière. Ici, la nourriture est infecte. On a beau se plaindre, rien ne change. Quand c'est trop mauvais, je me gave de biscuits soda et de beurre d'arachide. Ne t'inquiète pas pour moi, je vais survivre !

Dis à papa de ne pas oublier de venir me chercher à la gare le 30 juillet, à huit heures. Je t'embrasse !

Junior

Le sourire aux lèvres, Sylvie remet la lettre dans l'enveloppe. Elle sourit en pensant aux efforts que Junior a déployés pour lui écrire ces quelques lignes. Elle ouvre ensuite la missive envoyée par Sonia. Avant de commencer sa lecture, elle compte le nombre de pages : il y a trois grandes feuilles noircies en entier.

Chère maman,

Avant de t'écrire, je me suis demandé ce que je pourrais bien te dire que tu ne sais pas déjà puisque tu as effectué pratiquement le même voyage. Après réflexion, j'en suis venue à la conclusion qu'il y avait de bonnes chances que nous n'ayons pas remarqué les mêmes choses et que, de toute façon, tu ne m'en voudrais pas même si je te racontais des choses que tu connais.

Je savais que nous vivions dans un beau pays, mais jamais à ce point-là. Je n'en reviens tout simplement pas de voir autant de magnifiques paysages. Le voyage en train était à couper le souffle. J'ai vu de belles choses en Europe, mais il y en a d'aussi fabuleuses chez nous. Je suis sous le charme depuis que j'ai vu

Banff, Jasper et le lac Louise. Quelle merveille que ces glaces éternelles ! Et toutes ces eaux turquoise ! Crois-moi, ça vaut bien les vieilles pierres de la grande place de Bruxelles même si c'est un endroit extraordinaire. Je suis sans voix quand je pense que notre pays est si grand et si majestueux. Il y a une chose que je ne comprends pas, par exemple : pourquoi les anglophones sont-ils si différents de nous ? Ce n'est pas parce qu'ils ne sont pas gentils. Ils sont seulement... un peu froids. Si c'était tante Irma qui t'écrivait, elle te dirait qu'ils sont aussi froids qu'un bloc de glace. Mais moi, je veux laisser une chance aux coureurs – au moins jusqu'à la fin de notre voyage. Hier, je suis allée m'acheter un chandail. La vendeuse voyait bien que l'anglais n'est pas ma langue maternelle, mais elle ne m'a pas aidée. Pourtant, Dieu sait que je cherchais mes mots. Alors que je lui avais à peine tourné le dos, elle s'est adressée à une de ses collègues en français. J'étais tellement fâchée que j'ai failli me mettre à crier après elle. Quand j'en ai parlé à tante Chantal, elle m'a dit que si une cliente anglaise avait eu besoin d'aide au Québec, tout le monde aurait tenté de l'aider – même en utilisant un mauvais anglais. Je suis peut-être dans l'erreur, mais je pense que j'ai trouvé la différence entre les anglophones et nous. Nous, les Québécois, nous sommes des gens de cœur alors qu'eux, ce sont des gens de tête. Et c'est pour cette raison qu'on ne pourra jamais vraiment s'entendre...

Quand elle termine sa lecture, Sylvic a mal aux joucs à force de sourire. Elle replace la lettre de Sonia dans l'enveloppe et la dépose sur celle de Junior. Elle aime beaucoup recevoir du courrier. Elle relira les deux lettres au moins une autre fois avant de les ranger dans son coffre, mais pour l'instant, il faut qu'elle aille faire l'épicerie. « Ce n'est pas parce que je suis seule que je vais me laisser mourir de faim. Je vais en profiter pour acheter tout ce que j'aime. »

Sylvie file à sa chambre pour s'habiller. En revenant dans la cuisine, elle réalise qu'elle n'a avalé que deux petits cafés depuis son lever. Une idée lui traverse alors la tête. « Je pourrais aller déjeuner au restaurant. » Elle va aussitôt chercher un roman-photo dans la chambre de Sonia et sort de la maison en fredonnant une chanson de Sylvain Lelièvre.

* * *

Le soleil est à peine levé sur la rivière quand les jumeaux vont chercher leur canne à pêche sous le chalet. Depuis qu'ils sont arrivés, ils se lèvent aux aurores et se traînent comme des âmes en peine jusqu'à ce que Michel finisse par se manifester. S'il n'en tenait qu'à eux, ils passeraient leur temps sur l'eau, ce qui n'est pas le cas de Luc. Le jour de leur arrivée, Michel et ses fils pêchaient depuis quelques minutes seulement quand Luc a demandé à son père de le ramener au bord.

— Je ne me sens pas bien. Je veux retourner au chalet.

— Ça ne me plaît pas tellement de te laisser tout seul, a répondu Michel. Il faut que tu me promettes de ne pas faire de bêtises. Et tu ne dois pas aller trop loin dans le bois. Je n'ai pas envie que tu te perdes.

— Mais, papa, tu oublies que je suis dans les 4-H. Je sais comment me servir d'une boussole. Et je ne suis plus un bébé.

Michel n'a porté aucune attention à la dernière remarque de son fils. Certes, Luc a quatorze ans, mais il n'agit pas toujours comme un garçon de son âge – ce qui l'inquiète. Le retrouver en ville, c'est une chose, mais ici en pleine forêt c'est une tout autre affaire.

— As-tu apporté ta boussole, au moins ?

— Mais oui !

Finalement, Michel a décidé de faire confiance à Luc. Et puis, il n'est pas question que tout le monde reste à terre sous prétexte que monsieur n'aime pas être sur l'eau. Les jumeaux ne le lui pardonneraient pas. C'est alors que Michel s'est souvenu que pendant qu'il préparait les bagages, il est tombé sur un vieux sifflet qu'il utilisait du temps où il avait à peu près le même âge que Luc. Il l'avait toujours sur lui. Il s'en servait quand les choses ne marchaient pas comme il le voulait ; chaque fois, l'effet de surprise suffisait à calmer tout le monde. Son père lui a confisqué l'instrument tellement souvent que Michel a été fort étonné de le découvrir parmi ses mouches et son fil de pêche.

— Va dans ma chambre et prends le sifflet qui se trouve dans la pochette de côté de mon sac. Garde-le sur toi. Comme ça, si jamais il t'arrive quelque chose, tu pourras au moins signaler ta présence.

— Merci papa !

Pendant tout le temps que leur père a échangé avec Luc, les jumeaux ont prié de toutes leurs forces pour qu'il ne prenne pas la décision de ramener tout le monde à terre. Quand leur père est remonté dans la chaloupe, ils ont mieux respiré. L'attitude de Luc ne les a pas surpris. Avec leur frère, c'est toujours la même chose. Il est plus douillet qu'une fille.

Après s'être installé, Michel a déclaré :

— Aujourd'hui, c'est à votre tour de vous faire des bras. On devrait aller pêcher à l'autre bout de la rivière, derrière la petite île. Si je me souviens bien, Gaétan m'a dit qu'il y avait une fosse dans ce coin-là. Si ça ne mord pas, on ira au lac Collins.

Pour une fois, personne n'a rouspété. Le sourire aux lèvres, Michel a bombé le torse. Il était fier de lui, et aussi de ses rejetons. « Si j'avais su que la pêche plairait autant aux jumeaux, je les aurais emmenés bien avant. Il va falloir qu'on remette ça. » Il avait pratiquement oublié à quel point il aimait pêcher. En plus, ici, c'est un vrai petit paradis : le chalet est entouré d'eau et le silence règne en maître. Une fois de plus, sa mère avait raison : il avait besoin de vacances en nature.

— Pendant qu'on est seuls tous les trois, a repris Michel d'un ton sérieux, je veux que vous me racontiez l'histoire des cornichons.

Partagés entre une envie irrésistible de rire et la peur que leur père réagisse mal, Dominic lui a demandé :

— Tu es bien certain ?

— Jure-nous d'abord que tu ne te fâcheras pas, a formulé François. Je n'ai pas envie de me retrouver à l'eau, surtout que je nage comme une roche.

— Je le jure, a déclaré Michel en faisant le signe de la croix.

C'est François qui a pris la parole en premier, mais il s'est vite fait couper la parole par Dominic. Plus Michel en apprenait, plus il se retenait de rire. À la fin de leur histoire, il a eu toute la misère du monde à garder son sérieux.

— Tu sais tout maintenant, a indiqué François. Est-ce que tu es fâché contre nous ?

Michel a regardé ses rejetons d'un air sévère. Son visage était rouge, car il n'en pouvait plus de se retenir. S'il ne riait pas un bon coup, et vite, la poitrine lui exploserait. Tout à coup, il s'est mis à rire comme un fou. Les jumeaux lui ont aussitôt emboîté le pas. Pendant de longues minutes, on n'entendait qu'eux aux alentours. Quand les Pelletier ont enfin mis leurs lignes à l'eau, le poisson était au rendez-vous. En moins de deux heures, ils ont pris leur quota.

— On va retourner au chalet, a décidé Michel. À moins qu'on mange des truites pour dîner, on ne pourra plus pêcher aujourd'hui. On a déjà tout ce qu'on avait le droit de prendre.

— Mais papa, tu oublies que Luc n'en a pas pris une seule, a rétorqué Dominic. Si j'ai bien compris l'employé à la barrière, on a droit à vingt truites chacun.

— Et on en a pris seulement soixante, a complété fièrement François.

— Tant qu'à ça, vous avez bien raison. J'ai hâte de dire à mon cousin à quel point ça mordait... On est pourtant en plein cœur de juillet.

Puis, sur un ton espiègle, il a ajouté :

— Le dernier qui met sa ligne à l'eau nettoie les truites !

* * *

Installées au comptoir d'un petit snack-bar de la rue Sainte-Catherine, Shirley et Sylvie discutent allègrement en sirotant un verre de Coke. Aujourd'hui, elles ont décidé de tout se permettre. Elles ne se sont pas contentées de commander des hot dogs et des frites, mais aussi des rondelles d'oignon. Toutefois, les deux amies ne traîneront pas longtemps ici. Elles veulent profiter des quelques heures qui restent avant la fermeture des magasins. Après, elles iront souper dans un petit restaurant très sympathique que Shirley connaît car elle y est déjà allée avec Paul-Eugène. Ce commerce se trouve à quelques coins de rue de la boîte à chanson Chez Clairette.

Sylvie et Shirley ont déjà fait plusieurs achats. Elles sont allées porter tous les sacs dans le coffre de l'auto, car leur chargement devenait lourd à transporter. Contrairement à leurs habitudes, elles ont dépensé davantage en une demi-journée qu'en une journée complète de magasinage. On dirait que les soldes se multiplient au rythme de leurs pas. Elles ont fait des affaires en or. Jusqu'à présent, dans chacun des magasins dans lesquels Sylvie et Shirley sont entrées, au moins l'une d'elles a acheté quelque chose. Évidemment, la plupart de leurs achats sont destinés à leurs enfants.

— Pour une fois, j'ai acheté quelque chose pour moi, déclare Shirley.

— Moi aussi, renchérit Sylvie. Il commence à être temps qu'on pense un peu à nous. Quand j'ouvre ma garde-robe, je vois les mêmes vêtements depuis des années. Cet après-midi, je veux absolument m'acheter des jeans.

Surprise, Shirley ne peut s'empêcher de taquiner son amie.

— Il me semblait pourtant que tu haïssais ce vêtement au point de ne jamais vouloir en porter.

— Je n'ai pas changé d'idée, rétorque promptement Sylvie. Mais papa m'a dit que je serais plus à l'aise en jeans pour faire de l'équitation.

— Il a raison. Mais je te garantis que tu ne pourras plus te passer des jeans une fois que tu auras commencé à en porter.

— On verra bien. Est-ce que je t'ai dit que je voulais changer mon prélart de cuisine ?

— C'est vrai ? Je t'envie. La dernière fois que j'ai lavé mon plancher à genoux, j'ai vu à quel point il était usé. Depuis, je me suis mise à le détester. Et je ne te parle même pas du motif. Il est tellement démodé qu'il est à la veille de revenir à la mode !

— Je n'ai jamais osé te le dire, mais il est vraiment laid ton prélart !

Cette boutade fait rire Shirley. Même si Sylvie avait voulu lui faire croire qu'elle le trouvait beau, jamais Shirley n'aurait cru son amie. Avec ses tuiles vert hôpital parsemées de petits picots blancs, ce prélart donne envie de vomir si on le regarde trop longtemps.

— Qu'est-ce que tu attends pour en parler à Paul-Eugène ? Vous ne devez pas être si pauvres que ça…

— Non, mais je ne me sens pas très à l'aise d'aborder ce sujet. Tu comprends, il paie déjà beaucoup plus que sa part.

— Si tu attends que Paul-Eugène remarque que le prélart devrait être changé, tu risques de moisir sur place ! Je suis certaine qu'il serait d'accord pour le remplacer. Je le connais mon frère ; il est fier.

Les paroles de Sylvie n'ont pas convaincu Shirley. Cette dernière ne voudrait pas qu'un prélart vienne perturber son bonheur, ne serait-ce qu'une seule minute. Depuis que Paul-Eugène fait partie de sa vie, elle est heureuse comme jamais, et elle a bien l'intention de tout faire pour le rester. Son ancienne vie a laissé des cicatrices profondes. Avec John, elle a appris que le prince charmant peut se transformer en bourreau en un instant. Shirley sait bien que Paul-Eugène ne ressemble pas à John, mais au plus profond d'elle-même une petite voix la met en garde.

Comme si elle avait lu dans les pensées de sa belle-sœur, Sylvie pose sa main sur l'épaule de celle-ci et lui dit :

— Ma pauvre Shirley, il va bien falloir que tu finisses par t'enlever de la tête que tu es responsable de la manière dont John te traitait. Il aurait adopté le même comportement s'il avait été marié avec une autre femme. Il est malade. Mon frère est loin d'être parfait, mais je suis sûre qu'il ne lèvera jamais la main sur toi. Malgré sa voix un peu bourrue, il n'a aucune malice.

— Je sais tout ça, mais c'est plus fort que moi. J'ai peur. J'ai tellement peur que j'en perds parfois tous mes moyens.

Sylvie ne pardonnera jamais à John tout ce qu'il a fait subir à son amie. Pour elle, c'est inconcevable qu'en 1970, il y ait encore des hommes qui battent leur conjointe. Sylvie ne comprend pas pourquoi une femme aussi intelligente que Shirley a supporté aussi longtemps une telle situation. Celle-ci, qui passe ses journées à soigner les gens, était incapable de se soigner elle-même. Si Sylvie et Michel n'avaient pas autant insisté pour que Shirley quitte John, elle vivrait probablement encore avec lui. « Mais peut-être seraitelle morte aussi... » songe Sylvie en frissonnant.

— Je comprends, indique Sylvie. J'ai une idée. La prochaine fois que je verrai Paul-Eugène, je lui annoncerai que je vais changer le recouvrement de mon plancher de cuisine. Je pourrai lui demander innocemment quand vous comptez changer le vôtre. Évidemment, je ne me gênerai pas pour lui dire à quel point votre prélart est démodé… et laid ! Qu'en penses-tu ?

— Je t'imagine en train de lui parler ! répond Shirley, un large sourire sur les lèvres. Pauvre Paul-Eugène, il n'aura pas vraiment le choix de changer le prélart !

— Mais c'est ce que tu veux, n'est-ce pas ? Alors, laisse-moi faire. Je me charge de tout.

Faute de pouvoir agir elle-même, Shirley accepte que Sylvie intervienne auprès de son mari pour plaider sa cause. Même si habituellement elle n'est pas du genre à faire passer ses messages par quelqu'un d'autre, elle se donne bonne conscience en songeant que seul un prélart est en jeu.

— Par quoi vas-tu remplacer ton vieux recouvrement de plancher ? s'informe Shirley.

— J'ai choisi un prélart marbré. C'est la dernière mode. Mais j'y pense, j'ai un échantillon dans ma sacoche. Je te le montre tout de suite.

La seconde d'après, Sylvie tend à son amie un morceau de vinyle de la dimension d'un mouchoir de poche.

— Évidemment, je vais aussi poser des nouveaux rideaux. Pour l'instant, j'hésite entre un orangé et un jaune soleil.

— Il est très beau ce prélart. Mais j'ai une question à te poser. Comment fais-tu pour que Michel soit toujours d'accord avec toi ?

— C'est simple. D'abord, je commence à peine à faire quelques petits changements dans la maison. Avant que j'hérite de Jeannine, on n'avait pas les moyens. Et puis, depuis que je gagne un peu d'argent, j'ai tendance à le mettre devant le fait accompli. Jusqu'à présent, ça s'est toujours très bien passé.

— Oui, mais c'est quand même lui qui se charge des travaux.

— Pas cette fois. Michel a bien des qualités, mais il ne peut pas poser un prélart. Il va arracher le vieux et, à sa propre suggestion, c'est Fernand qui va venir poser le neuf.

Quand les deux femmes réalisent l'heure qu'il est, elles se dépêchent de payer leurs factures. Puis, elles sortent bras dessus, bras dessous du petit casse-croûte sous le regard réprobateur de certains clients. La vue d'une anglophone et d'une francophone ensemble en dérange encore plus d'un.

* * *

Sylvie s'est réveillée encore plus tôt que d'habitude ce matin. Après avoir bu deux cafés instantanés, elle étale sur la table de cuisine ses nombreux achats de la veille. Elle n'en revient pas de voir tout ce qu'elle a pu acheter avec si peu d'argent. Tous les vêtements d'été étaient à moitié prix. Il y avait même des vêtements de l'hiver dernier soldés à 80 %. Non seulement elle a acheté des vêtements pour l'été prochain à ses trois plus jeunes, mais elle leur a aussi pris plusieurs morceaux pour l'école. « Avec ce qu'ils ont déjà dans leurs tiroirs, il ne me restera que des sous-vêtements et des chaussettes à leur acheter. » Sylvie s'est même risquée à choisir quelques petits hauts pour Sonia. Au cas où ceux-ci ne lui plairaient pas, elle pourra les donner à la fille de Ginette qui a à peu près la même taille.

Sylvie a fait une petite pile pour ses trois derniers et Sonia. Au moment où elle s'apprête à aller porter les vêtements dans la chambre respective de chacun, la sonnerie du téléphone retentit. Elle dépose les vêtements et se dépêche d'aller répondre. Quelle n'est pas sa surprise d'entendre à une heure si matinale la voix de sa belle-fille.

Après les formules de civilité, Lucie déclare :

— Je n'ai pas une bonne nouvelle à vous apprendre. Hier soir, Alain est retourné faire de l'équitation. Il s'est cassé un bras en descendant de cheval.

Sylvie se sent soudainement envahie d'une grande vague de chaleur. Elle déteste quand quelque chose de fâcheux arrive à l'un des siens. Si elle le pouvait, elle prendrait tout sur ses épaules afin de leur faciliter la vie au maximum.

— Mais comment a-t-il fait son compte ? s'écrie-t-elle.

— Tout ce que je sais, c'est qu'il est tombé, répond Lucie. Le docteur a dit que c'était un coup de malchance.

— Mais est-ce qu'il va pouvoir aller travailler ? s'inquiète Sylvie.

— Pour l'instant, on l'ignore. Il est justement parti à l'usine pour essayer de s'arranger.

— Qu'est-ce que vous allez faire s'il ne peut pas travailler de l'été ?

— Pour le moment, j'aime mieux ne pas y penser. Si vous voulez, je peux dire à Alain de vous rappeler quand il va revenir.

— Il faudrait qu'il m'appelle avant le dîner parce que je suis supposée partir pour L'Avenir tout de suite après.

Sylvie n'est pas fière d'elle. Ce qu'elle aurait dû dire, c'est qu'elle partait pour L'Avenir. Une fois de plus, elle est prête à se sacrifier pour l'un des siens. « Je ne vois pas ce que je pourrais faire de plus pour le moment. C'est bien triste qu'Alain se soit cassé un bras, mais je vais aller à L'Avenir comme prévu. »

Après avoir raccroché, Sylvie regarde l'heure. Elle a amplement le temps de lire un roman-photo. Installée confortablement dans le fauteuil de Michel, elle ne lève les yeux que pour les essuyer en arrivant à la fin de sa lecture. Ce simple petit moment de tranquillité lui a fait le plus grand bien. « Il faut maintenant que je prépare ma valise. »

Chapitre 11

Bien qu'il en ait plus qu'assez de la mauvaise nourriture et qu'il rêve de plus en plus de manger un bon pâté chinois, Junior adore ses cours, la ville de Toronto et les amis qu'il s'est faits là-bas.

Depuis son arrivée à l'école, Junior a appris énormément de choses en photographie. Même lui est capable de constater son évolution. Il a changé plusieurs petites choses dans sa façon de travailler, ce qui fait toute la différence dans ses photos. Ses professeurs ne cessent de l'encenser. Junior a gagné les deux premiers concours de photo organisés par l'école. Et demain, il connaîtra le résultat du troisième. D'un côté, il espère le gagner mais, d'un autre côté, il se dit qu'il pourrait laisser la chance à quelqu'un d'autre. Il n'a aucune envie d'être mis à part par les autres élèves parce qu'il rafle tous les prix. La semaine dernière, ses nouveaux amis et lui ont parcouru la ville de Toronto à la recherche d'une scène illustrant quelque chose ou quelqu'un d'inusité. Junior adore ce genre d'expérience. Hier, ils ont visité l'aquarium. Et la semaine dernière, ils sont allés à la fourrière municipale.

Ici, la cote de Junior est encore meilleure qu'à Longueuil. Les filles lui tombent dans les bras comme des mouches, sauf qu'il ne profite pas de sa chance à son goût. Bien qu'il en meure d'envie, il se contrôle. Il est venu ici pour acquérir le maximum de connaissances sur la photographie, et rien ne le fera dévier de son objectif. Il sait à quel point il est privilégié d'avoir la chance d'étudier dans l'une des meilleures écoles. Aussi, il connaît le montant que son oncle a dû débourser pour lui offrir tout ça. C'est pourquoi il joue la carte de la sagesse. Non seulement il ne se permet pas de batifoler à droite et à gauche, mais il se fait un point d'honneur de rester sobre chaque fois qu'il tient son appareil photo dans ses mains. Plusieurs gars lui ont dit qu'il serait bien plus créatif s'il fumait des joints pendant la journée, mais il ne s'est pas laissé influencer. Quand Junior chasse l'image, il a besoin de tous ses moyens. Ce n'est qu'après ses cours qu'il se permet de se rouler un joint, mais un seul. Et là, il a beaucoup de plaisir avec quelques gars en jouant de la guitare. À force de côtoyer des musiciens, il tire très bien son épingle du jeu, d'autant plus que Daniel lui a montré quelques trucs. Comme plusieurs des compagnons de Junior sont originaires de Montréal et des alentours, ils ont même lancé l'idée de former un groupe. En tout cas, une chose est certaine : ils se reverront après la fin du cours. Junior est très content ; il a enfin des amis qui partagent les mêmes passions que lui.

Le garçon est heureux ici. La seule chose qui l'embête, c'est qu'il vient déjà d'entamer sa dernière semaine à Toronto. Mais Junior se console en se disant qu'il pourra revenir l'année prochaine. Avec ses deux prix, il a remporté deux semaines de cours. Il ne lui restera qu'à payer son hébergement. Il s'est promis de se loger à proximité afin de ne pas être obligé de subir la cuisine de l'école.

Junior n'est jamais parti aussi longtemps de la maison familiale. Au début, il avait peur de s'ennuyer ; après quelques jours il a bien vu qu'il n'en aurait pas le temps. Bien sûr, il lui arrive de penser à tous ceux qu'il a laissés derrière lui, mais pas de manière triste. Comme disait si bien son grand-père Adrien, il n'y a que les gens ennuyants qui s'ennuient. Junior ne fait assurément pas partie de cette catégorie. La personne à qui il pense le plus pendant son séjour à Toronto, c'est Sonia. Il en aura des choses à raconter à sa sœur quand il la reverra.

Lorsque Junior rentrera à Longueuil, il ne manquera pas d'appeler son parrain pour le remercier. Il lui enverra aussi quelques photos. Il sera toujours reconnaissant à son oncle Donald de tout ce qu'il a fait pour lui.

* * *

Sylvie n'a pas besoin de se peser pour savoir que sa semaine de vacances lui a fait prendre quelques livres supplémentaires, si elle se fie à ses vêtements. Elle doit rentrer le ventre le temps de monter la fermeture éclair de ses robes ou de les boutonner. Jamais elle ne s'est sentie aussi à l'étroit dans ses vêtements. Si elle a autant gonflé, c'est parce qu'elle s'est lancée à corps perdu dans les plaisirs de la table. Elle a mangé trop de biscuits roses à la guimauve et à la noix de coco, de tire éponge, de sucre à la crème, de pipes à la réglisse noire et de boules noires. Elle s'est gavée de toutes ces bonnes choses. En plus, elle a gobé une pleine boîte de chips Fiesta, une montagne de frites et a bu de nombreuses bouteilles de Coke. Lorsqu'elle parvient enfin à attacher le dernier bouton de sa robe, elle songe que si elle mettait autant d'ardeur à suivre un régime qu'elle en a mis à s'empiffrer, elle réussirait à coup sûr à maigrir. « Je vais commencer dès demain le régime que suit Éliane. »

Quand Sylvie repense à ce que lui a appris Shirley par rapport aux vêtements que sa fille Isabelle donnait à Sonia, elle voit rouge. Son amie et elle se sont fait avoir comme deux débutantes par leurs filles. Sylvie se promet bien d'en parler à Sonia quand celle-ci reviendra de voyage. Comment Sonia a-t-elle pu refuser de porter les vêtements d'Isabelle alors que les deux filles sont amies depuis leur petite enfance ? « À ce que je sache, il n'y a pas de honte à porter des vêtements usagés. » Comment ont-elles osé faire croire à leurs mères respectives qu'il y avait une fille qui en avait bien plus besoin que Sonia alors qu'en réalité, pendant tout ce temps, Isabelle allait porter les sacs de vêtements dans la chute à linge près de chez elle ? Il y a des jours où Sylvie ne comprend rien aux enfants. Sa vieille tante Marguerite avait parfaitement raison quand elle déclarait d'un ton convaincu : « Quand les enfants sont petits, on les mangerait. Et, quand ils sont grands, on regrette parfois de ne pas l'avoir fait. »

Jamais Sylvie ne tolérera que ses enfants « pètent plus haut que le trou », comme dit sa sœur Ginette. Ils sont nés dans une famille tout ce qu'il y a d'ordinaire, pas dans une de ces familles riches où on n'a qu'à lever le petit doigt pour obtenir tout ce qu'on veut. Dans la famille de Sylvie, tout le monde doit gagner son dû. Même s'ils sont plus à l'aise financièrement depuis quelques années, Michel et elle se sont fait un devoir de continuer à enseigner la valeur de l'argent à leurs enfants. D'après eux, ce n'est qu'ainsi qu'ils feront de leur marmaille des personnes responsables. À part le mauvais tour que Sonia leur a joué avec la complicité d'Isabelle, ils peuvent considérer qu'ils n'ont pas trop mal réussi. Il n'y a que les jumeaux qui ne travaillent pas, et pourtant, ce n'est pas faute d'avoir cherché un emploi depuis qu'ils sont en vacances. Sauf la semaine pendant laquelle ils sont allés à la pêche avec leur père, ils n'ont pas ménagé leurs efforts. Évidemment, plus souvent qu'autrement ils se font dire qu'ils sont trop jeunes. En désespoir de cause, ils ont demandé à leur père de les engager pour tondre la pelouse. Comme Michel déteste cette tâche, il a accepté à la condition que François et Dominic s'occupent de cette corvée jusqu'à la chute des feuilles. « Vous comprenez, c'est tout ou rien. » À peine les deux garçons avaient-ils fini la première tonte qu'ils sont allés voir leur père au magasin pour se faire payer. Avec eux, les choses ne traînent pas – en tout cas, pas quand il y a de l'argent en jeu.

Il ne reste que quelques jours avant l'arrivée d'André et de sa femme. Contrairement à leurs visites précédentes, Sylvie n'est vraiment pas prête à recevoir son beau-frère et sa belle-sœur. Il n'y a pratiquement aucune réserve dans le congélateur. Pire que ça, le garde-manger ne contient pratiquement rien pour cuisiner des repas. « Il faut absolument que j'aille faire une grosse épicerie. »

Sylvie finira de plier son linge plus tard. Elle court chercher son sac à main dans sa chambre. Après avoir tourné la poignée de la porte d'entrée, elle se retrouve face à sa sœur Ginette. « Elle tombe vraiment mal, celle-là. J'ai bien d'autres choses à faire que de l'écouter se plaindre. » Même si leur relation s'est améliorée, les deux sœurs ne sont pas devenues les meilleures amies du monde pour autant.

Sylvie s'empresse de mettre les choses au clair :

— Ma pauvre Ginette, tu vas devoir m'excuser. Il faut absolument que j'aille faire l'épicerie car mon garde-manger est vide, et le frère de Michel arrive bientôt. Je te l'ai déjà dit, tu devrais appeler avant de venir. Je ne suis pas toujours là, tu sais.

— Ce n'est pas grave, dit Ginette d'un air piteux. C'est ma faute, j'aurais dû téléphoner. Il faut absolument que je parle à quelqu'un. Mais ne t'en fais pas pour moi, je vais m'arranger.

— Je peux te laisser au métro, si tu veux.

— Non, non ! Ce ne sera pas nécessaire, je vais marcher.

Devant l'air de sa sœur, Sylvie se sent prise de remords. Elle voudrait bien accorder un peu de temps à Ginette, mais si elle le fait elle sera obligée de servir des grilled cheese pour souper. Ça passe toujours quand elle est en période de concerts, mais pas en temps ordinaire. Les enfants et Michel n'ont pas à payer parce qu'elle se l'est coulé douce. En voyant Ginette rebrousser chemin, Sylvie déclare :

— Attends ! J'ai une idée. Tu pourrais venir à l'épicerie avec moi. J'ai tellement de choses à acheter que tu disposeras d'une bonne heure pour me confier ce qui te tracasse.

Séduite par l'idée, Ginette saute sur l'occasion. Il y a plusieurs semaines qu'elle n'a pas fait une « vraie » épicerie – enfin, dans le sens où Sylvie l'entend. Depuis que son mari a perdu son emploi, l'argent se fait rare dans la maison, au point que Ginette et sa famille doivent se passer de plusieurs choses qui ne sont pourtant pas du luxe. On mange seulement ce qui ne coûte pas cher : des fèves au lard, de la soupe aux pois, du baloney, du foie de porc… Même la viande hachée est trop cher pour le budget familial. Tant que le premier chèque d'assurance chômage n'arrivera pas, Ginette et son mari tireront le diable par la queue. « Le gouvernement est toujours pressé de venir chercher notre argent dans nos poches, mais quand il s'agit de payer, il prend tout son temps. »

Évidemment, s'ils avaient mis un peu d'argent de côté, la situation serait moins difficile. Ou encore, si son père lui avait donné les 2 000 dollars au lieu de les répartir entre ses enfants. C'est ce que Ginette veut bien croire. Mais en toute honnêteté, elle doit reconnaître que son mari et elle auraient tout dépensé en futilités, et ce, en moins de temps qu'il n'en faut pour crier ciseaux. C'est la raison pour laquelle ils n'ont pas d'économies. Et pourtant, son mari a gagné beaucoup d'argent dans sa vie. Mais maintenant, avec son mal de dos, ça risque d'être difficile pour lui de se faire engager. Ginette a même pensé se trouver un emploi, mais avec le peu d'instruction qu'elle possède, le mieux qu'elle peut espérer c'est de travailler au Zellers – et encore.

— D'accord, répond-elle, mais à une condition : c'est moi qui pousse le chariot.

— Pas de problème ! Mais il faut qu'on y aille si je veux avoir le temps de préparer le souper avant que Michel revienne du magasin.

Même si Sylvie n'est pas insensible aux malheurs de sa sœur, elle n'est pas prête non plus à lui donner le bon Dieu sans confession. Elle sait que l'argent lui a toujours filé entre les doigts. Quand elles étaient plus jeunes, Ginette s'offrait tout ce qu'elle voulait dès qu'elle avait une piastre alors que Sylvie avait plutôt tendance à mettre de l'argent de côté pour les mauvais jours. C'est ce que la religion catholique leur promettait, des mauvais jours. Tous les curés tenaient le même discours. Sylvie ne peut pas contester le fait que son bas de laine lui a été utile à quelques occasions au cours de sa vie. Mais avec le recul, elle sait qu'elle s'en serait tirée quand même sans économies ; toutefois, elle aurait sûrement moins bien dormi. Sylvie a donc toutes les raisons du monde de laisser sa sœur mariner dans ses problèmes. Mais il faudrait être aveugle pour ne pas voir à quel point Ginette est désemparée. Et puis, en voyant la pauvre femme saliver devant une pièce de bœuf ou devant une boîte de petits gâteaux, Sylvie soupçonne que sa sœur ne mange pas à sa faim.

Ginette s'est confiée en toute sincérité. Elle a même reconnu que son mari et elle avaient une part de responsabilité dans ce qui leur arrive. Jamais Sylvie n'aurait cru entendre un jour sa sœur faire une telle confession. Sans plus de réflexion, elle décide de l'aider un peu.

— Je ne peux pas régler tous tes problèmes, dit-elle, mais je peux au moins te payer un peu d'épicerie.

Instantanément, les yeux de Ginette se remplissent d'étoiles.

— Je te remercie. Tu ne peux pas savoir à quel point tu me fais plaisir ! Mais il vaudrait mieux que tu fixes d'avance un montant. Mes armoires sont tellement vides que je pourrais partir avec l'épicerie au complet !

— Eh bien, allons-y pour 20 dollars. Ça ne remplira pas tes...

Comme sa sœur est déjà partie chercher un chariot, Sylvie se contente de sourire sans finir sa phrase. Avant que Ginette vienne la retrouver, elle songe qu'elle devrait prévenir ses frères et sœurs, et son père aussi. Ensemble, ils pourraient sûrement aider Ginette à traverser cette mauvaise passe.

Lorsque Sylvie dépose sa sœur au métro, cette dernière sourit malgré le gros sac qu'elle porte dans ses bras. Ginette n'a pas pris de viande à l'épicerie – celle-ci aurait mal supporté le voyage jusque chez elle –, mais elle compte bien aller acheter du steak haché pour le souper. « Vous le mangerez à ma santé », lui a dit Sylvie en lui tendant un billet de cinq dollars supplémentaire.

— Je te remercie beaucoup pour tout, déclare Ginette avant de sortir de la Mustang. Tu ne peux pas savoir à quel point ça m'a fait du bien.

— Fais attention à toi ! On se rappelle !

Sur le chemin du retour, Sylvie pense à sa sœur. Elle décide de faire son possible pour l'aider. «Je vais demander à Chantal si, par hasard, l'agence où elle travaille n'aurait pas besoin d'une réceptionniste. Je suis certaine que Ginette serait parfaite pour cet emploi. Elle s'exprime bien et elle peut être très gentille avec les gens… surtout s'ils ne font pas partie de sa famille ! »

Quand Sylvie arrive dans sa cour, elle a planifié tout ce qu'elle a à faire avant que les jeunes et Michel arrivent pour souper. Elle commencera par ranger ses achats dans les armoires et le garde-manger. Ensuite, elle épluchera des patates et les mettra vite au four. Elle les coupera en deux ; comme ça, elles mettront moins de temps à cuire. Sylvie salive déjà à l'idée de mettre une tonne de beurre sur ses patates au four. Elle dressera la table et, à la dernière minute, elle fera sauter du bœuf haché avec des oignons ; juste avant de servir, elle ajoutera au mélange une boîte de sauce à hot chicken. « Ouais, il faudrait peut-être que je fasse une salade aussi. »

Au moment où elle place les sacs de papier sous l'évier, la sonnerie du téléphone retentit. Sylvie est passée à deux doigts de s'évanouir quand son interlocutrice s'est nommée. Si cette femme se trouvait devant elle, Sylvie n'aurait qu'une envie : la frapper de toutes ses forces.

— Bonjour, Sylvie, c'est Maude. Maude Jean.

S'il y a un nom que Sylvie ne voulait plus jamais entendre, c'est bien celui-là. La première chose qui lui traverse l'esprit, c'est de raccrocher au nez de Maude. Elle ne vivra pas assez vieille pour lui pardonner. Mais une telle réaction ne résoudrait rien, alors aussi bien affronter le problème maintenant. Et puis, selon Sylvie, ça ne se fait pas de raccrocher au nez de quelqu'un, peu importe de qui il s'agit et pourquoi cette personne vous a appelé.

— Bonjour, répond-elle froidement.

— Est-ce que je te dérange ? Si c'est le cas, je pourrais te rappeler.

— Je n'ai pas beaucoup de temps à te consacrer. Je suis en train de préparer le souper.

— Bon, écoute. Je ferai court. Je veux m'excuser. Je n'avais pas le droit de t'appeler pour te dire que la mère biologique de ta fille voulait retrouver Sonia. Si mon employeur l'apprenait, je perdrais mon travail sur-le-champ. Je voulais aussi te remercier de ne pas avoir porté plainte contre moi.

Alors qu'elle était disposée à envoyer Maude promener, voilà que Sylvie ne voit plus les choses de la même façon. Au fond, tout le monde peut commettre une erreur ; l'important, c'est d'avoir assez de courage pour l'admettre et s'excuser. Elle ignore encore si elle aura envie de revoir Maude un jour, mais elle pourrait au moins libérer la conscience de celle-ci. Comme elle met du temps à réagir, son interlocutrice revient à la charge.

— Es-tu toujours là ?

— Oui, répond Sylvie d'une voix faible.

— Je comprendrais très bien que tu m'en veuilles. Mais je ne peux pas revenir en arrière. Une chose est certaine : je ne commettrai pas la même erreur deux fois, tu peux en être sûre. J'ai eu ma leçon. Ça fait des semaines que je veux te téléphoner, mais je n'y arrivais pas. Je ne peux pas ajouter grand-chose, sinon que je suis désolée. Bon, je te laisse. Prends soin de toi. Si un jour tu veux qu'on se revoie, fais-moi signe. Je suis dans le bottin.

Sylvie se décide enfin à parler.

— Attends ! Je veux que tu saches que je ne t'en veux plus. D'une certaine manière, je devrais te remercier de nous avoir forcés à dire la vérité à Sonia. Maintenant qu'il n'y a plus de secret, les choses vont beaucoup mieux entre nous. Quant à se revoir, toi et moi, je ne sais pas encore si j'en ai envie. Tu vas m'excuser, mais il faut absolument que je retourne à mon souper.

Sylvie raccroche, puis elle commence immédiatement à éplucher les patates. Alors que la plupart des gens ne font que les laver avant de les mettre au four, elle, elle les épluche. Il se forme alors sur le dessus une fine croûte très croustillante et dorée. La première fois que Sylvie a servi de telles patates à Michel, il a regardé celles-ci de travers. Quand elle lui a dit qu'il pouvait tout manger, il s'est risqué à prendre une bouchée. Il a reconnu qu'il n'avait jamais mangé une aussi bonne patate au four de toute sa vie. Il n'y a pas grand-chose que Sylvie puisse enseigner en cuisine, mais en matière de patates au four elle n'a pas sa pareille.

À peine les jumeaux et Luc ont-ils avalé leur dernière bouchée de dessert qu'ils se lèvent de table. François et Dominic sortent de la maison alors que Luc file au sous-sol pour écouter un documentaire à la télévision. Depuis l'incident de la télévision qu'il a gagnée, jamais il n'a exercé la moindre pression sur ses parents pour les faire changer d'avis. Le garçon, habituellement si tenace, a pensé que cette fois il valait mieux pour lui faire le mort. Jusqu'à présent, il ne peut pas dire que ça lui ait réussi, mais comme ils ne sont pas nombreux dans la maison, il est très rare qu'il ne puisse pas écouter l'émission de son choix. Les jumeaux passent l'été dehors. Junior et Sonia n'écoutent presque jamais la télé. Alors, la plupart du temps, il a la télévision du sous-sol pour lui tout seul. Mais s'il avait le choix, il écouterait ses émissions dans sa chambre, allongé sur son lit.

Aussitôt que Michel et elle se retrouvent seuls, Sylvie dit à son mari qu'elle doit lui parler d'une affaire ou deux.

— Si ça ne te dérange pas, je prendrais une petite bière, déclare Michel.

Il y a longtemps que Sylvie en a fait son deuil. Les années lui ont appris que même si elle n'était pas d'accord, son mari prendrait de la bière de toute façon. Et puis, tant qu'il ne dérange personne, Sylvie s'accommode de la situation. Après tout, Michel n'est pas le seul de sa génération à boire une caisse de 12 chaque semaine.

Sylvie commence par parler des problèmes de Ginette. Quand elle confie qu'elle a offert un peu d'épicerie à sa sœur, Michel s'écrie :

— Après tout ce qu'elle t'a fait endurer, tu es encore capable de l'aider ? Je t'admire !

— Laisse-moi finir ! s'exclame Sylvie. Non seulement j'ai aidé Ginette, mais j'ai bien l'intention de demander à mon père et au reste de ma famille de faire leur part. Je vais aussi essayer de lui trouver un emploi. Elle faisait vraiment pitié à voir.

— Ce n'est pas surprenant. Ta sœur, c'est une plaie vivante. Même quand tout est OK, elle a l'air d'aller mal. À l'heure qu'il est, Ginette doit rire dans sa barbe.

— Tu ne comprends pas. Elle a changé.

— Hum ! Ta sœur va changer le jour où les poules auront des dents. Tu fais ce que tu veux avec ton argent, mais je ne donnerai pas un sou pour elle.

— Tu n'as vraiment pas ton pareil quand tu ne veux rien entendre, réplique Sylvie. Bon, calme-toi. Je n'ai pas envie que tu fasses une crise de cœur.

— Tu n'as pas à t'inquiéter. Jamais je ne me rendrai malade pour ta sœur.

Michel boit une gorgée de bière avant d'ajouter :

— Je t'écoute. Peu importe de qui tu vas me parler, ça ne peut pas être pire que ce que je viens d'entendre.

Sylvie se mord la lèvre inférieure. Elle connaît Michel. Dès qu'il entendra le nom de Maude Jean, il sortira de ses gonds. Elle prend son courage à deux mains et se lance. Au point où elle en est, elle n'a pas vraiment le choix.

Elle n'a même pas le temps de prononcer le nom de famille de Maude que Michel est déjà monté sur ses grands chevaux.

— Cette femme n'a pas encore compris qu'on ne voulait plus rien savoir d'elle ? Maude Jean devrait se compter chanceuse qu'on n'ait pas porté plainte. Non mais, je ne sais pas où on s'en va. Le monde est rempli d'incompétents. J'espère que tu l'as...

Sylvie en a assez entendu. Elle pose ses mains sur ses oreilles et penche la tête. Chaque fois, cela insulte Michel que sa femme refuse de l'écouter. Pour lui, tout a été dit sur Maude Jean et personne ne réussira à le faire changer d'idée. Cette femme a commis une faute professionnelle grave, et il n'est pas question qu'elle réapparaisse dans la vie des siens.

Les bras croisés sur la poitrine, Michel attend que Sylvie lève la tête. Dans moins de trois secondes, elle devrait lui faire un petit sourire en coin. Il lui rendra la pareille et elle poursuivra son histoire. Cette fois il la laissera parler, même s'il sait d'avance que ses paroles ne lui plairont pas.

Finalement, Sylvie le regarde droit dans les yeux et reprend là où elle a laissé.

— Maintenant, conclut-elle, tu sais tout. Je connais ton avis au sujet de Maude Jean, mais je me devais de te raconter ce qui s'est passé. J'ajouterai même que je me sens mieux depuis que j'ai décidé de ne plus lui en vouloir. Tu devrais suivre mon exemple.

— Coudonc, soupire Michel sans décroiser les bras, aurais-tu des gènes de missionnaire ? Si ça continue, on va pouvoir accrocher ta photo sur le mur à côté de celles des saints. Ils vont peut-être vendre des photos de toi à l'oratoire Saint-Joseph aussi ? Et puis, as-tu d'autres nouvelles pour moi ?

Sylvie regarde son mari sans sourciller. La réaction de ce dernier est normale : pour exprimer son désaccord, il se moque d'elle. Heureusement, ça ne dure jamais longtemps parce que Michel est aussi bon que du pain. C'est seulement que, parfois, la croûte est épaisse.

— Oui, j'en ai une autre. Ça fait assez longtemps que la petite télévision que Luc a ga…

Mais Michel l'interrompt.

— Il l'a gagnée avec MES bouteilles de Coke qu'il a prises dans MON garage…

Avec le temps, il devrait être passé au-dessus de la gaffe de Luc. Mais depuis le jour où Michel a installé un vieux réfrigérateur dans le garage pour y laisser sa bière et son Coke, il a une sainte horreur que quelqu'un aille puiser dans sa réserve sans lui demander la permission. Le garage, c'est son domaine. Il a fini par permettre à Sylvie d'y installer un gros congélateur, mais les négociations ont duré des mois. Elle avait beau lui faire valoir que ce serait plus pratique pour tout le monde, il ne voulait rien entendre. Ce n'est que lorsque les livreurs ont essayé de descendre le congélateur au sous-sol que Michel a constaté que cela était impossible, car l'escalier est beaucoup trop étroit. D'ailleurs, encore aujourd'hui, il est persuadé que Sylvie a agi avec ruse pour arriver à ses fins. En choisissant le plus gros modèle, elle savait d'avance que le congélateur irait dans le garage. « Elle en est bien capable ! »

— Si tu veux, admet-elle en essayant de rester calme. Écoute bien ce que j'ai à dire. Je suis tannée d'avoir la télévision dans ma face chaque fois que j'ouvre ma garde-robe. Ou tu m'en débarrasses, ou on permet à Luc de la mettre dans sa chambre.

— Tu n'y penses pas ! Si on lui remet la télévision, c'est comme si on lui signifiait que ce qu'il a fait, ce n'est pas si grave.

— Si on compare avec les nombreux mauvais coups que les jumeaux ont faits, l'histoire des bouteilles de Coke de Luc est juste drôle. Alors, qu'est-ce que tu décides ?

— Fais donc ce que tu veux. De toute façon, je n'ai pas le temps de m'en occuper.

— Parfait ! Je t'avertis, par exemple : je ne veux plus en entendre parler.

Puis, sur un ton plus doux, Sylvie ajoute :

— Si tu viens prendre une marche avec moi, je te paie un gros cornet de crème glacée molle.

— Et ton régime ? lance Michel du tac au tac.

— Laisse-moi m'arranger avec ça. On pourrait passer chez Alain. Ça fait plusieurs jours que je n'ai pas vu ma petite-fille.

Michel ne peut pas en vouloir longtemps à Sylvie. Il l'aime de toutes ses forces et, en plus, il la trouve aussi belle qu'au premier jour. Et puis, il doit bien l'admettre, elle est moins têtue que lui.

Il prend sa femme dans ses bras avant de lui souffler à l'oreille :

— Es-tu bien certaine de vouloir aller prendre une marche ?

Elle s'éloigne un peu de lui et répond d'un air taquin :

— Chaque chose en son temps ! Allons d'abord marcher.

Chapitre 12

Installés à une table près de la fenêtre, les deux frères en sont déjà à leur troisième bière en moins d'une heure. Ils reviennent de chez leur mère. Comme les choses ne se sont pas tellement bien passées, Michel a insisté pour qu'André et lui fassent un petit détour à la taverne. Il faut absolument qu'il parle à son frère en tête-à-tête. Comme il ignore le temps qu'il faudra pour lui faire entendre raison, il a pris soin de prévenir Sylvie dès son arrivée à la taverne qu'André et lui allaient tarder un peu. Les femmes les attendent pour aller dans le Vieux-Montréal. Les deux couples iront d'abord souper et, ensuite, ils passeront la soirée au Café de l'Est, le bar du populaire Claude Blanchard.

— Il va falloir que tu finisses par t'en remettre, déclare Michel d'un ton autoritaire. Ce n'est pas la fin du monde.

— Parle pour toi ! riposte André. Moi, ça me dérange, pis pas mal à part ça. Je ne comprends pas qu'elle puisse remplacer le père aussi facilement.

— Arrête un peu ! As-tu oublié le sale caractère qu'il avait ? La mère ne s'est jamais plainte, mais sa vie avec le père n'a pas dû être toujours facile. Et puis, rappelle-toi comment il t'a traité !

— Ce n'est pas la même chose. Disons que j'avais couru après.

Michel ne comprend vraiment pas son frère. Les années semblent avoir effacé la gravité de ce qui s'est passé : André a été chassé de la maison par leur père. Son départ soudain a failli tuer leur mère tellement elle avait de la peine. En plus d'avoir perdu un fils, elle ne pouvait même pas parler de lui en présence de son mari. Michel s'en souvient comme si c'était hier. Quand il n'a plus été capable de la voir souffrir, il a décidé de déménager à Montréal.

— Peu importe ! réplique Michel. Je trouve que tu as la mémoire courte. Tu sais autant que moi que notre père est le seul à avoir réagi aussi violemment. Tes *chums* n'ont jamais été obligés de partir de Jonquière, ni de se cacher. Regarde la vérité en face. Le père n'a pas été facile à vivre pour ses enfants, alors imagine-toi seulement un peu comment cela a été pour la mère.

— Ça ne lui donne pas le droit de se remarier, crache André. Tu l'as entendue : en plus, elle veut se débarrasser de tous ses meubles. Comme si ce n'était pas suffisant d'avoir vendu la maison ! Il nous reste quoi à nous, ses enfants ? Non seulement on n'a plus de père, mais on n'a plus de maison. Demain, on n'aura même plus de souvenirs de notre enfance... Et dans quelques mois, on n'aura plus de mère.

— Tu ne veux vraiment rien comprendre ! Pourquoi cela te dérange-t-il tant que notre mère se remarie ? Tu n'as plus dix ans. Et cela me surprendrait beaucoup que tu retournes un jour vivre chez elle. Elle a fait tout ce qu'une mère doit faire, et plus encore. Elle nous a donné sa vie. Tu n'as pas le droit de l'empêcher d'être heureuse pendant les quelques années qui lui restent à vivre. As-tu seulement pensé au courage que ça lui a pris pour quitter le Saguenay ? Moi, je l'admire.

— Elle n'avait qu'à y rester. Les choses étaient très bien avant.

Michel se gratte le front. Il avait oublié que son frère est un être d'habitude. Dès que quelque chose n'est pas à sa place, il est le premier à ranger. André est borné quand il doit faire les choses différemment. C'est alors que Michel réalise tout ce qu'André a dû traverser pour se construire une nouvelle vie loin des siens, loin de tous les repères dont il avait tant besoin.

— Écoute, reprend Michel d'un ton radouci, je comprends que tu ne veuilles pas que les choses changent. Je réagirais probablement comme toi si j'étais parti aussi longtemps. Moi aussi, je voudrais que tout soit comme avant, comme le jour où je suis parti.

Mais ce n'est pas possible. On a vieilli. On a tous quitté la maison et on a fait notre vie en essayant de tirer le meilleur parti de ce qu'on avait appris chez les parents. Et toi aussi. Même avec la meilleure volonté du monde, jamais on ne pourra recréer notre enfance. On peut conserver dans notre mémoire nos souvenirs d'enfance et regarder des photos remontant à cette époque. Mais tu n'as pas le droit d'empêcher la mère de se remarier. Après tout ce qu'elle a fait pour nous, elle mérite d'être heureuse. Tu ne le connais pas encore, mais René est un sacré bon gars.

L'air renfrogné, André réfléchit. Une partie de lui sait que Michel a raison, alors que l'autre refuse de lâcher prise. Certes, sa mère a droit au bonheur, mais pourquoi faut-il qu'elle balaie du revers de la main tout son passé pour y arriver ? Pourquoi doit-elle effacer tous les souvenirs qu'il a entretenus de peine et de misère pendant les années qu'il a vécues loin de sa famille ? En déménageant, sa mère l'a coupé à jamais de ses racines. Il a mis des mois à se faire à l'idée qu'il ne dormirait plus jamais dans la maison de son enfance, qu'il n'irait plus chercher une carotte dans le jardin de sa mère, qu'il ne pourrait plus coucher sur le vieux matelas fatigué qui grinçait au moindre petit mouvement.

— Tous les autres sont contents pour notre mère, ajoute Michel dans un ultime effort pour faire revenir son frère à de meilleures intentions. Tu ne dois pas gâcher son bonheur. Et puis, je te rappelle que tu vis à des heures d'avion d'ici.

Mais André ne lève même pas la tête. De nombreux souvenirs lui reviennent à la mémoire, heureux et malheureux. Sa mère fait partie de la grande majorité de ses souvenirs heureux, mais il ne peut en dire autant de son père. André ne lui en a jamais voulu de l'avoir obligé à quitter la maison alors qu'il sortait à peine de l'adolescence. Il avait bien trop à faire pour rester en vie pour se laisser miner par la rancune. Pourtant, Dieu sait qu'il aurait eu toutes les raisons du monde d'en vouloir à son père. Michel a raison : leur mère leur a donné sa vie. Elle a toujours fait passer sa famille en premier. Même quand leur père levait un peu trop le coude, elle prenait soin de celui-ci sans lui adresser le moindre petit reproche.

Mais le changement radical de vie de sa mère lui reste en travers de la gorge. Pourquoi est-ce si important pour elle de tout changer ? Il se sent aussi démuni que lorsqu'il était enfant et qu'il ne s'expliquait pas pourquoi ses parents refusaient qu'il fasse quelque chose sous prétexte qu'il était trop jeune. Pourtant, la vie s'est chargée de lui apprendre qu'on n'est pas obligé de tout comprendre, que même avec la meilleure volonté du monde il y aura toujours des éléments qui nous échapperont. Mais là, c'est différent ; il s'agit de sa mère et, pour lui, une mère n'a pas le droit d'adopter un tel comportement. En même temps, une petite voix lui souffle qu'il n'a aucun droit d'intervenir dans sa vie. Sa mère est suffisamment âgée pour savoir ce qu'elle a à faire.

Quand André lève enfin les yeux, Michel le regarde avec intensité. Il prend une gorgée de bière et attend que son frère se décide à parler.

Ce dernier prend une grande respiration avant de déclarer :

— Je ne suis toujours pas d'accord avec ses décisions antérieures et ce qu'elle s'apprête à faire, mais…

Outré par les propos d'André, Michel l'interrompt.

— Mais personne ne te demande d'être d'accord ou pas ! Tu dois te demander si tu l'aimes assez pour la laisser être heureuse en dehors de nous, ses enfants. Ce n'est pas si compliqué que ça !

Les propos de Michel sont durs, mais ils sont justes. André soupire. Pour qui se prend-il pour vouloir gérer la vie de celle qui lui a donné la vie ? Qui est-il pour prétendre savoir ce qui est bon pour Marie-Paule alors qu'il vit à l'autre bout du pays ? C'est de l'égoïsme à l'état pur.

— Tu as raison. Notre mère a le droit de gérer sa vie comme elle l'entend.

— J'aime mieux ça, affirme simplement Michel.

La seconde d'après, il sort une pièce de monnaie de sa poche et la tend à son frère.

— Va vite l'appeler. Je suis certain qu'elle est en train de se morfondre par ta faute. Veux-tu que je te donne son numéro de téléphone ?

— Ce n'est pas la peine, répond André en se levant de sa chaise. Je le sais par cœur.

Ce n'est qu'à ce moment que Michel commence à mieux respirer. André a été tellement odieux avec leur mère tout à l'heure qu'elle s'est mise à pleurer. Michel a dû se retenir à deux mains pour ne pas sauter sur son frère. Avec tout ce qu'elle a traversé dans sa vie, il n'est pas question de laisser la pauvre femme dans cet état trop longtemps.

Quand André revient à la table, ses yeux sont remplis de larmes.

— Tu ne devineras jamais ce qu'elle m'a dit, lance-t-il.

André avale sa salive avant de poursuivre.

— Elle ne se serait pas mariée si seulement l'un de ses enfants ne lui avait pas donné sa bénédiction. Je me suis comporté comme le dernier des imbéciles. Elle pleurait comme une Madeleine, la pauvre.

André se mordille la lèvre inférieure pour ne pas se mettre à pleurer.

Michel pose sa main sur le bras de son frère.

— Tu as fait ce qu'il fallait. Bon, si on ne veut pas que nos femmes nous arrachent la tête quand on va arriver, il vaudrait mieux qu'on rentre.

— Prenons-en une petite dernière avant de partir. C'est ma tournée.

— Comme tu veux. Mais j'espère que ça ne te dérange pas de te faire conduire par une femme, par exemple... J'ai tellement vu le père conduire en état d'ébriété que j'ai toujours fait attention de ne pas l'imiter.

— En autant que ce ne soit pas la mienne qui conduise. C'est un vrai danger public au volant !

Les deux hommes éclatent de rire avant d'entrechoquer leurs bouteilles de bière.

* * *

Même si les hommes étaient déjà passablement ivres au moment de quitter la maison, tous ont passé une excellente soirée. Les deux frères ne s'étaient pas contentés d'une seule bière à la taverne une fois que Michel avait suggéré de rentrer. Une deuxième et une troisième avaient suivi. C'est tellement rare que Michel s'enivre que Sylvie ne lui a fait aucun commentaire désobligeant. Mais sa belle-sœur a été beaucoup moins tolérante. Pendant tout le trajet jusqu'à Montréal, Audrey n'a pas arrêté de faire des reproches à André – en anglais, évidemment. Au volant de sa Mustang, Sylvie a fait plusieurs tentatives pour alléger l'atmosphère. Et puis, elle a dit que tout le monde avait le droit de trop boire au moins une fois dans sa vie, ce qu'André s'est fait un plaisir de traduire à sa femme. L'anglais de Sylvie a beau s'être nettement amélioré, il y a des expressions qu'elle ne saisit pas. Elle a même rappelé en riant le jour où elle s'était complètement saoulée – en leur compagnie, d'ailleurs. Ils étaient allés voir le spectacle du groupe de Normand, l'un des anciens *chums* de Sonia.

— Tu n'as pas l'intention de récidiver ce soir, j'espère ? s'est inquiété Michel. Parce que si c'est le cas, je ne prendrai plus une goutte d'alcool.

— Mais non, cela ne m'arrivera pas ce soir. D'ailleurs, j'ignore si je vais recommencer un jour.

— J'aime mieux ça, a déclaré Michel. Une femme chaude, ce n'est pas très beau.

— Si tu ne veux pas être à l'eau toute la soirée, tu devrais faire attention à ce que tu dis, a lancé Sylvie. Pour ma part, un homme chaud ou une femme en boisson, c'est du pareil au même. Une fois c'est drôle, mais plus que ça c'est pathétique.

Michel mourait d'envie de poursuivre la discussion, mais l'air de Sylvie lui donnait à penser qu'il valait mieux pour lui se faire oublier un peu. Ce n'est qu'au moment de sortir de l'auto pour aller souper qu'Audrey s'est enfin calmée. Leur petite sortie à quatre a alors pris un air de légèreté.

Ce soir-là, tous sont allés au lit le cerveau embrumé et les jambes molles – sauf Sylvie, qui n'a pas bu beaucoup d'alcool. Cette dernière a même dû aider Audrey et André à descendre l'escalier du sous-sol pour qu'ils puissent se rendre à leur chambre.

Avant de s'endormir, Sylvie repense à la journée. Elle ignore pourquoi Michel et André ont bifurqué à la taverne avant de revenir de chez leur mère. Tout ce qu'elle sait, c'est ce que Michel lui a dit quand il l'a appelée de la taverne.

— On ne rentrera pas tout de suite. Il faut absolument que je parle à mon frère.

Cela concerne sûrement Marie-Paule. Mais Sylvie devra prendre son mal en patience jusqu'à demain matin. Tout ce qu'elle souhaite, c'est qu'André ne mette pas de bâtons dans les roues à sa mère parce que celle-ci veut refaire sa vie. « Si c'est le cas, il va avoir affaire à moi. » Sur cette pensée, Sylvie sombre dans un sommeil profond. Elle en est tirée par la voix des jumeaux en train de se disputer allègrement.

Sylvie se lève en vitesse. Elle attrape sa robe de chambre et file à la cuisine. Il vaut mieux qu'elle fasse vite si elle ne veut pas que François et Dominic réveillent toute la maisonnée. Quand elle voit ses deux derniers les poings en l'air, elle n'en croit pas ses yeux.

— Hé, vous deux ! jette-t-elle d'une voix sourde mais autoritaire. Ce n'est pas parce que vous êtes debout que tout le monde est obligé de se lever. Arrêtez tout de suite de crier.

— Ce n'est pas ma faute, lance François d'une voix forte.

— Chut ! ordonna Sylvie en posant son index sur sa bouche. Je ne veux pas savoir qui est le responsable de la dispute, mais pourquoi vous vous obstinez de la sorte.

Les deux protagonistes se toisent du regard, comme s'ils voulaient ainsi déterminer qui des deux doit prendre la parole. Alors que Dominic s'apprête à parler, François lui tire le tapis de sous les pieds :

— C'est simple. Il ne reste qu'une seule tranche de pain et on la veut tous les deux.

— On l'a fait tirer à pile ou face, et j'ai gagné, explique Dominic. Mais monsieur n'arrête pas de dire que j'ai triché. Ce n'est même pas vrai.

Elle se doutait bien que les jumeaux se disputaient pour une peccadille. C'est toujours pareil avec eux. Quand ils n'obtiennent pas ce qu'ils veulent, ils crient au loup. Depuis toujours, Sylvie essaie de leur apprendre que ça ne sert à rien de monter aux barricades à la moindre petite contrariété.

— Avez-vous au moins regardé dans l'armoire s'il y avait un autre pain ? leur demande-t-elle.

— Non, répond promptement Dominic en haussant les épaules. Le pain est toujours dans la huche à pain.

— D'habitude, oui. Mais vous auriez pu vérifier dans l'armoire avant de vous crêper le chignon. La huche a beau être grande, je n'ai pas réussi à y entrer le dernier pain. Qu'est-ce que vous attendez pour regarder ?

Devant leur manque d'empressement, Sylvie décide de vérifier elle-même. Quelques secondes plus tard, elle dépose un grand pain sandwich blanc au beau milieu de la table.

— Combien de tranches veux-tu ? demande Dominic à son frère.

— Je vais commencer par deux, répond François comme si de rien n'était. Veux-tu du beurre d'arachide ou de la confiture aux fraises ?

— Beurre d'arachide et miel pour moi.

— Je m'en occupe pendant que tu te charges du grille-pain.

Si elle n'avait pas elle-même assisté à la scène, Sylvie croirait qu'elle a tout imaginé. En une fraction de seconde, ses chers petits se sont transformés. De pires ennemis, ils sont redevenus les meilleurs amis du monde. Décidément, il y a encore des choses qui lui échappent avec eux. Aussitôt leur dernière bouchée avalée, les jumeaux sortent dehors. Après avoir enfourché leur bicyclette, ils s'éloignent rapidement de la maison.

Partagée entre l'envie d'aller se recoucher et celle de prendre de l'avance pour le dîner avant que tout le monde se lève, Sylvie décide finalement de se faire un café. Elle réfléchira mieux après.

Elle n'a pas encore fini de boire sa tasse quand Michel apparaît dans la cuisine. Il lui sourit. Il a les yeux si petits qu'il est drôle à voir.

— Veux-tu un café ? lui demande Sylvie. L'eau est encore chaude.

— Est-ce que tu pourrais-tu me le faire, s'il te plaît ? On dirait que je n'ai pas encore les yeux vis-à-vis des trous.

Sans attendre la réponse de sa femme, il ajoute :

— Peux-tu mettre deux cuillères de café au lieu d'une ? Je veux que mon café soit très fort.

— Assois-toi. Je m'en occupe, mais à une condition. Je veux que tu me racontes ce qui s'est passé chez ta mère hier.

Michel se frotte les yeux pour se réveiller. Il a le cerveau dans la gélatine, ce qu'il déteste. Il n'a jamais compris pourquoi boire un peu est tellement bon, alors que les lendemains de veille sont si pénibles.

— Avant, laisse-moi une minute ou deux pour mettre mes idées en ordre. On dirait qu'un camion m'est passé sur le corps hier soir. Je me sens tout sauf bien. J'ai mal à la tête et j'ai soif comme si j'avais dormi dans le désert.

— Avec tout ce que tu as bu hier, c'est tout à fait normal. Au moins, tu n'as pas été malade.

— Il ne manquerait plus que ça. Bon, si je veux te raconter l'histoire avant que tout le monde se lève, aussi bien commencer tout de suite.

Jamais Sylvie n'aurait pensé qu'André pouvait être aussi mesquin, pas après tout ce que Marie-Paule a enduré pendant les nombreuses années où elle a été sans nouvelles de lui. Sylvie regarde Michel, la bouche ouverte ; elle est incapable de prononcer un mot.

— Ne le juge pas trop sévèrement, poursuit Michel. Le départ d'André, ça a été dur pour tout le monde, même pour mon père. On pose des gestes qu'on regrette parfois toute sa vie. Crois-moi, André n'est pas mauvais. Il ne comprenait pas, c'est tout.

Michel voit bien que ses paroles n'ont pas convaincu sa femme. Sylvie aime Marie-Paule comme sa propre mère. Même quand celle-ci habitait à Jonquière, elle ne laissait personne dire du mal de sa belle-mère. Maintenant que Marie-Paule vit à quelques rues de chez elle, Sylvie est pire qu'une lionne. Gare à celui ou à celle qui osera médire sur son compte.

— Rassure-toi, ajoute Michel, André l'a appelée de la taverne pour s'excuser. Je ne sais pas exactement ce qu'il lui a dit, mais il m'a avoué que la mère pleurait à chaudes larmes quand elle a raccroché. Cela a ébranlé mon frère. Il avait les yeux pleins d'eau. Tu ne dois pas en vouloir à André ; il fait son gros possible.

Sylvie regarde son mari dans les yeux. Une fois de plus, elle songe qu'elle a beaucoup de chance d'être tombée sur lui. Derrière son air bourru se cache l'homme le meilleur qu'elle connaisse.

— D'accord, finit-elle par acquiescer. Pendant que tu bois ton café, je vais prendre un peu d'avance pour le dîner. Et j'appellerai ta mère vers neuf heures.

— Ça te dirait de venir te recoucher un peu ? lui demande Michel d'une voix espiègle.

Pour toute réponse, Sylvie lui tend la main.

Chapitre 13

Depuis que Luc a sa télévision dans sa chambre, il ne sort plus de cette pièce. Comme il y a beaucoup de va-et-vient dans la maison, étant donné la présence de son oncle André et de sa tante Audrey, personne ne s'en rend vraiment compte – du moins, c'est ce qu'il croit. En fait, depuis qu'il est revenu de la pêche, il n'a pas mis le nez dehors sauf pour aller distribuer les journaux le matin. Lorsque c'est son jour de corvée pour Prince 2, il en profite pour faire sa ronde avec le chien. Mais il se garde bien de l'emmener avec lui quand ce n'est pas son tour, même si la pauvre bête essaie par tous les moyens de l'amadouer. Autant Luc a aimé avoir un chien, autant la présence de celui-ci l'encombre maintenant au plus haut point. Le garçon sait bien qu'il ne peut pas se débarrasser de Prince 2 par pur caprice. Mais il n'y peut rien, c'est plus fort que lui : il n'a plus envie qu'on le voie avec un chien en laisse, surtout pas les filles. Justement, hier, les jumeaux lui ont dit que Prince 2 l'aiderait à se faire une blonde. « Les filles adorent ça, un gars qui promène son chien. » Mais Luc ne les a pas crus.

Aussitôt que Luc revient à la maison, il s'installe confortablement sur son lit et se la coule douce en écoutant une émission après l'autre. Il ne sort de sa chambre qu'à l'heure des repas et pour aller à la salle de bain. Et le soir, alors que ses parents pensent qu'il dort, Luc règle le son de la télévision au minimum. Il ferme l'appareil seulement lorsque l'Indien apparaît – ce qui marque la fin des émissions. Comme le garçon doit se lever tôt pour livrer les journaux, il lui arrive de plus en plus souvent de tomber endormi en plein cœur de journée. Il rate ainsi des grands bouts d'émission.

Luc ne se fait aucune illusion. Il sait très bien qu'au moment où il s'y attendra le moins, sa mère découvrira le pot-aux-roses ; il ne donnera alors pas cher de sa peau. Il y a même des chances que

Sylvie lui confisque sa télévision. Mais pour le moment, le garçon s'en moque éperdument. Pour une fois qu'il peut faire ce qu'il veut sans avoir personne sur son dos, il a bien l'intention d'en profiter aussi longtemps que sa chance ne tournera pas.

Luc a détesté aller à la pêche. La seule pensée de devoir glisser un bout de ver de terre sur un hameçon lui donne envie de vomir. Son dédain augmente d'un cran quand vient le temps d'arranger le poisson. Il a horreur de se salir les mains et, en plus, il n'aime pas le poisson. Chaque fois que sa mère en sert, il se rabat sur des tartines de beurre d'arachide.

— Peux-tu m'expliquer pourquoi tu détestes autant la pêche alors que tu adores la forêt ? lui a demandé son père.

— C'est loin d'être pareil, a-t-il répondu en haussant les épaules. Se promener en forêt n'a rien à voir avec pêcher.

— Dans les deux cas, il y a des vers de terre et des bêtes, a argumenté Michel.

— Oui, mais dans la forêt, je ne vois pas les vers de terre et, surtout, je ne suis pas obligé de les embrocher. Quant aux bêtes, tout ce que j'ai vu jusqu'à présent, c'est un renard, un lièvre et une perdrix. Et je me suis contenté de les regarder.

Michel a essayé de comprendre le point de vue de son fils, mais il a fini par renoncer. La vie lui a appris qu'il y a des choses qu'on ne peut saisir. Comment un garçon qui est dans les 4-H et qui, de surcroît, aime cette activité, peut-il détester la pêche ? Mystère et boule de gomme !

Depuis le début des vacances, Luc a changé au moins trois fois d'avis quant à son choix de carrière. Il a voulu devenir avocat, puis gardien de prison. Pas plus tard que la veille, il a décidé de travailler dans les avions. Même s'il changeait d'idée aux quinze minutes, ça ne ferait de mal à personne. De toute manière, il garde ses réflexions pour lui. Et puis, ce n'est pas demain la veille qu'il devra arrêter son choix. C'est la raison pour laquelle qu'il écoute tant d'émissions éducatives. Il regarde aussi quelques reprises d'émissions plus légères de la saison régulière, mais il s'intéresse le plus souvent à des sujets sérieux.

Alors que, comme d'habitude, Luc est étendu de tout son long sur son lit, il entend cogner deux petits coups sur la porte de sa chambre. Il se demande qui veut le voir. Ce n'est personne de la maison, car tous les membres de la famille Pelletier frappent avec vigueur aux portes. Quant à sa mère, deux fois sur trois, elle entre sans s'annoncer. « À moins que ce soit tante Audrey. »

Normalement, il se serait contenté de crier à son visiteur d'entrer, mais cette fois, il prend la peine de se lever pour aller ouvrir. « C'est plus poli, au cas où ce serait tante Audrey. »

Luc n'en croit pas ses yeux : Josiane, la plus belle fille de l'école, se tient devant lui. Le garçon est certain d'avoir rougi jusqu'aux oreilles en l'apercevant. La jeune fille lui sourit, mais il reste de marbre tellement il est surpris de la voir là.

— Je passais dans ta rue, alors je me suis dit que tu accepterais peut-être de venir au parc avec moi.

Sans laisser le temps à Luc de reprendre ses esprits, elle ajoute :

— On pourrait emmener ton chien, si tu veux. J'adore les chiens, mais mes parents refusent de m'en acheter un. C'est ta mère qui m'a dit que tu étais dans ta chambre. Elle est très gentille.

Luc est vraiment sous le charme. Il reste là, sans parler et sans bouger.

— Mais si je te dérange, poursuit Josiane, ce n'est pas grave. Ça m'apprendra à débarquer sans avertir. Excuse-moi.

Avant que Luc ait le temps de réagir, la jeune fille tourne les talons.

— Attends-moi, j'arrive ! crie Luc en sortant de sa chambre sans même éteindre la télévision. Je vais prendre quelques gâteries pour Prince 2 et je suis prêt.

Quand Sylvie voit passer son fils, elle sourit. « Enfin, quelqu'un a réussi à faire sortir Luc de sa chambre. Je mettrais ma main au feu qu'elle l'intéresse, cette petite. Le pauvre enfant, il était rouge comme une pivoine. Et il a même emmené son chien. »

Il y a si longtemps que Luc n'a pas subi une crise d'asthme qu'il arrive à Sylvie de penser que cela ne se produira plus jamais. Il s'est passé tellement de choses ces derniers mois qu'elle serait incapable de dire quand les intolérances de Luc ont diminué à tel point que, même lorsqu'il est stressé, il parvient à éviter une crise.

Mais Sylvie ne laissera pas Luc se terrer éternellement dans sa chambre. Elle lui accorde encore quelques jours de sursis, puis elle agira pour que la situation change, quitte à remiser la télévision du garçon dans le haut de sa garde-robe pour un petit bout de temps. « Il pourrait aller à la bibliothèque. Ça lui ferait changement. »

Dans deux jours, André et Audrey s'envoleront pour Edmonton. C'est toujours un plaisir de les recevoir. D'ailleurs, s'ils habitaient plus près, les deux couples se fréquenteraient régulièrement. Ils ont beaucoup de plaisir ensemble. Étant donné que son anglais s'est grandement amélioré, Sylvie a pu échanger beaucoup plus avec Audrey. Il faut les entendre essayer par tous les moyens de se comprendre : une phrase en anglais, une en français, un mot d'anglais glissé au beau milieu d'une phrase en français et vice versa. Depuis que Sylvie et Audrey ont pris le parti de s'amuser de leurs limites, tout va pour le mieux. Parfois, quand André les entend discuter, il s'esclaffe, mais au lieu de s'en offusquer, les deux femmes rient avec lui. « Si on ne vaut pas une risée, on ne vaut pas grand-chose », répète Sylvie.

Demain, ce sera la dernière journée complète à Longueuil d'André et d'Audrey. Pour l'occasion, tout le monde viendra souper chez Sylvie et Michel : Marie-Paule, Alain et sa petite famille, Paul-Eugène et Shirley, Chantal et Xavier, tante Irma et Lionel. Il paraît même qu'il y a de bonnes chances que Charlotte, une des sœurs de Michel, et son mari se joignent à eux. Ces derniers ont décidé de devancer leurs vacances d'une journée. Aux dernières nouvelles, ils sont censés aller voir les chutes du Niagara.

Pour le souper, Marie-Paule tient mordicus à faire la tourtière, ce qui n'offusque pas du tout Sylvie. Celle-ci a beau procéder exactement de la même manière que sa belle-mère, ses tourtières ne sont jamais aussi bonnes. Évidemment, Michel ne perd pas une occasion de le lui dire. Chaque fois, Sylvie se retient de lui arracher la tête. Depuis le temps qu'elle est mariée, elle a toujours détesté se faire comparer à sa belle-mère. Pas besoin d'être un génie pour savoir qu'elle n'arrive pas à la cheville de Marie-Paule en cuisine. Et cela ne risque pas d'arriver un jour non plus !

Pour ce soir, Sylvie préparera une grosse salade de chou et un dessert. Elle servira également un grand plat de crudités. André lui a dit que si elle voulait le rendre heureux, elle n'avait qu'à faire un pouding chômeur. Sylvie a répondu : « Tu as de la chance, c'est une des rares recettes que je réussis. » Après le souper, Michel fera un feu et les plus jeunes feront griller des guimauves. Comme d'habitude, les plus grands se feront un malin plaisir à les leur voler juste au moment où ils s'apprêteront à les porter à leur bouche. Chez les Pelletier, c'est une coutume répandue ; elle a été instaurée par Michel. Jamais il n'a grillé une guimauve lui-même : il aime mieux les voler aux autres une fois que tout le travail a été fait.

Sylvie est contente : depuis qu'elle est allée voir Nicole, l'amie naturopathe de la fille aînée de Suzanne, elle a moins de bouffées de chaleur. Nicole lui a suggéré de prendre des comprimés de sauge. « Je ne peux pas vous garantir à 100 % que ça va marcher pour vous, mais si je me fie à plusieurs de mes clientes, vous devriez avoir beaucoup moins de bouffées de chaleur d'ici quelques jours seulement. » Et ça fonctionne ! Est-ce parce que Sylvie y croit dur comme fer ? Ou parce que les plantes la soulagent réellement ? Sylvie n'en sait rien, et elle n'a pas l'intention de chercher plus loin. Tout ce qu'elle veut, c'est se débarrasser de ses maudites bouffées de chaleur. Nicole lui a aussi suggéré de prendre une tisane à base de plantes pour mieux dormir. Depuis une semaine, Sylvie dort comme un bébé. Évidemment, son moral est à la hausse. Elle a toujours eu besoin d'au moins huit heures de sommeil, sinon son humeur s'en ressent grandement. Depuis qu'elle ne collectionne plus les nuits d'insomnie, Sylvie reprend du poil de la bête.

Hier, Michel lui a offert un cadeau. Sylvie n'en croyait pas ses yeux. Son mari lui a acheté une bouteille d'eau de toilette : Eau folle, de Guy Laroche. Chaque fois qu'elle voyait ce produit au magasin, elle en vaporisait un peu sur son poignet, fermait les yeux quelques secondes et se laissait imprégner par l'odeur exquise. Elle repartait, le nez collé sur son poignet afin de tout respirer jusqu'au dernier effluve. Elle se promettait de s'en offrir une bouteille en cadeau de Noël, mais le prix la faisait hésiter. Même si Sylvie ne sortira pas de la maison aujourd'hui, après s'être habillée elle s'est parfumée, dans le cou mais aussi sur les deux poignets. Elle veut sentir bon pour les autres, mais aussi profiter de son eau de toilette.

L'expression de Sylvie, quand elle a vu ce que contenait la boîte, a ravi Michel. La vendeuse ne s'était pas trompée. Mais il ne s'est pas contenté d'offrir l'eau de parfum, il a aussi invité sa femme à sortir samedi prochain. Ils iront à Québec. Ils emprunteront le boulevard Champlain pour se rendre dans le Vieux. Chantal lui a dit que c'était magnifique de longer le fleuve. Michel et Sylvie prendront le traversier pour aller à Lévis. Il paraît que la vue du château Frontenac est incomparable de l'autre côté du fleuve. Ensuite, ils mangeront dans un petit restaurant près de la place Royale ; Chantal a suggéré cet endroit à son beau-frère. Elle lui a aussi parlé d'une petite auberge sur la rue Saint-Jean au cas où Sylvie et lui voudraient prolonger leur petite escapade, ce qui risque fort d'arriver. Mais ce bout-là de l'histoire, Sylvie ne le connaît pas, car c'est une surprise. Selon Chantal, il n'est pas nécessaire de réserver à l'avance à l'auberge. « Les vacances sont finies. Vous ne devriez pas avoir de problème. » Michel a insisté pour qu'elle lui donne le nom d'une deuxième auberge au cas où la première n'aurait plus de chambres disponibles

Sylvie se réjouit d'avance à l'idée d'aller à Québec. La seule fois où elle s'est rendue là-bas, c'est lors de la remise des prix du concours de photo que Junior avait gagné. Mais en réalité, hormis la salle où l'événement avait lieu, le petit casse-croûte à proximité et les rues empruntées, elle n'a rien vu. Elle a bien l'intention de se mettre sur son trente-et-un. Sylvie en profitera pour étrenner la petite robe bleu électrique achetée lors de sa séance d'emplettes avec Shirley, pendant que Michel et les garçons étaient à la pêche. Elle attendait une occasion spéciale pour montrer le vêtement à Michel. Cette robe lui va vraiment bien ; on dirait même qu'elle la fait paraître plus mince. Demain, Sylvie ira s'acheter une paire de souliers et un sac à main pour compléter sa tenue. Elle pourrait porter ses souliers noirs, mais des chaussures jaunes ou rouges rehausseraient le tout. Sylvie demandera à Sonia de l'accompagner. « Ma fille a tellement de goût. »

Perdue dans ses pensées, Sylvie sursaute lorsque Sonia pose une main sur son épaule.

— Tu m'as fait peur ! s'exclame-t-elle.

— Comme tu me le disais quand j'étais petite, c'est peut-être parce que tu n'as pas la conscience tranquille ! répond Sonia sur un ton espiègle. Est-ce que je peux t'aider ? J'ai tout mon temps jusqu'à l'heure du dîner. Je travaille seulement à une heure et demie à la galerie.

Sylvie adore quand ses enfants proposent de lui donner un coup de pouce. Elle sourit à sa fille.

— Bien sûr que tu peux m'aider ! Si tu veux, tu pourrais faire le pouding chômeur.

— Mais je croyais que c'était demain le souper, dit Sonia sur un ton plaintif. Je travaille ce soir.

— Tu ne trompes pas, non plus. Tout comme la tourtière, le pouding chômeur, c'est meilleur réchauffé.

— Si tu penses que tu vas être capable de le protéger des vautours…

— Je cacherai le pouding dans le réfrigérateur du garage aussitôt qu'il aura refroidi. Et demain, on le mettra au four pendant qu'on mangera la tourtière.

— Dès que les jumeaux vont sentir l'odeur du pouding, ils vont commencer à t'achaler : « Tu pourrais au moins nous en donner un petit morceau. Je t'en prie, maman ! »

Sonia imite ses frères à merveille, ce qui fait rire Sylvie. François et Dominic tenteront assurément leur chance. Les jumeaux adorent le pouding chômeur ; c'est un de leurs desserts préférés. Ce sont de véritables « bibittes à sucre » – comme leur père, d'ailleurs.

— Ne t'inquiète pas, je me charge d'eux.

— Est-ce que je fais le pouding à la cassonade ou au sirop d'érable ?

Sylvie réfléchit quelques secondes avant de répondre. Il doit rester au moins deux boîtes de sirop d'érable dans le garde-manger. Elle aime ce dessert à la cassonade, mais il est nettement meilleur au sirop d'érable.

— Au diable la dépense ! s'écrie-t-elle. Fais-le au sirop d'érable. J'en achèterai un autre gallon quand j'irai voir mon père.

Sonia se lèche déjà les babines. Comme toute sa famille, elle adore le pouding chômeur, surtout quand il est fait avec du sirop d'érable.

— Maman, j'ai quelque chose à te demander. Je voudrais me faire un *jumpsuit*, mais j'ai peur d'avoir de la misère avec la fermeture éclair et l'ajustement. Je veux qu'il tombe bien de partout. Est-ce que tu vas pouvoir m'aider ?

— À une condition, répond promptement Sylvie. Je voudrais que tu viennes magasiner avec moi avant samedi matin. Je veux m'acheter des souliers pour porter avec ma robe neuve. Tu te souviens, elle est bleu électrique ?

— Avec plaisir ! On pourrait y aller vendredi matin si tu veux, je travaille seulement à trois heures. En même temps, on pourrait acheter du tissu et un patron pour mon *jumpsuit*.

— C'est rare que je dise ça, mais tu n'as pas pensé à l'acheter tout fait ? Il me semble que c'est un peu compliqué à faire un tel vêtement.

— C'est beaucoup trop cher. Tu devrais voir ceux que la mère de Caroline fait. Ils sont tellement beaux !

Devant l'air interrogateur de Sylvie, Sonia ajoute :

— Caroline travaille avec moi à la galerie. Sa mère fait de la haute couture.

— J'ai une idée, déclare Sylvie. Téléphone-lui pour savoir combien elle te demanderait pour faire ton *jumpsuit*. Si le prix est raisonnable, je paierai.

Un large sourire illumine instantanément le visage de Sonia. Elle se défend bien en couture, mais là, il s'agit d'un morceau un peu plus complexe. Ce vêtement se porte tellement ajusté qu'il est comme une deuxième peau. C'est la raison pour laquelle elle a sollicité l'aide de sa mère. Elle ne veut pas courir le risque que le vêtement ne soit pas parfait.

— Merci maman ! Je pourrais l'appeler tout de suite, si ça ne te dérange pas. Plus vite on sera fixées, mieux ce sera.

— Comme tu veux ! accepte d'emblée sa mère.

Sylvie n'a vraiment pas à se plaindre. Elle a une fille en or… enfin, presque. Plus Sonia vieillit, plus son caractère s'améliore. Elle est bourrée de talents et réussit tout ce qu'elle entreprend. Même si la jeune fille veut devenir une artiste, Sylvie est de moins en moins inquiète pour elle. Sonia est tellement déterminée qu'elle réussira.

Il lui arrive parfois de se demander à quoi sa fille biologique ressemblerait, si elle en avait eu une. Serait-elle aussi belle et aussi gentille que Sonia ? Aurait-elle autant de charme ? Au fond, ça n'a aucune importance. Pour Sylvie et pour Michel, Sonia est leur vraie fille et ils n'auraient pu espérer mieux.

Après son appel téléphonique, Sonia annonce à sa mère combien la mère de son amie facturerait pour lui confectionner un *jumpsuit* sur mesure. Puis, elle attend le verdict de Sylvie en faisant bien attention de ne pas montrer son impatience.

— Je comprends que ce soit de la haute couture, dit Sylvie, et qu'elle t'ait fait un prix d'ami, mais c'est un peu cher. J'ai une proposition à te faire. Qu'est-ce que tu dirais si je t'offrais la confection du *jumpsuit* comme cadeau de fête ? Mais je t'avertis, par exemple : tu n'aurais rien d'autre le jour de ta fête, pas même une boule noire.

Sonia est si contente qu'elle saute au cou de sa mère et s'écrie :

— Merci maman ! C'est vraiment très gentil. La mère de Caroline m'a dit de ne pas acheter de patron. Il reste seulement le tissu à trouver.

— J'étais prête à payer une partie de la confection, mais là, comme c'est ton cadeau de fête, je t'offre aussi le tissu.

Sonia embrasse Sylvie sur les joues. Elle a beaucoup de chance d'avoir une mère comme la sienne, et elle le sait.

— Si je veux avoir le temps de faire le pouding chômeur avant d'aller travailler, il vaudrait mieux que je m'y mette, commente Sonia sur un ton jovial.

— As-tu emballé la toile de ton oncle André ? s'informe Sylvie.

— Oui. Le père d'Antoine m'a expliqué comment envelopper le tableau pour qu'il ne s'abîme pas pendant le voyage et, en plus, il m'a fourni tout ce qu'il fallait. J'avais tellement peur qu'oncle André n'aime pas ma toile ! Je tremblais comme une feuille quand je la lui ai montrée.

— Tu t'en faisais pour rien. André adore ce que tu fais.

— Je veux bien croire, mais tomber en amour avec une peinture c'est loin d'être évident. Dans notre tête, on voit clairement ce qu'on veut. Si l'artiste n'a pas bien compris, celui-ci a beau avoir réalisé l'œuvre de sa vie, le client n'aimera pas la toile.

Sylvie aime entendre Sonia parler de peinture. Ça l'émeut chaque fois. Alors qu'il n'y a pas si longtemps, sa fille jouait encore avec ses poupées, voilà maintenant qu'elle parle aisément d'art. D'ailleurs, le père d'Antoine ne tarit pas d'éloges à son égard depuis qu'elle travaille à sa galerie. La dernière fois que Sylvie l'a eu au téléphone, il n'a cessé de louanger Sonia. Pour lui, cette dernière possède tout ce qu'il faut pour travailler dans un tel endroit. « Sonia est belle et est toujours très bien habillée. Elle est drôle. Elle s'intéresse aux gens et prend toujours le temps de les écouter, même si elle sait qu'ils n'achèteront rien. Et elle est d'une intelligence très vive. Votre fille ira loin, madame, vous pouvez me croire. Si elle le souhaite, Sonia pourrait même diriger une galerie comme la mienne un jour. »

— Sans farce, j'ai commencé à respirer quand j'ai vu deux grosses larmes au coin de ses yeux, poursuit Sonia. Là, j'ai su que j'avais misé juste. Oncle André m'a même dit qu'il essaierait de trouver un endroit à Edmonton où je pourrais exposer mes toiles. Penses-y : moi, Sonia Pelletier, je vais peut-être avoir des toiles dans une galerie en Alberta ! Mais dans le temps comme dans le temps ; je me réjouirai quand ça arrivera. En attendant, j'ai beaucoup de pain sur la planche. Je ne t'en ai pas encore parlé, maman, mais hier le père d'Antoine m'a demandé de faire six toiles illustrant des femmes. Il les destine à l'exposition qu'il prépare pour le début de l'année prochaine.

— Wow !

Sylvie ne pourrait être plus fière de sa fille. Grâce à son travail acharné, Sonia est en train de se faire un nom comme peintre – ce qui n'est pas rien, surtout à cette époque.

— Et ce n'est pas tout, ajoute Sonia. Tu te souviens que j'ai montré la photo de la toile d'oncle André à monsieur Laprise ? Eh bien, il veut savoir combien je lui demanderais pour lui en faire une aussi grande. Il veut l'accrocher à l'entrée de son restaurant, juste à côté de la caisse enregistreuse. Je ne sais pas trop combien exiger pour une telle commande. Je lui dois tellement !

— Je t'arrête tout de suite, réplique Sylvie. D'accord, il t'a beaucoup aidée. Mais si ton oncle André était là, il te dirait que tout travail mérite un salaire décent. Il y a bien assez des femmes qui travaillent pour rien. Crois-moi, tu dois demander à monsieur Laprise le même montant que tu réclamerais à quelqu'un d'autre.

Sylvie a toujours trouvé injuste que les femmes qui restent à la maison soient laissées pour compte, comme si leur travail n'avait aucune valeur. Élever des enfants, c'est un travail à plein temps. Les gouvernements fédéral et provincial versent une petite allocation pour la naissance d'un bébé, mais la somme est tellement ridicule qu'elle est plus symbolique qu'autre chose. Selon Sylvie, la femme au foyer – la « reine du foyer » comme on disait du temps de sa mère – mérite un salaire au même titre que toutes les femmes qui n'ont pas d'enfants et qui travaillent à l'extérieur. Quant à celles qui sont obligées d'aller travailler parce que leur mari ne gagne pas suffisamment, Sylvie est convaincue que plusieurs d'entre elles ne demanderaient pas mieux que de rester à la maison pour élever leurs enfants plutôt que de les confier à une garderie, une voisine, leur mère ou leur belle-mère, à longucur dc semaine. Elles passent à côté des plus beaux moments avec leurs enfants, comme le premier sourire et les premiers pas. Sans compter que ça leur permettrait de souffler un peu. Elle n'a qu'à regarder son amie Shirley pour constater toute l'énergie que cela exige de travailler à l'extérieur quand on a des enfants. En réalité, c'est inhumain. Chaque fois que les deux femmes se voient, Sylvie sait combien de prouesses son amie a dû faire pour pouvoir s'accorder un petit moment de répit.

— Tu as bien raison, maman. J'en parlerai avec oncle André quand il reviendra de Jonquière demain matin.

Chapitre 14

Depuis qu'il s'est cassé un bras, Alain n'a travaillé que quelques heures au bureau de l'usine qui l'emploie chaque été. Le pire, c'est que même s'il est à la maison, il ne peut pas s'occuper de sa fille. Selon Lucie, ce serait trop dangereux qu'il laisse tomber Hélène. Plus les jours passent, plus le jeune homme trouve le temps long. Il s'est vite aperçu qu'avec un seul bras, il y a beaucoup de choses qu'on ne peut pas faire aisément, et même pas du tout. Il écoute la télévision et il lit. Il fait des mots croisés aussi. Mais Alain préfère de loin travailler. Ça ne lui ressemble pas du tout de rester inactif. Il retrouve un peu d'entrain seulement quand Lucie revient avec Hélène. Il adore sa fille. Au début, il ne savait pas trop comment agir avec la petite – il ne se sentait pas très à l'aise même quand il se retrouvait seul avec elle. Mais il a vite appris. Parfois, il la change de couche, même s'il déteste profondément cela.

Comme il a toutes ses journées pour penser, Alain a eu le temps de faire plusieurs fois ses comptes. La situation financière de sa petite famille est plutôt critique, ce qui commence sérieusement à l'inquiéter. Même si Lucie et lui avaient travaillé tout l'été comme prévu, en cumulant leurs salaires et leurs prêts et bourses, ils auraient dû se serrer la ceinture. Mais là, puisqu'il a perdu un mois et demi de travail, le plus gros salaire de la famille de surcroît, Alain ne sait vraiment pas comment Lucie et lui feront pour s'en tirer. En fait, les chiffres sont là pour le prouver : ils n'y arriveront pas. De nature fière tous les deux, ils refusent absolument de demander de l'aide à leurs parents.

Hier, Alain est allé à la Caisse populaire de son quartier pour savoir s'il pouvait contracter un emprunt. Jamais il n'oubliera le sourire en coin de l'agent quand celui-ci lui a dit :

— Pour emprunter de l'argent, monsieur, il faut d'abord en gagner. Et le gouvernement vous en prête déjà pas mal.

— Vous ne comprenez pas ! s'est indigné Alain. Ce n'est pas ma faute. Je me suis cassé un bras en faisant de l'équitation. Regardez mon dossier ; à part mes prêts étudiants, je ne dois rien.

L'employé a fait la moue.

— Écoutez, quelqu'un dans votre famille consentira sûrement à vous avancer de l'argent.

— Jamais je ne demanderai quoi que ce soit à ma famille !

En se mariant, Lucie et Alain se sont juré de se débrouiller seuls – et c'est ce qu'ils ont toujours fait. Seulement, ils ne savaient pas que l'un d'entre eux se blesserait. Ils n'avaient pas prévu non plus qu'un enfant arriverait aussi vite. Dans leur plan de vie, Lucie ne tombait enceinte qu'une fois son cégep terminé. Si Michel était là, il dirait à Alain que sa femme et lui auraient dû mettre un peu d'argent de côté, que ça aurait été plus sage que d'aller passer un mois en France, par exemple, ou de s'acheter une Mustang. Selon Michel, un tacot aurait très bien fait l'affaire. Mais Alain n'a pas envie d'entendre tout ça. Lucie et lui ont dépensé leur argent à leur convenance, un point c'est tout. « C'est bien beau d'économiser, mais il faut vivre aussi. Je n'avais pas l'intention de me retrouver à l'âge de mes parents et de n'avoir jamais voyagé. Une chance qu'oncle André habite à Edmonton parce que, sans lui, ils ne seraient encore jamais sortis du Québec. Moi, je veux profiter de la vie et de tout ce qu'elle peut m'offrir. »

— Je suis désolé, je ne peux rien faire de plus pour vous, a annoncé l'employé de la Caisse populaire.

— Mais vous n'avez absolument rien fait ! s'est écrié Alain. Tout ce que je vous demande, c'est de me prêter un peu d'argent en attendant que je reçoive le premier versement de mes prêts et bourses. Je ne vous demande pas la lune. Je vous rembourserai jusqu'à la dernière cenne. Je vous en prie…

L'agent a soupiré un bon coup. Comme il n'avait rien à ajouter, il s'est dirigé vers la porte. Il a tendu mollement la main à Alain, puis il a conclu d'un air suffisant :

— Vous allez m'excuser, mais j'ai un autre client à voir.

Alain lui a jeté un regard noir et il est sorti du bureau en silence. Il était furieux. « Dire que monsieur Desjardins a fondé les caisses populaires pour permettre aux gens à petit revenu d'avoir accès au crédit et d'apprendre à gérer leur argent. Il doit se retourner dans sa tombe de voir ce que son entreprise est devenue. Pauvre imbécile d'agent ! Il peut se considérer chanceux que je ne lui aie pas mis mon poing dans la face. »

Ce matin, Alain est allé à la Banque Nationale. Mais seuls l'endroit et les joueurs en place avaient changé. Il a constaté que les institutions financières ne sont pas là pour aider les gens comme lui mais pour faire de l'argent sur leur dos. Quand Lucie vient dîner, Alain a le moral à plat.

— Arrête de t'en faire, dit-elle en passant ses bras autour du cou de son mari. On va y arriver comme d'habitude. Ce n'est quand même pas la première fois qu'on a des problèmes d'argent… et ça risque de ne pas être la dernière, non plus. J'ai réfléchi. Si tu es d'accord, je pourrais travailler davantage jusqu'à ce que les cours reprennent. Je suis certaine que mon patron serait très content. J'en ai glissé un mot à ma mère et elle est d'accord pour s'occuper d'Hélène, sauf le jeudi soir. Comme tu le sais, papa et elle vont souper au restaurant avec un couple d'amis ce soir-là.

Alain regarde sa femme avec amour. Elle trouve toujours une solution, et ce, peu importe le problème. De plus, Lucie n'est pas exigeante. Jamais elle ne dépense pour rien, à tel point qu'Alain trouve parfois qu'elle fait des miracles avec pas grand-chose.

— Cet après-midi, je passerai voir maman. Je lui demanderai si elle peut prendre la relève le jeudi soir.

— Parfait ! Je pourrais aussi donner des cours de français en privé aux jeunes qui ont des difficultés. Je n'irais pas chercher une fortune avec ce service, mais ce serait au moins ça de plus. Supposons que je réussisse à avoir ne serait-ce que deux élèves chaque semaine, cela paierait une partie de l'épicerie.

— Est-ce que tu sais à quel point je t'aime ? demande Alain avant de poser ses lèvres sur celles de Lucie.

— J'ai ma petite idée là-dessus, répond la jeune femme quelques instants plus tard. Bon, il faut que je mange, car j'ai promis de retourner un peu plus tôt au travail. On ne sait plus où donner de la tête tellement on a de l'ouvrage.

Comme prévu, Alain rend visite à sa mère sitôt qu'il a fini de laver la vaisselle. Évidemment, il n'a pas appelé avant d'arriver. Étant donné que c'est le jour du lavage, il s'est dit que Sylvie serait sûrement à la maison. Il ne s'est pas trompé. Elle s'affaire à plier une montagne de vêtements et de serviettes qu'elle vient d'aller ramasser sur la corde.

Dès que Sylvie aperçoit son fils, elle délaisse sa tâche et vient l'embrasser sur les joues.

— Je suis contente de te voir. On peut aller s'asseoir au salon, qu'en dis-tu ? Avec tout le linge qu'il y a sur la table de cuisine, ce n'est pas très invitant. Boirais-tu quelque chose ?

Alain sourit. Il reconnaît bien là sa mère. En quelques secondes seulement, elle lui a posé deux questions. Évidemment, il n'a pas eu le temps de répondre avant qu'elle aille lui chercher une bouteille de Coke et un verre. Et après lui avoir remis les deux objets, elle a pris la direction du salon.

— Merci pour le Coke, s'empresse de lui dire Alain, mais j'aurais préféré un verre d'eau. Depuis que…

Avant même qu'il finisse sa phrase, Sylvie tend la main.

— Pas de problème, je vais le prendre. Pourquoi tu ne bois plus de Coke ?

— Rassure-toi, j'en bois encore, mais pas en plein cœur de l'après-midi. Depuis que je me suis cassé le bras, tout ce que je fais c'est de la graisse. L'autre jour, je sortais de la douche quand Hélène s'est agrippée à moi avec ses petites mains. Quand j'ai vu qu'elle tenait un véritable bourrelet, j'ai réalisé qu'il fallait que je fasse quelque chose si je ne voulais pas devenir obèse.

— Tu ne trouves pas que tu exagères un peu ?

— Pas tant que ça. C'est pas mal plus facile de prendre du poids que d'en perdre.

Sylvie est bien placée pour le savoir. Elle a beau suivre religieusement le régime que lui a conseillé Éliane, elle a seulement perdu quelques onces, ce qui est loin de l'encourager. En fait, chaque jour elle passe à un cheveu de tout arrêter.

— Tu as bien raison. À part ça, comment vas-tu ?

Alain hausse les épaules avant de répondre.

— Bof ! Je ne sais plus quoi faire de ma peau, mais à part ça, je vais bien. Je rêve du jour où on va m'enlever mon plâtre. Je pourrai enfin retourner travailler.

Sylvie a l'impression que son fils ne lui dit pas tout. Il a l'air bien, mais il semble préoccupé.

— C'est une bonne nouvelle : au moins je n'aurai pas peur que tu te mettes sur le bien-être social ! plaisante Sylvie.

— Pas de risque là-dessus ! certifie Alain en riant. Si tu veux, je peux te donner un coup de main pour plier le linge. Ça ne sera peut-être pas parfait, mais au moins j'aurai l'impression d'être utile un peu.

— Si tu y tiens. Mais j'ai une question pour toi, ajoute-t-elle en se dirigeant vers la cuisine. Comment vous vous en tirez financièrement, Lucie et toi, depuis que tu ne travailles pas ?

D'après l'air d'Alain, Sylvie devine qu'elle a mis le doigt sur le problème. Elle sait à quel point son fils est fier. Depuis le jour où il a gagné son premier 25 cents, jamais il n'a demandé un seul sou.

Alain prend quelques secondes avant de répondre. Il ne veut pas que sa mère le prenne en pitié.

— Pas si mal, déclare-t-il d'un ton neutre. Lucie va faire plus d'heures jusqu'à ce que les cours reprennent. C'est d'ailleurs pour ça que je suis venu te voir. Crois-tu que tu pourrais garder Hélène le jeudi soir ? Ma belle-mère ne peut pas. Et Lucie ne me fait pas confiance ; elle a peur que j'échappe la petite.

Sylvie n'entretient plus le moindre doute : son fils ne roule pas sur l'or. Mais cela est normal, compte tenu des circonstances.

— Je comprends Lucie. Je garderai Hélène avec plaisir. Tu pourrais en profiter pour venir manger.

— Oui, c'est une bonne idée. Comme ça, je pourrai au moins prendre soin de ma fille.

— Mais je t'avertis d'avance : c'est moi qui vais la changer de couche, le taquine Sylvie.

— Même avec mes deux bras, je ne te priverais pas de ce plaisir !

Michel et Sylvie sont plutôt du genre à laisser leurs enfants se débrouiller seuls, mais il y a quand même des limites. S'il ne s'était pas cassé le bras, Alain serait en train de travailler. Et il ne se plaindrait, pas, même s'il déteste son travail. Sylvie veut aider son fils. Il faut maintenant qu'elle le convainque d'accepter sa proposition. « Les banques et les caisses ne voudront certainement pas lui prêter de l'argent. »

Sylvie tient une grande serviette ; au lieu de la plier, elle la tord nerveusement entre ses mains. Elle sait à quel point Alain est fier. C'est pourquoi elle doit user d'une grande délicatesse.

— J'ai quelque chose à te dire. Mais avant, il faut que tu me jures de ne pas en parler à ton père.

Alain hoche la tête pour signifier son accord.

— Je vois bien que Lucie et toi avez des problèmes financiers. Alors, j'ai une proposition à te faire. Je pourrais te prêter un peu d'argent – sans intérêt, bien sûr.

Alain sourit et redresse les épaules, comme si tout d'un coup celles-ci étaient libérées d'un gros poids.

— Merci maman ! s'écrie-t-il. Tu ne peux pas savoir à quel point ça me rendrait service. Mais je tiens à ce que nous établissions un contrat en bonne et due forme.

— C'était bien mon intention ! Mais pour ça, il faudrait que tu me dises de combien tu as besoin.

Chapitre 15

— J'imagine que maman ne devait pas être contente quand elle a appris ça ! déclare Junior en riant.

Ce dernier voit la scène d'ici. Pas besoin d'être devin pour savoir que sa mère était sûrement dans tous ses états.

— Pas du tout ! s'exclame Sonia. Elle avait eu le temps de se calmer avant de m'en parler. Il paraît que je venais juste de partir en voyage quand Shirley lui a avoué mon crime… enfin, le mien et celui d'Isabelle.

— Je te comprends de ne pas vouloir porter le linge des autres. Moi, j'ai eu de la chance. Ni Martin ni Alain n'avaient la même taille que moi, alors j'ai toujours eu droit à du neuf. J'avais moins de vêtements, mais cela ne me dérangeait pas. Je suis plutôt du genre dédaigneux. Les rares fois où j'ai dû emprunter un chandail à un de mes amis, je n'ai pas arrêté de me sentir le dessous des bras pour m'assurer qu'il n'y avait aucune odeur de sueur. Tu peux être sûre que maintenant j'apporte toujours un chandail avec moi, même s'il fait beau soleil.

— En tout cas, je ne pense pas que maman se risque encore à essayer de me faire porter les vêtements de quelqu'un d'autre. Elle a fini par comprendre à quel point je détestais ça. C'est quand même bizarre : même si on leur dit nos goûts et nos préférences, les parents refusent de nous prendre au sérieux.

— Surtout quand ça ne fait pas leur affaire. Mais changement de sujet. J'aurais encore besoin de toi comme modèle. J'ai déniché un nouveau concours de photo. Le thème est : « L'amour, toujours l'amour. »

— Je ne vois pas comment je pourrais t'aider. Peux-tu être plus précis ?

— Voyons, Sonia ! C'est évident ! J'ai besoin de photographier des gens qui transpirent l'amour. Il me semblait que tu filais le parfait amour avec Daniel.

D'après l'air de sa sœur, Junior comprend que les choses ne sont pas aussi parfaites entre les deux amoureux qu'il se l'imaginait. Sonia lève les yeux et soupire fortement. Elle ne sait pas trop quoi dire. En fait, elle ignore où elle en est avec Daniel. Elle l'aime, mais depuis qu'elle est revenue de voyage, quelque chose a changé. Le pire, c'est qu'elle est incapable de mettre le doigt sur le problème. Elle est bien avec lui, mais cela n'est plus suffisant. Et puis, Sonia en a marre de passer ses samedis soir à peindre ou à étudier plutôt qu'à danser comme le font la plupart des filles de son âge. Elle est en train de se faire confectionner un *jumpsuit*, mais quand pourra-t-elle le porter ? Elle ne le mettra quand même pas pour aller au cégep ; le vêtement sera beaucoup trop chic.

Devant le mutisme prolongé de sa sœur, Junior finit par lui dire :

— Si je peux t'aider, cela me fera plaisir.

Sonia sourit. Elle a bien envie de se confier à son frère. Peut-être que de parler avec lui de ce qu'elle ressent l'aidera à y voir plus clair.

— Je ne voudrais pas t'embêter avec mes histoires de fille. La vérité, c'est que je ne sais plus où j'en suis avec Daniel.

Quand Sonia termine ses explications plutôt confuses, Junior s'assoit à côté d'elle sur le divan et il passe son bras autour de ses épaules.

— Ma pauvre Sonia… Et moi qui t'enviais d'avoir une relation stable ! C'est bien vrai ce qu'on dit : l'herbe paraît toujours plus verte chez le voisin. Le meilleur conseil que je puisse te donner, c'est que tu devrais parler de la situation avec Daniel.

— Mais qu'est-ce que tu veux que je lui dise ? Que je m'ennuie avec lui ? Non ! Il ne mérite pas ça ! Il est tellement gentil avec moi.

Sonia redoute plus que tout au monde d'être obligée de mettre fin à sa relation avec Daniel. Toute la famille aime celui-ci et son père lui voue une admiration sans borne. Et sa mère ne comprendrait pas qu'elle laisse un aussi bon parti. Il y a même de fortes chances que Sylvie lui en veuille pendant un bon bout de temps.

— Es-tu en train de me dire que c'est mieux que ce soit toi qui souffres ? Ça n'a pas de sens ! Ce n'est pas comme si vous étiez mariés. Si j'étais à ta place, je me dépêcherais de lui parler.

— Je suis loin de penser que c'est la meilleure chose à faire.

— Ce n'est pas moi qui vais bavasser, car ce ne sont pas mes affaires. Mais je t'en prie, ne tarde pas trop à t'expliquer avec Daniel. Et puis, je te connais assez pour savoir que son chien est mort. J'irais même jusqu'à prétendre que tu as déjà quelqu'un d'autre dans ta mire.

Sonia rougit jusqu'à la racine des cheveux. Junior reprend :

— Et je mettrais ma main au feu que tu en pinces pour un de tes amis de gars. Est-ce que je me trompe ?

— Pas vraiment, répond la jeune fille du bout des lèvres. Je ne sais pas si tu t'en souviens, mais je t'ai parlé d'un gars qui étudie en sciences. Il s'appelle Vincent.

Le simple fait de prononcer ce prénom fait plaisir à Sonia. Elle lutte de toutes ses forces contre l'attirance qu'elle ressent pour Vincent, mais chaque fois qu'elle le voit, celui-ci lui fait perdre la tête.

— Eh bien, poursuit-elle, on est allés boire une bière la semaine passée et… on s'est embrassés.

Aussi longtemps qu'elle vivra, jamais Sonia n'oubliera l'exquise sensation qu'elle a ressentie quand Vincent a posé ses lèvres sur les siennes. Elle n'a qu'à fermer les yeux pour revivre chaque seconde de ce délicieux moment.

— Je te l'avais dit que c'était impossible, l'amitié entre un gars et une fille. Il y en a toujours un qui veut plus.

— Tu ne comprends pas, réplique Sonia. On ressent tous les deux la même attirance.

— Eh bien, tu l'as ta réponse. Il faut que tu casses avec Daniel au plus vite.

Cet échange avec son frère a permis à Sonia de faire le point sur sa vie. Junior a raison. Elle ne peut pas continuer à sortir avec Daniel alors que son cœur est déjà ailleurs.

— Si tu savais à quel point je m'en veux à l'idée de faire de la peine à Daniel.

— Aimes-tu mieux lui jouer dans le dos ?

Alors que Sonia s'apprête à répondre, Isabelle apparaît comme par magie devant le frère et la sœur.

— Salut, Isabelle ! déclare Junior en se levant. Je vais vous laisser entre filles, car j'ai un rendez-vous.

— Tu chasses toujours, à ce que je vois ! plaisante Isabelle.

Celle-ci a toujours beaucoup aimé Junior. Il la fait rire. Depuis qu'il collectionne les trophées féminins, elle ne peut s'empêcher de le taquiner chaque fois qu'elle le voit. Elle l'envie d'être capable de passer d'une fille à l'autre alors que tout ce qu'elle sait faire, elle, c'est s'accrocher à des hommes mariés qui ne lui donnent que des miettes. Alors que la plupart des filles de son âge sortent au grand jour avec leur amoureux, Isabelle se terre dans des ateliers mal chauffés parce qu'à ce jour elle n'a eu pour amants que des artistes… mariés.

— Pas aujourd'hui ! En réalité, je vais travailler. Ces temps-ci, j'ai un horaire de soir. Je t'avertis, Isabelle : Sonia a beaucoup de choses à te raconter.

— Ah oui ? s'enquiert Isabelle. Ça tombe bien, car moi aussi.

— Tu commences ou c'est moi ? demande Sonia alors que Junior vient de disparaître dans l'escalier.

— Maintenant que je suis là, déclare Isabelle, il vaut mieux que je parle avant de perdre le peu de courage que j'ai. Ça fait des jours que je veux venir te voir et ce n'est qu'aujourd'hui que j'y suis arrivée. Tu ne peux même pas t'imaginer ce qui m'arrive.

Sonia n'aime pas du tout ce qu'elle entend. Quand Isabelle parle ainsi, tout est possible, même les choses les plus surprenantes.

— Eh bien, poursuit Isabelle, figure-toi que je suis enceinte.

— Quoi ? hurle Sonia. Mais de qui ? J'ai sûrement mal compris.

— Arrête de crier ! lui ordonne son amie. Si j'avais voulu que tout le monde le sache, j'aurais organisé une conférence de presse. Et tu as très bien compris. Pour répondre à ta question, qui veux-tu que ce soit d'autre qu'Hubert ? Tu le sais très bien, c'est le seul homme que je fréquente depuis des mois.

Sonia est sidérée. Certes, on n'est plus à l'époque où la seule option d'une célibataire était de donner son enfant en adoption. Mais quand même, ce n'est pas bien vu pour une jeune femme de porter un enfant sans être mariée, encore moins quand il s'agit de celui d'un homme marié. Sonia n'ose même pas imaginer les calomnies qui courront sur le compte de son amie. « Pauvre Isabelle ! Elle n'est pas au bout de ses peines. »

— Oublie ce que je viens de dire et parle-moi plutôt de toi, déclare Isabelle. Je n'aurais pas dû t'embêter avec mes problèmes.

— Tu ne t'en tireras pas aussi facilement, riposte Sonia.

— Depuis que je connais mon état, je suis comme un lion en cage. Je donnerais tout ce que j'ai pour revenir en arrière. C'est vraiment un coup de malchance. On s'est toujours protégés.

Isabelle a essayé de prendre la pilule, mais cela ne lui convenait pas. Elle a fini par se résigner à utiliser d'autres moyens contraceptifs.

— Mais qu'est-ce que tu vas faire ? Vas-tu le garder ? Est-ce qu'Hubert est au courant, au moins ?

— Wow ! Relaxe un peu. À ce que je sache, c'est moi qui suis dans le pétrin, pas toi.

Isabelle respire à fond plusieurs fois avant de reprendre la parole.

— Non, je n'ai rien dit à Hubert. Pour ce que ça changerait, de toute façon... Je ne sais même pas si je vais l'informer. Depuis qu'on se voit, il n'a pas arrêté de me dire qu'il ne faut absolument pas que je tombe enceinte et que, si ça arrive, je devrai me débarrasser du bébé. Tu es la première à qui j'en parle. Et j'ignore si j'ai envie de garder le bébé.

Même si Sonia ne veut pas avoir d'enfants, elle sait qu'elle serait incapable de se faire avorter. C'est contre ses valeurs d'enlever la vie de quelque façon que ce soit. Certes, elle empêche la famille en prenant la pilule, mais il y a tout un monde entre tuer un fœtus et s'organiser pour qu'aucun ne se forme.

— Tu ne penses quand même pas à te faire avorter ! s'exclame Sonia dans un cri du cœur. Il n'a rien demandé, lui !

— Je t'en prie, ne me fais pas la morale ! Pas toi ! Pour le moment, tout ce que je sais, c'est qu'un bébé pousse dans mon ventre et que je me sens déjà prise au piège.

— Es-tu bien certaine d'être enceinte ?

— Si tu avais aussi mal au cœur que moi, tu n'aurais aucun doute là-dessus. Je ne sais plus quoi inventer pour expliquer pourquoi je vomis tous les matins. Je suis désemparée. J'ai beau retourner la situation dans tous les sens, je n'arrive pas à trouver une solution.

— Tu devrais en parler à ta mère.

— Es-tu malade ? Déjà qu'elle ne tolère pas que je sorte avec des hommes mariés. S'il fallait qu'elle apprenne que je suis enceinte, elle me renierait.

— Parles-en au moins à Paul-Eugène. Il saura sûrement quoi faire pour t'aider.

— Je vais y penser. À ton tour maintenant ! Je t'écoute.

— Ma nouvelle n'est rien à côté de la tienne. Je vais casser avec Daniel, car j'ai rencontré un autre gars. Il s'appelle Vincent et j'ai très hâte de te le présenter. Il est beau comme un dieu !

Chapitre 16

— Vite, maman ! s'écrie Dominic en ouvrant brusquement la porte d'entrée. Il vient juste de passer devant notre maison.

— Et il est encore en pyjama, précise François. Dépêche-toi, sinon tu vas le rater. Il marche quand même assez vite.

Sylvie ne prend même pas le temps de s'essuyer les mains. Elle délaisse sa laveuse et suit les jumeaux dehors. Et c'est là qu'elle l'aperçoit à quelques maisons de chez elle. À vue d'œil, ce garçon semble avoir le même âge que les jumeaux.

— L'autre jour, quand on l'a suivi il parlait tout seul, indique François. On a marché à côté de lui, mais il ne nous a même pas regardés. Tu ne peux pas le voir d'ici, mais il porte une espèce de petite boîte noire dans le cou. On aurait dit que c'était à elle qu'il s'adressait. Il la prenait dans sa main et la plaçait devant sa bouche. Il racontait qu'il marchait, qu'il allait revenir bientôt… des affaires comme ça.

La première fois que François et Dominic l'ont vu, ils ont songé que ce grand flanc mou à la démarche incertaine serait une victime idéale pour un de leurs mauvais tours. Mais en l'observant de plus près, ils se sont vite rendu compte que ce garçon n'était pas comme eux et qu'ils devraient plutôt le protéger. Une fois de retour à la maison, ils ont tout de suite parlé de lui à leur mère. Ils aiment s'en prendre à toutes sortes de gens, mais pas à ceux qui sont sans défense comme ce garçon.

— Il lui manque sûrement un bardeau pour sortir en pyjama comme il le fait, déclare Dominic.

— Ne sois pas méchant, le réprimande Sylvie. Savez-vous où il habite ?

— Non, répond Dominic. Tout ce qu'on sait, c'est que s'il demeure dans notre quartier, ça ne doit pas faire longtemps. Mais j'y pense, la maison de biais avec notre ancienne place était à vendre la dernière fois qu'on est allés dans le coin. C'est peut-être là qu'il habite.

— Parles-tu de la maison qui se trouve en face de celle de monsieur Raynald ? demande François.

— Ouais.

À un autre moment, Sylvie aurait demandé à ses fils pourquoi ils étaient allés traîner par là. Mais pour l'instant, elle a mieux à faire que d'essayer de découvrir ce que ses deux petits diables manigancent encore.

Plus les secondes passent, plus elle est touchée par ce garçon inconnu. Il faut avouer que c'est inhabituel pour un jeune de cet âge de se promener en pyjama dehors, surtout en pleine rue. « Il est peut-être perdu. »

— Est-ce que vous le voyez souvent ?

— C'est la troisième fois cette semaine, répond François après avoir réfléchi pendant quelques instants. Il porte toujours le même pantalon de pyjama, mais il change de trajet à chacune de ses promenades.

— On pourrait le suivre, suggère Dominic. Comme ça, on finirait peut-être par savoir où il reste.

— C'est une bonne idée, approuve Sylvie. Surveillez-le pendant que je vais chercher mes clés d'auto.

Lorsqu'elle revient, elle s'écrie :

— Venez, il n'y a pas de temps à perdre !

Une fois à la hauteur du jeune garçon, Sylvie se dit que ça n'a pas de sens de le suivre en auto. Elle ne veut pas lui faire peur ; elle veut l'aider. Elle le dépasse un peu et se range sur le côté. Avant de sortir, elle dit aux jumeaux de rester dans la voiture. Sylvie monte ensuite sur le trottoir et attend que le garçon arrive près d'elle. Elle lui emboîte alors le pas et déclare :

— Je pourrais te ramener chez toi, si tu veux.

Il tourne la tête vers elle et arrête de marcher. Son expression laisse croire à Sylvie qu'il n'a pas compris ce qu'elle vient de lui dire. Il la fixe pendant quelques secondes et sourit.

— Oui, finit-il par répondre. Je suis fatigué de marcher.

— Il faut d'abord que tu me dises où tu habites, émet Sylvie.

Les jumeaux viennent alors rejoindre leur mère.

— Ta maison est de quelle couleur ? demande doucement François en posant sa main sur l'épaule du garçon.

Ce dernier met du temps à répondre, comme s'il n'arrivait pas à décoder ce qu'il vient d'entendre. Il connaît les mots, mais on dirait que ceux-ci ne vont pas ensemble. Il cherche désespérément dans sa tête jusqu'à ce qu'une étincelle brille enfin dans ses yeux.

— Jaune ! s'exclame-t-il fièrement. Comme le soleil.

— C'est bien ce que je pensais ! s'écrie joyeusement François. Il reste sûrement dans notre ancienne rue. Est-ce qu'on peut le ramener chez lui, maman ?

— Bien sûr ! accepte sa mère.

— Est-ce qu'on peut le faire asseoir en avant ? demande Dominic.

— Comme tu veux, répond Sylvie.

Les jumeaux ne s'étaient pas trompés : le garçon habite dans leur ancienne rue. Quand la mère de celui-ci ouvre la porte et qu'elle voit son fils, elle le serre dans ses bras. Puis, elle lui dit d'une voix douce qu'il devrait aller s'habiller.

— Je vous remercie de l'avoir ramené, dit-elle en s'adressant à Sylvie.

— Ce n'est pas moi qu'il faut remercier, répond cette dernière, mais mes fils. Ça fait quelques fois qu'ils le voient se balader dans le quartier en pyjama. Et ce matin, quand il est passé devant chez nous, ils sont venus me chercher.

— Ah ! s'exclame la dame en souriant aux jumeaux. Mon grand s'appelle Gérald. Il a douze ans. Il lui arrive parfois de sortir de la maison sans que personne s'en aperçoive. Hier, on l'a cherché pendant près de deux heures. On l'a finalement trouvé assis sur un banc dans le parc qui longe le fleuve. Aujourd'hui, vous avez été ses anges gardiens et je vous en remercie.

— Est-ce que vous pouvez nous expliquer ce qu'il a ? demande innocemment François.

La femme prend une grande respiration avant de répondre. Ses yeux se remplissent de larmes pendant son récit.

— Avant, on habitait à la campagne. Gérald venait d'avoir huit ans. Il était un petit garçon normal, comme vous deux. Il aimait jouer des tours, mais ce qu'il préférait, c'était s'accrocher derrière l'autobus scolaire l'hiver et se laisser traîner par lui. J'avais beau lui interdire de le faire, il ne m'écoutait pas. Un jour, il a perdu pied et il s'est fait frapper à la tête par une auto qui venait en sens inverse. Depuis, il n'est plus le même. Selon les docteurs, dans sa tête, c'est comme s'il avait deux ans.

Elle s'arrête quelques secondes, le temps de respirer à fond. Puis, elle poursuit :

— On a beau le surveiller, Gérald finit quand même par nous échapper. Il veut toujours être dehors.

Les Pelletier ont écouté l'histoire avec grande attention. Les jumeaux sont ébranlés. C'est la première fois qu'ils sont confrontés à ce genre de souffrance. Quant à Sylvie, elle remercie le ciel d'avoir encore six enfants en santé.

— Pouvez-vous nous dire ce qu'il a dans le cou ? interroge Dominic.

— Dans la petite boîte noire, il y a son nom et son adresse. Vous ne pouvez pas vous imaginer le temps qu'on a mis à lui faire comprendre qu'il ne fallait jamais qu'il s'en sépare.

— Est-ce qu'on pourrait venir le voir ? demande François.

Visiblement, cette question surprend la femme. C'est la première fois que quelqu'un en dehors de la famille propose de rendre visite à Gérald.

— On pourrait emmener Gérald au parc avec nous, si vous voulez, propose Dominic. Je vous jure qu'on prendrait bien soin de lui.

Touchée par l'offre des deux garçons, la femme pleure maintenant à chaudes larmes. Sylvie non plus n'en mène pas large ; elle s'approche de la femme et lui tend la main.

— Je m'appelle Sylvie Pelletier. Je vous présente mes deux derniers, François et Dominic. Si je peux faire quelque chose pour vous, n'hésitez pas. On habite au 944, rue Saint-Alexis. C'est à quelques rues d'ici. On a vécu dans votre rue pendant quelques années.

— Et moi, je m'appelle Denise Côté. Gérald est le plus jeune enfant de la famille. Il a deux sœurs et deux frères. Mon mari travaille dans la construction. Moi, je reste à la maison. Je vous remercie. Je ne connais pas beaucoup de monde encore dans les alentours, à part le voisin d'en face. Mais entre vous et moi, des gens comme lui, moins on en connaît et mieux on se porte.

— Parlez-vous de monsieur Raynald ? s'enquiert Dominic.

— Je ne connais pas son nom, mais il habite dans la maison juste là, dit Denise en indiquant l'endroit. Il n'est vraiment pas reposant, et parfois, il est méchant avec Gérald. L'autre jour, il a même levé la main sur lui. Mon mari a hurlé tellement fort après le voisin que celui-ci est resté saisi.

— Nous, nous n'aimons pas beaucoup monsieur Raynald, commente François.

— Je vous remercie pour votre gentille offre, dit Denise à l'adresse des jumeaux. Bien sûr que vous pouvez venir voir Gérald quand vous voulez. Je suis certaine que ça lui ferait plaisir… car il n'a pas d'amis.

— On pourrait commencer tout de suite ! suggère joyeusement Dominic.

— Je suis certaine qu'il va être content de sortir de la maison. Il veut toujours aller dehors, comme je vous l'ai dit tout à l'heure. Vous pouvez entrer. Sa chambre est à droite, au bout du couloir.

Lorsque Sylvie retourne chez elle, elle a le cœur gros. Si elle ne se retenait pas, elle pleurerait comme une Madeleine. Elle renifle un bon coup et se dit qu'il y a des gens pour qui la vie est tout, sauf facile. Elle songe aussi que Gérald a beaucoup de chance d'avoir une mère aussi gentille que Denise.

Aujourd'hui, les jumeaux lui ont fait honneur. Quand elle les a entendus demander à Denise s'ils pouvaient venir voir Gérald et l'emmener parfois au parc, elle leur aurait donné chacun une médaille tellement elle était fière d'eux. C'est dans de tels moments qu'elle voit que tout ce qu'elle leur a montré depuis leur naissance finira par servir.

Perdue dans ses pensées, Sylvie oublie de s'immobiliser à l'arrêt au coin de sa rue. La seconde d'après, une sirène de police la ramène vite à la réalité. Sylvie se range sur le côté, baisse sa vitre et attend que le policier vienne la voir. La conductrice sent la colère monter en elle.

— Bonjour, madame. Vos papiers, s'il vous plaît, dit le policier d'une voix monocorde en tendant la main.

Sylvie réalise alors qu'elle a quitté si précipitamment la maison qu'elle n'a pas emporté son sac à main. Non seulement elle n'a pas fait son arrêt, mais elle n'a pas ses papiers. Tout ce qui lui reste à faire, c'est d'essayer d'attendrir le policier pour que la facture ne soit pas trop salée.

— Je vais tout vous expliquer. Je suis partie trop vite, ce qui fait que je n'ai pas mes papiers. Mais je peux aller les chercher, si vous voulez. J'habite à trois maisons d'ici. Je suis allée…

Le policier écoute toute l'histoire sans broncher. Quand Sylvie s'interrompt, il dit :

— C'est bien beau tout ça, mais ça ne vous donnait pas le droit de sauter un stop, pas plus de ne pas traîner vos papiers avec vous. Le temps de préparer votre contravention et je reviens.

Depuis qu'elle a commencé à conduire, c'est la première fois que Sylvie a une contravention.

Lorsque le policier revient, c'est à peine si elle lui jette un regard. Quand il la salue avant de retourner dans son auto, elle ne daigne pas lui répondre. Sylvie est furieuse. Elle a tout juste fini de remonter sa vitre qu'elle lance la contravention sur le siège du passager d'un geste brusque sans même la regarder. Nul doute, celle-ci est salée. Jusqu'à aujourd'hui, Sylvie détestait seulement ceux qui portent la soutane. Maintenant, elle nourrira la même haine envers les policiers. « Ma foi du bon Dieu, il faut avoir une pierre à la place du cœur pour passer ses journées à prendre les gens en défaut. »

Chapitre 17

Installées devant un gros plat de raisins bleus, les trois amies discutent allègrement depuis plus d'une heure. Elles avaient beaucoup de temps à rattraper. Ces derniers mois, Éliane a été tellement occupée qu'elle a brillé plus souvent qu'autrement par son absence.

— Je ne te crois pas ! s'écrie Shirley. Pas toi !

— C'est pourtant la stricte vérité, dit Sylvie. Comme je viens de vous le raconter, j'ai eu ma première contravention. Ça fait déjà trois jours et je suis encore fâchée.

— Avoue qu'elle était méritée, déclare Éliane.

— Je sais tout ça. Mais ce qui m'enrage le plus, c'est l'air condescendant du policier quand il me l'a remise. Si je ne m'étais pas retenue, je lui aurais donné une claque en pleine face pour lui enlever sa suffisance, comme on fait avec un enfant pour le secouer un peu.

Non seulement Sylvie n'a toujours pas digéré sa contravention, mais elle ne l'a pas encore payée, ce qui ne lui ressemble guère. Habituellement, dès qu'elle reçoit une facture, elle se dépêche de la régler sans tenir compte du délai pour l'acquitter. Cette fois, elle s'est contentée de l'épingler sur le tableau de liège près du téléphone. Elle attendra jusqu'à la dernière journée pour s'en occuper.

— N'oublie pas que pour lui, c'était une contravention parmi tant d'autres, réplique Shirley.

— Je veux bien croire, mais les policiers pourraient se montrer un peu gentils. Ça nous aiderait à avaler la pilule. Chaque fois que je vois des policiers, même sur le coin d'une rue, on dirait tout le temps qu'ils ont mangé de la vache enragée.

— Moi, je ne suis pas d'accord avec toi, émet Éliane. Il ne faut pas mettre tous les policiers dans le même paquet. Quand j'étais petite, notre voisin était policier. Il était très gentil, et ses confrères aussi. Tu sais, il n'y a pas de bonne façon d'apprendre une mauvaise nouvelle à quelqu'un. Imagine-toi s'il t'avait remis ta contravention en te faisant son plus beau sourire.

— Tu as bien raison, admet Sylvie. J'aurais quand même eu envie de lui donner une claque en pleine face, sauf que ça aurait été pour un autre motif.

Les trois femmes éclatent de rire.

— On peut quand même reconnaître qu'il y a été un peu fort, formule Shirley. Vu que c'était ta première infraction, il aurait pu se montrer conciliant.

— Non seulement c'était ma première contravention, mais ce sera la dernière aussi. Ça va me prendre des semaines de travail pour la payer. En plus, quand j'ai raconté à Michel ce qui m'était arrivé, il ne pouvait plus s'arrêter de rire. Je l'aurais battu.

Il y a fort longtemps que la première contravention que Michel a reçue n'est plus qu'un lointain souvenir pour lui. Il ne les collectionne pas, mais il lui est arrivé plus d'une fois de voir fondre pratiquement tous ses points comme neige au soleil.

— C'est bien lui ! s'exclame joyeusement Shirley.

— Chaque fois qu'il en attrape une, déclare Sylvie, je lui dis que s'il avait mis en banque tout ce qu'il a payé pour des contraventions, il pourrait changer d'auto, ou se payer une Mustang.

— Est-ce que par hasard il te resterait encore des raisins baveux ? demande Éliane d'une petite voix. Ils sont tellement bons.

Alors que Shirley et Sylvie les appellent des raisins bleus, Éliane a toujours désigné ces fruits comme étant des « raisins baveux ». La première fois qu'elles ont entendu cette expression, ses deux amies l'ont regardée d'un drôle d'air et lui ont demandé pourquoi elle utilisait ce terme-là. Pour toute réponse, elles ont eu droit à un haussement d'épaules de la part d'Éliane, immédiatement suivi de : « Pourquoi pas ? On les a toujours appelés comme ça chez nous. »

— Mais oui ! s'écrie Sylvie. Je n'ai jamais vu quelqu'un aimer autant ces raisins. Ici, je suis la seule à en manger.

Après avoir rempli le plat, Sylvie le dépose devant Éliane.

— Ce n'est certainement pas moi qui vais vous les voler ! dit Shirley en frissonnant. Je déteste ces raisins, et leur seule vue me donne la nausée.

Éliane, qui portait deux raisins à sa bouche, arrête net son mouvement. Elle regarde Shirley avec des points d'interrogation dans les yeux. Quand celle-ci s'en aperçoit, elle ajoute :

— Ne te gêne surtout pas pour moi. Je peux survivre à bien pire que ça.

— Changement de sujet, déclare Sylvie. Je ne sais pas si vous vous souvenez de ce que je vous ai raconté sur le curé de la paroisse ? Eh bien, comme prévu, je suis allée voir des parents d'enfants qui étaient dans la chorale avec les jumeaux. Je n'arrive pas à le croire : aucun n'a voulu se mouiller. Tous sans exception m'ont dit que les jumeaux avaient sûrement tout inventé et que, de toute façon, ils avaient une confiance aveugle en notre curé.

Sylvie a bien essayé de se faire des alliés de quelques parents. Mais dès qu'elle ouvrait la bouche pour parler des agissements déplacés du curé de la paroisse, elle se butait instantanément à un mur. Certains l'ont même priée de sortir de leur maison sans lui laisser la chance de s'expliquer jusqu'au bout. Un soir, elle était tellement découragée qu'elle a insisté pour que Michel l'accompagne. Quand il a constaté la réaction des parents qu'ils étaient allés voir, il a dit à Sylvie qu'elle devrait livrer seule sa bataille.

— Comment veux-tu que des jeunes de douze ans imaginent des affaires de même ? s'enquiert Éliane.

— Les jumeaux sont loin d'être parfaits, expose Sylvie, mais jamais ils n'ont raconté des faussetés sur quelqu'un, surtout pas sur le curé. Ils le respectent bien plus que moi, surtout Dominic. Il voulait tellement être enfant de chœur… En tout cas, je ne sais pas trop ce que je vais faire, surtout que mes enfants n'ont plus affaire à lui maintenant. Je veux bien me battre pour faire éclater la vérité au grand jour, mais il faudrait quand même que la guerre me concerne.

— Je te comprends, renchérit Shirley. On a suffisamment de quoi s'occuper pour ne pas faire les choses à la place des autres.

Shirley ne veut pas se mettre la tête dans le sable et faire semblant que tout va bien dans le monde. Mais depuis qu'elle a connu la violence avec John, ça lui prend tout son courage pour aborder certains sujets. Comme bien des femmes qui ont subi des mauvais traitements, elle pourrait se porter à la défense de la veuve et de l'orphelin, mais c'est au-dessus de ses forces. La vie est loin d'être rose pour plusieurs, mais même si elle partait avec son bâton de pèlerin, elle ne pourrait pas tous les sauver.

— Je trouve quand même que c'est triste pour les jeunes, dit Éliane. Qui va les protéger si leurs propres parents les croient en sécurité quand ils sont avec le curé ? Je ne sais pas si vous êtes comme moi, mais je trouve que le monde ne tourne pas toujours rond. On ne devrait jamais s'en prendre aux enfants. Mais j'y pense, Sylvie... Tu pourrais en parler au mari de ta tante qui était religieuse…

— Bonne idée ! acquiesce Sylvie.

— L'humain pose parfois des gestes inexplicables, reprend Éliane. Crois-moi, il vaut mieux ne pas savoir tout ce qui se passe autour de nous. Quand j'étais petite, ma mère disait que si on avait fait le tour des maisons dans notre rue, on aurait été surpris de ce qu'on aurait découvert.

— Arrêtez de parler de ça, je vous en prie, implore Shirley d'une voix larmoyante. Je suis sur le point de me mettre à pleurer tellement c'est triste.

Elle est toute pâle. Ce genre de discussion l'affecte vraiment.

Alors qu'elle se préparait à manger le dernier raisin, le visage d'Éliane s'éclaire soudainement. Elle a oublié de parler d'un sujet très important à Sylvie. Sans préambule, elle demande à son amie si sa sœur Ginette s'est trouvé un emploi.

— Je lui ai parlé ce matin, répond Sylvie. Elle n'a rien trouvé encore. La pauvre, elle est découragée !

— J'ai peut-être quelque chose pour elle, proclame fièrement Éliane. Hier, je suis allée à l'agence de voyages. À quelques blocs de là, j'ai vu une annonce sur la devanture d'un petit hôtel disant qu'on y cherche une réceptionniste. J'ai tout de suite pensé à ta sœur. J'ai pris mon courage à deux mains et je suis entrée m'informer. Je n'y suis pas allée par quatre chemins : j'ai carrément demandé au maître d'hôtel si la candidate devait absolument être une beauté. Tu aurais dû le voir ! Il m'a regardée d'un drôle d'air. Finalement, il m'a expliqué qu'il cherchait une personne qui a fière allure, qui s'exprime bien et qui ne s'en laissera pas imposer par les clients. Je me suis peut-être trop avancée, mais je lui ai dit que je connaissais la personne idéale... Je me suis même permis de lui donner le nom de ta sœur. J'espère que tu ne m'en veux pas.

— Mais non, voyons ! s'exclame joyeusement Sylvie. Si je ne me retenais pas, je t'embrasserais. J'ai même envie d'appeler Ginette tout de suite. Je pourrais te la passer. À l'heure qu'il est, elle aurait le temps d'aller sur place avant le souper.

* * *

Irma est assise dans la cuisine de sa nouvelle maison. Elle est seule pour le moment, car Lionel est allé acheter quelques bricoles à la coopérative du coin. Quand elle regarde le nombre de boîtes à défaire encore, elle aurait envie de se battre. Elle s'entend encore dire à Sylvie et à Chantal qui lui ont offert leur aide : « Non, ce ne sera pas nécessaire. On n'a presque rien. » Elle ne s'est pas contentée d'éconduire ses deux nièces ; elle a agi de la même façon avec Marie-Paule aussi. C'est vrai que Lionel et elle n'ont pas grand-chose compte tenu des dimensions de leur nouvelle maison, mais c'est fou tout ce qu'ils ont pu ramasser depuis qu'ils ont défroqué. Irma s'en souvient comme si c'était hier. Quand elle a emménagé dans son appartement, elle avait le strict minimum. À force d'acheter des choses, voilà maintenant qu'elle a un amoncellement de boîtes sous les yeux. Ces dernières sont si nombreuses qu'Irma se demande comment sa petite cuisine pouvait contenir tous ces objets. Et il y a autant de cartons dans le salon et la chambre à coucher.

Bien qu'elle en soit seulement à son deuxième déménagement, Irma sait déjà qu'elle déteste ça. Elle n'a aucun problème à changer d'environnement ; c'est de faire les boîtes qui la tue. Comme si ce n'était pas suffisant, voilà maintenant qu'il faut vider celles-ci et ranger dans les armoires tout ce qu'elles renferment. Il suffirait de peu pour qu'Irma verse quelques larmes.

Prenant son courage à deux mains, elle respire un bon coup et se lève. Alors qu'elle se prépare à ouvrir une boîte, la sonnette de la porte retentit. D'un pas pesant, Irma va ouvrir. Quelle n'est pas sa surprise de voir Marie-Paule et René sur le pas de la porte.

— Ne me dis surtout pas que Lionel et toi, vous n'avez pas besoin d'aide ! s'écrie Marie-Paule. Maintenant qu'on est là, vous allez être obligés de nous laisser vous donner un coup de main.

— Entrez ! s'exclame Irma. Vous ne pouvez pas savoir à quel point je suis contente de vous voir. J'étais justement en train de regarder toutes les boîtes et je me demandais par quel bout je devais commencer.

Il était hors de question que Marie-Paule ne vienne pas donner un coup de main à ses amis. Aussitôt que René est arrivé chez elle, elle lui a dit qu'avec ou sans lui, elle se rendrait à la nouvelle maison d'Irma et de Lionel.

— C'est simple, explique Marie-Paule. La première chose à faire, c'est d'organiser la chambre à coucher. Comme ça, si on n'a pas le temps de tout faire ce soir, ton mari et toi pourrez au moins prendre une bonne nuit de sommeil.

— Lionel ne s'est pas sauvé, j'espère ? ironise René.

— Il devrait être là d'une minute à l'autre.

— Tant mieux parce qu'il aurait eu affaire à moi ! plaisante René. En attendant qu'il revienne, on pourrait commencer à monter le lit. À trois, on devrait y arriver.

— Un instant ! objecte Marie-Paule. Avant de me mettre au travail, j'aimerais bien faire le tour du propriétaire. En tout cas, de l'extérieur, c'est une très belle maison.

— Attends de voir le terrain, déclare Irma. Nous avons vu grand, mais si nous voulons réaliser tous nos projets, il nous faut de l'espace.

Irma et Lionel recevront Renaud, leur premier jeune, aussitôt que la chambre de celui-ci sera prête. Comme les choses se sont précipitées, ils ont convenu d'attendre d'être installés dans leur nouvelle maison avant de l'accueillir. Ils ont rencontré Renaud la semaine dernière. Sur le chemin du retour à leur logement, ils avaient le cœur gros rien qu'à penser à tout ce que le garçon a dû traverser. À seize ans à peine, il a déjà vécu plus d'épreuves que la majorité des adultes en vivront au cours de leur vie entière. Un père alcoolique qui battait ses enfants plus souvent qu'à leur tour. Une mère dépressive qui ne faisait rien pour défendre sa marmaille. Une alimentation insuffisante. Un logement mal chauffé et insalubre. Le système étant ce qu'il est, ce n'est que maintenant que les enfants sortiront enfin de ce milieu malsain – si néfaste pour leur développement.

Alors que des jeunes de son âge se seraient révoltés, Renaud s'est replié sur lui-même. Irma et Lionel savent que la partie n'est pas gagnée d'avance avec lui, mais ils veulent absolument lui donner une vie équilibrée, celle-là même que tout enfant est en droit d'avoir. Quand ils ont fait sa connaissance, c'est à peine si Renaud leur a adressé la parole. Tout ce qu'ils ont pu tirer de lui, c'est quelques oui ou non. Il a gardé la tête baissée pendant toute l'heure qu'ils ont passée en sa compagnie. Loin d'apeurer Irma et Lionel, l'attitude du garçon les conforte dans leur intention d'aider le plus de jeunes possible.

Comme les enfants Pelletier n'ont pas voulu des meubles et autres effets de leur mère, Irma et Lionel hériteront de tout ce que possède Marie-Paule. Dans un mois, elle quittera son logement pour aller s'installer dans la résidence que René et elle ont achetée. Irma et Lionel pourront ensuite meubler d'autres pièces de leur maison. Et Michel a décidé de leur offrir les meubles pour la chambre de Renaud. Il doit venir les livrer demain soir. Irma aime de plus en plus son neveu par alliance. Il lui a donné du fil à retordre quand elle a quitté le voile, mais elle ne lui en veut pas. Elle devait lui démontrer qu'elle n'était pas une mauvaise personne parce qu'elle était sortie du couvent. Michel n'a pas été le seul à avoir de la difficulté à accepter son choix. La différence avec les autres, c'est qu'il n'a jamais joué la comédie. Michel n'approuvait pas et n'en faisait pas un mystère, bien au contraire.

Au moment où les trois amis reviennent dans la cuisine, Lionel fait son entrée. En apercevant Marie-Paule et René, il s'exclame :

— Je savais bien que vous ne nous laisseriez pas tomber ! J'ai acheté de la bière. Qui en veut ?

— Je propose qu'on boive quand on aura terminé de tout ranger, formule Marie-Paule d'un ton enjoué.

— Je suis désolée, mais je ne suis pas d'accord, proteste Irma. En attendant que je mette la main sur la bouteille de whisky, je veux bien une bière. Il y a longtemps que je n'ai pas eu aussi soif !

— Dans ce cas, j'en veux une moi aussi, émet Marie-Paule.

Tous éclatent de rire. Après tout, qui a dit qu'il était interdit de prendre une bière en défaisant des boîtes ? Depuis qu'elle a quitté le couvent, Irma déteste tout ce qui ressemble à un ordre ou à un règlement. Il en sera ainsi jusqu'à sa mort. Comme elle se plaît à le dire : « J'ai obéi suffisamment dans ma vie. Maintenant, je veux être la seule à décider de tout ce que je fais. »

Quand Marie-Paule et René s'en vont, à part quelques cadres appuyés contre les murs, toutes les boîtes ont été vidées. Demain, la vie reprendra son cours normal. Pendant que Lionel entre l'auto dans le garage, Irma se roule un joint. Elle savoure déjà l'effet de bien-être qu'elle ressentira dès la première bouffée. Il suffit maintenant qu'elle trouve la force de se lever pour aller fumer dehors. Elle prend son courage à deux mains et marche d'un pas lourd vers la porte. Elle ignorait que ce déménagement exigerait d'aussi grands efforts.

Lionel revient du garage. Lorsqu'il aperçoit sa femme, il lui dit gentiment :

— Pour une fois, tu pourrais fumer à l'intérieur.

Irma regarde son mari avec amour. Il y a des jours où elle se pince pour s'assurer qu'elle ne rêve pas. Jamais elle n'aurait cru que l'existence pouvait être aussi bonne. Depuis que Lionel est entré dans sa vie, elle file le parfait bonheur. Elle est si heureuse que si on ne lui avait pas promis pendant tant d'années le paradis à la fin de ses jours, elle s'y croirait déjà. Quand René passe à sa hauteur, elle lui caresse la joue et répond :

— C'est gentil, mais je n'ai pas envie que notre nouvelle maison sente la marijuana pendant des jours. J'adore l'effet que celle-ci me procure, mais pour ce qui est de l'odeur, il y a mieux. Tu peux rester avec moi si tu veux, par exemple. Regarde les étoiles. Il y a longtemps que je n'en ai pas vu autant.

— Peu importe où on est, les étoiles sont toujours là, même en ville, sauf qu'on ne les voit pas. Mais ça, c'est parce qu'il y a trop de lumière, et trop de pollution aussi.

— Je me plais déjà ici. L'année prochaine, je voudrais qu'on fasse un jardin.

— Je veux bien. Mais je te préviens : mes talents de jardinier sont plutôt limités.

— Certainement pas plus que les miens. Quand j'étais petite et que je m'ennuyais, j'allais sarcler le jardin. Chaque fois que ma mère s'en apercevait, elle se dépêchait de me trouver autre chose à faire. Il paraît que j'enlevais tout, sauf les mauvaises herbes. Pourtant, elle m'a montré plus d'une fois ce qu'il fallait enlever, mais cela m'entrait par une oreille et me sortait par l'autre. Je demanderai à Marie-Paule de m'aider. Chaque année, elle faisait un grand jardin quand elle habitait à Jonquière.

Appuyée contre son mari, Irma admire la voie lactée. Puis, elle essaie de voir la Petite Ourse et la Grande Ourse, mais comme d'habitude, elle n'y arrive pas. C'est alors qu'elle soupire un bon coup. Surpris, Lionel lui demande ce qui ne va pas.

— Non seulement je suis nulle en jardinage, mais je ne suis jamais arrivée à repérer la Petite Ourse et la Grande Ourse. Ça m'enrage ! Tu ne peux pas t'imaginer le nombre de fois qu'on me les a montrées. Je finissais toujours par faire semblant de les voir. Je ne trouve pas le chaudron non plus.

— Là je peux t'aider !

Dans les minutes qui suivent, Lionel déploie tous les efforts possibles pour exaucer Irma. Mais elle ne voit rien. Lionel s'esclaffe. Plus il rit, plus Irma s'impatiente. Il vient un moment où elle est drôlement tentée de faire semblant qu'elle voit les deux étoiles. Elle a beau vouloir de tout son cœur, tout ce qu'elle a au-dessus de sa tête, c'est une multitude d'étoiles sans forme définie – du moins, à son avis. En désespoir de cause, Lionel fait une nouvelle tentative.

— Suis mon doigt. La Petite Ourse et la Grande Ourse sont juste là.

Quand il entend Irma soupirer, il la regarde dans les yeux. Puis, il murmure :

— Pour moi, c'est toi la plus belle étoile. Viens, on va aller dormir.

Chapitre 18

Michel est particulièrement de bonne humeur en ce lundi matin ensoleillé. Il ignore pourquoi, mais il se sent plus en forme que d'habitude. Pourtant, il s'est levé une heure plus tôt, ce qui lui a donné la chance de lire enfin son *Dimanche-Matin*. Hier, les visiteurs se sont succédé toute la journée. On aurait cru que tout le monde s'était donné le mot pour venir à la maison en même temps. Ce n'est que lorsque les Pelletier se sont assis à table pour souper qu'ils se sont retrouvés seuls, en famille. Cette fois, il n'y avait ni blonde, ni *chum*, ni belle-fille.

Depuis que Sonia a rompu avec Daniel, Michel ne s'est pas habitué à ne plus voir son protégé aussi souvent qu'avant. Certes, les deux hommes se rencontrent une fois par semaine, mais c'est loin d'être suffisant. Généralement, ils se retrouvent à la taverne le mercredi soir, après le souper. Chaque fois, la discussion finit par aboutir sur Sonia. Daniel a été très affecté par la rupture, et il aime encore Sonia de toutes ses forces. Mais il respecte quand même la décision de la jeune fille.

Décidément, Michel n'entendra jamais rien aux femmes. Sonia a beau lui répéter qu'elle n'aime plus Daniel, cela n'a aucun sens pour lui. Il n'arrive pas à s'expliquer comment elle a pu laisser un jeune homme comme Daniel, un aussi bon parti comme aurait dit son père. Michel n'est pas le seul de la famille à porter le deuil de cette séparation. Tout le monde en veut plus ou moins à Sonia. La pire, c'est Sylvie. Quand sa fille lui a annoncé qu'elle avait rompu avec Daniel, elle lui a débité d'un trait ce laïus :

— Tu es la fille la plus capricieuse que je connaisse. On dirait que c'est un jeu pour toi. Chaque fois qu'on commence à s'attacher à un gars, tu te dépêches de le laisser. Et toi, dès le lendemain, tu nous emmènes ta nouvelle conquête. Évidemment, il faut qu'on l'accueille comme si de rien n'était. Au cas où tu l'aurais oublié, on a un cœur nous aussi. Et nous, on l'aimait Daniel ! J'aime autant te le dire tout de suite, ma petite fille : ce n'est pas ainsi que tu vas te faire une bonne réputation. Sais-tu comment on appelle les filles comme toi ? Eh bien, je vais te le…

Michel a ordonné à Sylvie de se taire. Il a crié si fort qu'elle a figé. Elle était tellement fâchée contre lui qu'elle lui a fait la tête pendant deux jours. Il fallait bien que quelqu'un prenne la défense de Sonia. La pauvre ! Plus sa mère parlait, plus elle pleurait. Sylvie n'avait pas le droit de lui parler de cette façon. Ce n'est pas parce qu'elle change de *chum* souvent que Sonia est mauvaise. Même si son mode de vie est à l'opposé de ce que Sylvie a fait et de ce qu'elle croit dur comme fer que toutes les femmes devraient faire, ce n'est pas une raison pour traiter aussi mal la jeune fille. Contrairement à sa femme, Michel croit qu'il y a autant de manières d'agir qu'il y a de personnes sur la terre. Si Sonia était un homme, personne ne rouspéterait, pas même Sylvie. Il n'y a qu'à la regarder réagir avec Junior. Elle n'est pas d'accord avec son genre de vie, mais tant qu'il ne sème pas des bébés aux quatre vents elle le laisse agir à sa guise. Non, si Sonia était un homme, tout serait bien plus facile pour elle. Ce n'est pas parce que Sylvie n'a pas fait sa vie de jeunesse que leur fille est tenue de s'en passer elle aussi. D'après Michel, Sonia a le droit de profiter de la vie un peu. À son âge, il n'y a rien qui presse.

Ce fameux soir, il a emmené Sonia manger une crème glacée. Ils ont passé au moins une demi-heure dans l'auto avant qu'elle arrête de pleurer. À la première accalmie, Michel s'est empressé de sortir de son véhicule et il est allé ouvrir la porte du côté du passager. Surprise par ce geste galant, Sonia lui a souri. D'aussi loin qu'elle se souvienne, c'était la première fois que son père lui tendait la main pour l'aider à sortir de l'auto. Il a ensuite posé la main sur sa joue et lui a dit en riant : « Si tu réussis à te faire geler le cerveau avant moi, je m'engage à essuyer la vaisselle à ta place pendant trois jours. » Sonia a éclaté de rire. Depuis qu'elle est toute petite, elle joue à ce jeu avec son père. Elle ne sait pas pourquoi, mais chaque fois qu'elle mange une crème glacée, il vient un moment où elle a l'impression que son cerveau est gelé ; elle déteste cette sensation. « Si j'étais à ta place, je commencerais déjà à me faire à l'idée d'essuyer la vaisselle », a-t-elle lancé d'un ton taquin.

Lorsque Michel arrive au magasin, la porte est entrouverte alors que le magasin n'ouvrira que dans une demi-heure. Il en déduit aussitôt qu'il y a quelque chose d'anormal. Il pousse doucement la porte, puis il saisit sans faire de bruit le bâton de baseball reposant dans le bac qui se trouve à sa gauche. Paul-Eugène a ri de lui en voyant le bâton, mais aujourd'hui, Michel est content de l'avoir. Même s'il n'est pas peureux, il y a des limites. Pendant une fraction de seconde, Michel se demande s'il est préférable d'allumer la lumière.

Finalement, il se dit qu'il connaît suffisamment son magasin pour avancer jusqu'à la caisse sans percuter quoi que ce soit. Il reste à l'affût du moindre petit bruit qui pourrait signaler la présence d'un intrus. Comme il ne décèle rien, il décide d'éclairer la place. À première vue, tout semble normal. Michel ouvre le tiroir-caisse et vérifie rapidement s'il manque quelque chose. Tout est là, même l'argent qu'il y a laissé la veille.

Michel se demande qui a bien pu pénétrer dans le magasin, mais surtout pourquoi. Il commence ensuite à faire le tour du magasin pour vérifier s'il manque quelque chose. Michel réalise vite qu'il vaut mieux qu'il attende Paul-Eugène pour cet exercice : le magasin est rempli à capacité, alors il n'y arrivera pas seul. Et puis, il sait en gros ce que l'endroit contient, mais pas en détail. Michel retourne derrière le comptoir et prend quelques notes. Aussitôt que Paul-Eugène et lui sauront ce qui manque, ils appelleront la police. Il faudra aussi changer la poignée de la porte. Il y a longtemps que cela aurait dû être fait ; c'est de la pure négligence d'avoir attendu. Fernand se fera sûrement un malin plaisir de taquiner ses deux amis. Depuis qu'il travaille ici, il leur rebat les oreilles à ce sujet. Un matin, il a même apporté une vieille poignée provenant de son garage. « Vous n'avez plus d'excuses maintenant, les gars. Vous êtes chanceux de ne pas vous être fait voler encore. On peut ouvrir la porte si facilement : il suffit d'un coup de genou. »

Lorsque Paul-Eugène arrive, il se demande pourquoi la porte est entrouverte. En essayant de la fermer, il se rend compte que la poignée est brisée.

— Est-ce que c'est toi qui t'es battu avec la poignée de la porte ? crie-t-il à l'adresse de Michel.

Surpris, Michel sursaute. Cette histoire l'a énervé plus qu'il ne le voudrait.

— On s'est fait défoncé, mais je n'arrive pas à voir ce qui manque. Je t'attendais pour faire le tour.

— Comme si on avait besoin de ça ! peste Paul-Eugène. As-tu appelé la police, au moins ?

— Pas encore ! Avant, ce serait mieux qu'on sache ce qui manque.

— Le temps que les policiers arrivent, on aura sûrement fini de faire le tour. Peux-tu leur téléphoner ?

— Oui. Après, il faudra qu'on aille vérifier dans l'atelier avant que Fernand arrive.

— Quand on aura réglé nos affaires, je veux te parler de quelque chose. J'ai déjà hâte que la journée finisse et elle vient à peine de commencer...

* * *

Sylvie revient de faire l'épicerie. Comme elle avait un peu de temps, elle a fait un saut à la bijouterie avant d'aller au supermarché. Elle songeait à s'acheter de nouvelles boucles d'oreilles, mais elle est repartie avec tout autre chose. Dès que Sylvie a vu le plat, elle a eu le coup de foudre. Elle le voulait, et ce, peu importe le prix. « Ça fait des années que je cherche un plat à bonbons en verre taillé à mon goût. Je viens enfin de le trouver. Je n'ai jamais rien vu d'aussi beau. » Elle le désirait tellement qu'elle a à peine sourcillé quand la vendeuse lui en a indiqué le prix. Pourtant, elle aurait eu toutes les raisons de le laisser là. Non ! Pour une fois, elle a décidé de s'offrir une petite gâterie.

Le sac contenant le plat à bonbons en main, c'est la tête haute que Sylvie est sortie de la petite bijouterie. Elle a pris la peine d'ouvrir la portière du côté du passager pour déposer son précieux plat sur le siège. La seconde d'après, elle a songé qu'il vaudrait mieux le placer sur le plancher. Ainsi, si elle devait freiner brusquement, il risquerait moins de se casser. « Je ne devrais pas m'inquiéter. Le plat est enveloppé dans plusieurs couches de papier de soie, et il est dans une boîte de carton. » Mais, ayant décidé de mettre toutes les chances de son côté pour le mener à bon port, elle l'a finalement déposé par terre. Quand elle sera à la maison, il faudra qu'elle lui trouve une place de choix, bien en vue mais à l'abri des plus jeunes. Elle a déjà une idée. Évidemment, elle ne mettra pas de bonbons dedans, sauf quand elle recevra de la visite. « À moins que j'y laisse mes pipes en réglisse noire. »

Une fois à la maison, elle commence par aller porter son précieux achat sur son lit. Elle retourne ensuite chercher l'épicerie. Elle sort de l'auto sept grands sacs de papier brun remplis à ras bord. C'est toujours pareil : chaque semaine, il faut un plein sac d'épicerie pour nourrir une personne. Les fois où elle ne rapporte que six sacs, plus souvent qu'autrement elle est obligée de retourner à l'épicerie pendant la semaine. Mais le plus ingrat, c'est lorsqu'elle finit de ranger tous ses achats. C'est même décourageant. Sylvie a beau ouvrir les armoires l'une après l'autre et le réfrigérateur aussi, on ne croirait jamais qu'elle revient de l'épicerie. Elle se promet qu'un jour elle achètera suffisamment de victuailles pour remplir ses armoires et son réfrigérateur à pleine capacité, simplement pour le plaisir. Mais à la vitesse où tout s'envole ici, son plaisir ne durera sûrement que le temps d'une chanson. Dans la famille Pelletier, personne n'a un appétit d'oiseau.

Lorsque Sylvie entend sonner l'horloge grand-père, elle sourit. Elle a le temps de se faire un café et de le boire tranquillement avant de préparer le souper. Alors qu'elle s'apprête à s'asseoir, elle se redresse et va chercher un sachet de petits gâteaux au caramel dans l'armoire. « Au diable le régime ! Quand je serai morte, je ne pourrai plus en manger. »

Sitôt les gâteaux avalés, Sylvie prend son café et sort sur la galerie arrière. Demain, elle nettoiera toutes ses plates-bandes. Elle regarde les lilas au fond du terrain. Cette année, ils ont donné tellement de fleurs que plus personne à part elle ne pouvait les supporter. Loin de s'en laisser imposer, Sylvie a continué à déposer un nouveau bouquet sur la table de cuisine chaque matin. Quand elle regarde les lilas, elle a un petit pincement au cœur. « Chaque fois que les lilas fleurissent, cela veut dire que j'ai de nouveaux cheveux blancs. »

Depuis que deux pommiers et un prunier ont été plantés, la cour est à son goût. Cette année, elle devra même donner des vivaces à tante Irma et à Marie-Paule. Elles ont tellement profité cet été que si Sylvie ne les éclaircit pas, elles risquent d'envahir le gazon. Et là, il n'y aurait aucun moyen d'empêcher Michel de les tondre. Il a bien averti Sylvie qu'il ne touchera pas aux fleurs dans les plates-bandes, mais gare à celles qui déborderont sur le gazon.

Satisfaite, Sylvie retourne dans la maison et se dirige à la porte avant pour faire le même exercice. Après avoir ouvert le battant, elle se retrouve face à un homme d'âge mûr en veston et cravate. Évidemment, elle sursaute.

— Je suis désolé, s'empresse de s'excuser l'inconnu. Je ne voulais pas vous faire peur.

Il a un si beau sourire que tout ce que Sylvie trouve à dire, c'est :

— Ce n'est pas grave, j'étais distraite. Qu'est-ce que je peux faire pour vous ?

— Je me présente : je m'appelle Hector Caya. Je suis agent d'assurances.

— Ah ! Vous tombez mal, mon mari est au travail. C'est lui qui s'occupe des assurances. Moi, je n'y comprends rien et, pour tout vous avouer, je ne porte aucun intérêt à ces affaires-là.

— Je ne voudrais pas paraître impoli, mais si vous aviez seulement quelques minutes à me consacrer, je pourrais vous parler d'un tout nouveau produit. Quand vous allez savoir de quoi il en retourne, vous allez me remercier d'avoir insisté.

L'homme a beau posséder le plus beau sourire du monde et avoir fière allure dans son complet, celui qui fera aimer les assurances à Sylvie n'est pas encore né. Michel et elle ont pris une petite assurance pour payer leurs frais d'enterrement, mais c'est tout. Étant donné le prix des assurances, ils ont décidé de s'en tenir au strict minimum.

Sylvie plonge son regard dans celui de son interlocuteur, puis elle déclare d'un ton autoritaire :

— Je vous l'ai dit, il faudra que vous veniez voir mon mari le soir. Moi, je n'y entends rien et je n'ai pas le temps de vous parler. Je vous prie de m'excuser, mais il faut que j'aille préparer le souper.

L'homme change alors de sujet.

— Il me semble que je vous ai déjà vue quelque part, formule-t-il en se grattant le front. Ça me revient maintenant. Vous chantez dans l'ensemble lyrique… voyons… le nom m'échappe... Comment s'appelle-t-il donc ? Je devrais pourtant m'en souvenir puisque mon beau-frère en fait partie.

Aussitôt, Sylvie oublie qu'elle n'avait aucune intention de poursuivre la conversation avec cet homme, dont elle ignorait l'existence il y a à peine quelques minutes.

— Parlez-vous de la troupe Les 1 000 voix ?

— Oui, c'est ça ! Je suis allé voir le spectacle cette année. Vous avez fait plusieurs solos. Vous portiez une robe turquoise, il me semble. Vous étiez magnifique… si je peux me permettre.

Maintenant, Sylvie fixe l'homme en souriant. La préparation du souper est complètement sortie de son esprit et aussi le fait qu'Hector Caya veut lui vendre de l'assurance.

— Je vous remercie, dit-elle gentiment.

— Vous n'avez pas à me remercier. Je suis sincère.

En voyant les jumeaux au pied de l'escalier, Sylvie réalise qu'il est grand temps qu'elle se mette au travail.

— Il faut vraiment que j'y aille, annonce-t-elle en tendant la main au vendeur. Repassez un soir de la semaine si vous voulez parler à mon mari, sauf le mercredi. Mais je vous avertis : on n'est pas très portés sur les assurances, lui et moi.

Sans même attendre que l'homme ait tourné les talons, Sylvie précède les jumeaux dans la maison.

— Voulez-vous une collation ? leur demande-t-elle d'un ton joyeux.

Avant de répondre, François et Dominic se jettent un coup d'œil.

— Pourquoi es-tu toute rouge, maman ? s'enquiert Dominic.

— C'était qui, le monsieur avec qui tu parlais ? questionne François.

* * *

Michel et Paul-Eugène ont passé une journée exténuante. Ils avaient à peine fini avec les policiers qu'ils ont entrepris de changer la poignée de porte du magasin. Après, les clients se sont succédé sans arrêt jusqu'à ce que Paul-Eugène ferme enfin le commerce.

D'après Michel et Paul-Eugène, aucun objet n'a disparu dans leur magasin. C'est à n'y rien comprendre. Quelqu'un est entré par effraction, mais il n'a rien pris. Cela déconcerte même les policiers. Fernand a dit à ses amis : « Vous allez finir par découvrir le pot-aux-roses. Croyez-moi, le voleur est venu dans un but précis. Il n'a pas fait ça juste pour rire. »

Comme Fernand a dû partir un peu plus tôt, Paul-Eugène et Michel se retrouvent tout fin seuls. Ce dernier se souvient alors que son beau-frère voulait lui parler de quelque chose.

— On va enfin pouvoir se parler en toute tranquillité, dit-il. C'était vraiment fou aujourd'hui. On ne savait plus où donner de la tête.

— Moi, ça m'a fait du bien. Ça m'a empêché de trop penser.

— Tu commences à m'inquiéter. Qu'est-ce qui t'arrive au juste ?

Paul-Eugène prend une grande respiration avant de se lancer. Il est encore sous le choc.

— Hier soir, Isabelle nous a annoncé, à Shirley et moi, qu'elle est enceinte de trois mois.

— Tu n'es pas sérieux, j'espère ! s'exclame Michel, l'air découragé. Pourtant, sa mère est infirmière ; Shirley l'a sûrement renseignée sur les moyens de contraception. Et puis, à ce que je sache, Isabelle n'a même pas de *chum*.

Paul-Eugène s'est fait les mêmes réflexions quand il a appris la nouvelle.

— Shirley a bien informé ses enfants quant aux moyens contraceptifs. Mais la pauvre Isabelle ne peut pas prendre la pilule, car ça la rend malade. Et c'est vrai qu'elle n'a pas de *chum*, mais elle sort avec un homme marié. Isabelle nous a juré que son amant et elle s'étaient toujours protégés, mais les préservatifs c'est comme autre chose : il y en a des moins résistants. Bref, dans six mois je vais être grand-père, sauf que c'est loin d'être la joie. Tu devrais voir Shirley ; elle est désespérée. Elle n'a pas fermé l'œil de la nuit.

Michel n'ose imaginer comment Sylvie réagirait s'il fallait que la même chose arrive à Sonia.

— Qu'est-ce que vous allez faire ? demande-t-il à son beau-frère.

— Je n'en sais absolument rien.

— Et Isabelle, dans tout ça ?

— Isabelle se promène entre la joie de porter l'enfant de celui qu'elle aime, même si elle n'a aucune chance de s'installer avec lui un jour, et la peine sans fond de gâcher sa vie.

Il y avait un bon moment que Paul-Eugène et Shirley avaient remarqué les émotions en dents de scie d'Isabelle, elle habituellement d'humeur égale. Et puis, la jeune fille attendait toujours que sa mère parte pour l'hôpital avant de se lever. Paul-Eugène s'était rendu compte qu'elle vomissait dès qu'elle prenait une bouchée le matin, mais chaque fois qu'il lui en parlait, Isabelle répondait qu'elle avait de plus en plus de problèmes de digestion. Comme Paul-Eugène n'a jamais côtoyé une femme enceinte d'aussi près, il ne s'est douté de rien. Ce n'est qu'hier qu'il a réalisé à quel point il avait été naïf.

— Est-ce que le père est au courant ?

— Non, et Isabelle refuse de nous révéler son identité. Mais ça ne changerait rien. Il paraît qu'il a déjà quatre enfants et qu'un cinquième est en route avec sa femme.

— Maudits hommes ! s'indigne Michel. Pourquoi faut-il que certains aient si peu de scrupules ? Il n'avait pas le droit de profiter d'une jeune fille qui débute sa vie.

— Garde ça pour toi, mais ce n'est pas la première fois qu'Isabelle a une aventure avec un homme marié. Je ne comprends pas ce qui l'attire là-dedans, mais je crois bien que tous les hommes qu'elle a fréquentés jusqu'à présent étaient mariés.

— C'est quand même elle la victime au bout du compte.

— Oui ! Et quand on joue avec le feu, tôt ou tard on finit par se brûler. J'aimerais mieux que tu n'en parles pas à Sylvie pour le moment. Tu comprends, tant qu'Isabelle ne saura pas ce qu'elle fera, c'est mieux qu'il n'y ait pas trop de monde au courant. Chez nous, il n'y a que Shirley et moi qui savons. Mais j'y pense... Isabelle a sûrement tout raconté à Sonia. Il faudrait que tu avertisses ta fille de ne rien dire.

— D'accord, mais Sonia est une vraie tombe. Si j'avais un secret à confier à quelqu'un, c'est à elle que je le dirais.

Michel réfléchit quelques secondes. Dernièrement, il a lu un article sur l'avortement. De prime abord, il est contre mais dans un cas comme celui d'Isabelle, il y penserait à deux fois avant de rejeter cette option du revers de la main.

— Avez-vous pensé à l'avortement ? s'informe-t-il. Shirley se...

Paul-Eugène s'écrie :

— Aussi longtemps que je vivrai, jamais je ne laisserai Isabelle se faire charcuter par un charlatan ! Et puis, l'avortement n'est même pas légal.

— Ne t'emporte pas comme ça ! Tu es rouge comme un coq. Je n'ai fait que poser une question.

Michel voit bien qu'il a touché une corde sensible.

— Viens, Paul-Eugène, je te paie une bière.

— Je te remercie, mais je ne serais pas de bonne compagnie. À demain !

Chapitre 19

Junior a été très surpris qu'Alain l'appelle pour l'inviter à souper. Quand il a demandé à son frère en quel honneur il voulait le recevoir, la réponse de celui-ci l'a beaucoup étonné.

— Violaine va être là. Lucie et moi avons pensé que ce serait plus plaisant pour elle si elle n'était pas toute seule avec nous. Et puis, étant donné que tu es célibataire, ça te ferait sûrement plaisir de passer une soirée en bonne compagnie. Tu te souviens d'elle au moins ? Mais ne t'emballe pas ; il n'y a aucune arrière-pensée de vous caser ensemble, Violaine et toi. Disons que c'est juste une soirée entre amis.

Junior n'a pas réfléchi longtemps avant de donner sa réponse. Il ne connaît pas beaucoup Violaine, sauf pour l'avoir vue aux soupers de famille, mais il l'aimait bien. Il se souvient que Martin ne tarissait pas d'éloges à son endroit. De toute façon, ça le changera de sa routine. Et pour une fois que son frère lui lance une invitation, il ne lui fera certainement pas faux bond.

— À quelle heure veux-tu que je sois chez vous ? Faut-il que j'apporte quelque chose ?

— Pointe-toi vers cinq heures. Tu n'as rien à fournir. Lucie a prévu faire un spaghetti italien, et j'irai acheter un pain de fesse. Il faut que je te laisse, car Hélène vient de se réveiller. À samedi, le frère !

Quand il raccroche, Junior sourit. C'est la première fois qu'il sent que son frère le considère comme son égal et non comme un enfant. Ça lui fait chaud au cœur. Il avait prévu une sortie avec une fille, mais il reportera le rendez-vous.

Junior sort sa guitare de son étui et descend au sous-sol. Il s'installe confortablement et commence à jouer.

Depuis qu'il est revenu de Toronto, Junior a déjà revu trois fois les gars avec qui il faisait de la musique après les cours. À chacune de leur rencontre, leur projet de former un groupe de musique est au centre des discussions. Même si deux d'entre eux chantent déjà, ils veulent s'adjoindre une chanteuse ; pour le moment, ils n'ont pas encore arrêté leur choix. Ce n'est pas une urgence, car il reste encore beaucoup de décisions à prendre : leur nom, leur style, leur répertoire… Chanteront-ils uniquement des traductions ou se risqueront-ils à écrire des chansons ? Un des membres du groupe compose. Pour le moment, il a fait entendre une seule de ses pièces – et ses compagnons ont dû beaucoup insister avant qu'il cède. De nature perfectionniste, il ne cesse de répéter que ses compositions ne sont pas encore prêtes à être écoutées.

Jamais Junior n'aurait pensé qu'il y avait tant de choses à organiser pour former un groupe. Et avant de monter sur scène, la route risque d'être longue si ses amis et lui n'y mettent pas plus d'efforts. La dernière fois qu'ils se sont vus, ils ont décidé de se réunir chaque jeudi soir. Étant donné que les trois autres habitent sur l'île et qu'il serait très difficile de déplacer le matériel du batteur, ils ont convenu de tenir les répétitions chez ce dernier. Heureusement, il habite dans une maison unifamiliale. Et son père a même isolé le sous-sol pour qu'il puisse jouer de la batterie à son aise – et aussi pour ne pas se mettre à dos tout le voisinage. On entend quand même un peu la batterie de l'extérieur, mais ça pourrait être bien pire.

Quand les gars ont su que Junior suivait des cours avec Daniel, ils l'ont trouvé très chanceux. Malgré son jeune âge, la réputation de Daniel le précède dans le milieu de la musique. Quand Junior a dit à ses amis qu'en plus Daniel lui enseignait gratuitement, ils l'ont doublement envié. Le jour où Sonia a rompu avec lui, Junior a bien pensé que c'en était fini de ses cours. À sa grande surprise, le lendemain soir, Daniel l'a appelé pour lui annoncer que s'il souhaitait poursuivre ses cours de guitare, il pourrait le recevoir chez lui. Évidemment, Junior a sauté sur l'occasion. La première fois qu'il est allé chez Daniel, il a dit à celui-ci qu'il était désolé de sa rupture avec Sonia. Le jeune homme a répondu :

— Tu n'as pas à être désolé ; tu n'as rien à voir là-dedans. Tu sais, la vie m'a appris que le bonheur a des hauts et des bas. J'ai passé d'excellents moments avec Sonia et je garderai toujours un très bon souvenir d'elle. Pour le reste, je vais finir par m'en remettre.

Junior comprend pourquoi Sonia a rompu avec Daniel. Sa sœur a besoin de pétillant dans sa vie. Elle n'est pas faite pour une vie calme et paisible. Non, il lui faut de l'action, des émois, et parfois même des revirements subits. Ce n'est qu'à cette condition qu'elle se sent vivante. Junior n'avait qu'à les regarder quand ils étaient ensemble, Daniel et elle, pour savoir que le temps viendrait où Sonia en aurait assez de la vie sans surprises que lui offrait son amoureux. Elle aimait Daniel, mais plus le temps passait, plus elle s'ennuyait. Sylvie croit que Sonia est instable, mais il n'en est rien. La jeune fille mord dans la vie, tout simplement.

Junior est fou de joie à la pensée qu'il fera partie d'un groupe. Il ignore encore où cette expérience le mènera, mais il a bien l'intention de s'y donner à fond. Selon Daniel, il joue de mieux en mieux. Et, toujours d'après lui, Junior joue de la même manière qu'il prend des photos, c'est-à-dire avec son cœur, avec toute la sensibilité dont il est capable. Junior nourrit toujours le projet de faire un spectacle avec son père. Il ne sait pas quand ni où, mais il fera ce qu'il faut pour que cela arrive. L'autre jour, Daniel lui a dit qu'il aimerait se joindre à eux. Cette nouvelle a réjoui Junior, mais il s'est demandé une fois de plus pourquoi son père et Daniel sont aussi attachés l'un à l'autre. Quand il les interroge à ce sujet, les deux hommes se dépêchent de changer de sujet. Junior en a même parlé à sa mère. Sylvie a répondu : « Tout ce que je peux te dire, c'est que j'aimerais bien le savoir moi aussi. »

Alors que Junior s'apprête à partir pour aller chez Alain, Sylvie déclare :

— Attends un peu. Je vais te donner des croquis pour Lucie.

— Et nous ? s'inquiète aussitôt Junior. Tu la connais : elle ne voudra pas nous en donner une seule bouchée.

Sylvie sourit. Junior ne laisse jamais passer une occasion de manger du dessert. Même si les croquis ne font pas partie de ses douceurs préférées, le garçon s'en accommode s'il n'y a rien d'autre.

— Tu peux avoir un sachet de gâteaux au caramel, si tu veux.

— Non, non ! réagit instantanément Junior. Je ne peux pas arriver chez mon frère avec ça. De quoi aurais-je l'air ?

— Est-ce que, par hasard, tu t'en irais à la chasse ? s'enquiert Sylvie en lui donnant une petite tape sur l'épaule.

En voyant Junior rougir, Sylvie devine qu'elle a visé juste. Sauf que cette fois, il ne s'agit pas de n'importe qui, mais de l'ancienne blonde de Martin. Elle ne peut pas laisser aller les choses sans intervenir.

— Non… balbutie Junior. Jamais je ne ferais une telle chose à Martin.

— J'aime mieux ça, observe Sylvie.

Puis, sur un ton plus léger, elle ajoute :

— Que dirais-tu d'apporter une tarte aux pommes ? Tu n'aurais qu'à la mettre au four en arrivant chez Alain.

— Là, tu parles !

Lorsque l'horloge se met à sonner la demi-heure, Junior enfile sa veste.

— Il faut vraiment que j'y aille. J'en ai au moins pour une bonne vingtaine de minutes de marche.

— Je peux te conduire là-bas, si tu veux. Va chercher une tarte dans le congélateur pendant que je prends mon sac à main.

Au moment où Sylvie revient dans la cuisine, quelqu'un sonne à la porte. Elle se demande qui peut bien se manifester à cette heure-là. Sa surprise est grande lorsqu'elle aperçoit un livreur portant un grand bouquet de fleurs. Elle est tellement certaine que l'envoi est pour Sonia qu'elle manque de crier à sa fille de venir la retrouver.

— Les fleurs sont pour madame Sylvie Pelletier, indique le livreur.

Ce dernier attend une réaction. Comme aucune ne vient, il répète son annonce. Sylvie finit par répondre :

— Je suis Sylvie Pelletier. Mais qui m'envoie ces fleurs ?

Sylvie est émue. C'est la première fois de sa vie qu'elle reçoit des fleurs des mains d'un livreur. Michel lui en offre de temps en temps, mais il les lui remet toujours lui-même.

— Il vous suffit de lire la petite carte. Au revoir, madame.

La seconde d'après, Sylvie se retrouve toute seule dans l'entrée, avec une grosse gerbe d'œillets dans les bras. L'expéditeur ne la connaît pas, sinon il n'aurait pas choisi cette fleur : Sylvie la déteste au plus haut point, elle lui donne même la nausée. Fronçant les sourcils, la mère de famille décide qu'il est temps de connaître l'identité de l'expéditeur. Elle dépose le bouquet sur la table de cuisine, puis elle ouvre la petite enveloppe. Sur la carte, il n'y a que ces deux mots :

Un admirateur.

Une partie de Sylvie est flattée, alors que l'autre est furieuse. Non seulement elle n'aime pas les œillets, mais elle ne sait même pas qui les a envoyés. « Pourquoi offrir des fleurs à une femme si on ne veut pas qu'elle sache de qui elles viennent ? » Regardant le bouquet, elle songe qu'il est hors de question qu'elle respire cette odeur de mort plus longtemps. Sylvie crie à Sonia de venir dans la cuisine.

Quand la jeune fille voit les fleurs, un large sourire apparaît sur son visage.

— Est-ce qu'elles sont pour moi ? demande-t-elle joyeusement.

— Oui, parce que je te les donne à la condition que tu les gardes dans ta chambre. Non, parce qu'elles étaient pour moi.

— Wow ! Qui te les a offertes ? Ce n'est sûrement pas papa, car il sait à quel point tu détestes les œillets. Ne me fais pas languir, je veux tout savoir.

Sylvie fait la moue.

— Il n'y a pas grand-chose à dire. Je ne sais même pas qui les a expédiées. Lis la carte, tu vas voir.

— Tu n'as vraiment aucun soupçon ? s'étonne Sonia.

— Non, pas du tout. Allez, débarrasse-moi vite de ces fleurs. Sinon, je les jette.

— Il n'est pas question qu'elles finissent dans la poubelle ! Elles sont beaucoup trop belles pour ça.

— Je vais conduire Junior chez Alain et je reviens. Je t'avertis : si les œillets sont encore sur la table à mon retour, je m'en débarrasserai.

Junior ne manque pas de taquiner sa mère jusqu'à ce qu'il descende de l'auto. Elle a beau lui répéter qu'elle n'a aucune idée du nom de son admirateur, il lui dit qu'il finira bien par le savoir.

Sylvie sourit : elle est enfin seule, ce qui lui permettra de réfléchir tranquillement. Une chose est claire : elle n'a pas fini de se faire agacer par les enfants – et par Michel aussi, naturellement. Elle revoit la scène dans sa tête. Plutôt que de sauter de joie en voyant le bouquet, elle a concentré son attention sur les fleurs alors qu'elle aurait dû s'arrêter à l'intention cachée derrière l'envoi de celles-ci. Il lui arrive parfois de réagir d'une drôle de façon – comme aujourd'hui, d'ailleurs. Elle a été incapable de savourer tout le plaisir que le fait de recevoir des fleurs lui a donné. De surcroît, c'était la première fois qu'on lui en expédiait par livraison. À part sa sœur Chantal, à qui Xavier fait régulièrement parvenir des fleurs, elle ne connaît pas d'autres femmes à qui cela est arrivé.

Sylvie repasse en mémoire tous les hommes qu'elle connaît, même ceux de l'ensemble lyrique. Elle ne voit vraiment pas de qui les fleurs peuvent venir. À force de se creuser les méninges, elle passe à un cheveu de brûler un feu rouge. Quand elle aperçoit une voiture de police au carrefour suivant, elle s'essuie le front. Cette fois, elle l'a échappé belle. « Je serais peut-être mieux de réviser ma façon de conduire. Je ne me suis pas encore remise de la contravention que j'ai reçue l'autre jour. »

Quand Sylvie entre dans sa cour, elle se souvient que la carte était signée *Un admirateur*. « Au nombre de personnes qui sont venues voir les spectacles de l'ensemble lyrique, je n'ai aucune chance de savoir de qui il s'agit. Bon, tant pis, c'était quand même très gentil de la part de cette personne. » Au moment d'entrer dans la maison, elle songe qu'il est quand même bizarre que cet admirateur ne se soit pas manifesté avant.

Dans la cuisine, il n'y a plus aucune trace des fleurs. Seule une subtile odeur de mort flotte dans l'air. Sylvie frissonne ; elle se dépêche d'aller ouvrir la fenêtre.

* * *

Il y a déjà un bon moment que Sonia parle au téléphone avec Isabelle. En plus d'avoir fermé sa porte de chambre, la jeune fille s'est assise dans la garde-robe aussitôt qu'elle a entendu fermer la porte d'entrée. Il n'est pas question que sa mère écoute sa conversation.

Si Isabelle ne prend pas rapidement une décision en ce qui concerne le bébé qu'elle attend, elle devra se résoudre à le rendre à terme. Et ensuite, elle devra trancher entre le garder ou le donner en adoption.

— Maman refuse de m'aider si je choisis de me faire avorter. Elle dit que c'est beaucoup trop dangereux et qu'en plus c'est illégal. Mais la vraie raison, c'est que c'est contre ses valeurs de tuer la vie qui se développe en nous.

— Il faut la comprendre : après tout, elle est infirmière. Elle a l'habitude de sauver les gens, pas de mettre fin à leurs jours.

— Je veux bien croire, mais elle n'a pas le droit de m'empêcher de me débarrasser du bébé si c'est ce que je décide.

— Mais tu n'es pas encore majeure, alors elle peut tout décider pour toi.

— Ce n'est pas une raison pour refuser de m'aider. Sais-tu ce qu'elle m'a proposé ?

Isabelle ne se donne pas la peine d'attendre que son amie réponde avant de poursuivre.

— Eh bien, je pourrais aller passer quelques mois chez une de ses cousines à Toronto. Évidemment, je ne reviendrais à Montréal qu'une fois que le bébé aurait été adopté par une charmante famille anglaise sans reproche. Mais je n'ai aucune envie d'aller me cacher à Toronto pendant six mois.

Sonia essaie de comprendre son amie, mais elle n'y parvient pas. Dans six mois, si elle va jusqu'au bout de sa grossesse, Isabelle donnera naissance à un bébé. Mais à son âge, comment pourrait-elle faire pour s'occuper d'un enfant alors qu'elle gagne à peine quelques dollars en travaillant dans un magasin ? « Il faut quand même être réaliste ! »

— Il va pourtant falloir que tu finisses par prendre une décision, laisse tomber Sonia. Si tu pouvais faire ce que tu veux, que choisirais-tu ?

— Tu veux vraiment le savoir ? s'enquiert Isabelle. C'est simple : je ne voudrais pas être enceinte. Tu comprends, je me sens prise au piège et je…

Isabelle soupire un bon coup avant de poursuivre.

— Pour ne rien te cacher, je suis totalement désespérée. J'ai tellement mal au cœur le matin que je ne mange presque plus. Et puis, ma mère ne me lâche pas. Dès que je me retrouve seule avec elle à la maison, elle en profite pour me dire à quel point je la déçois. Comme si elle n'avait jamais commis d'erreurs de toute sa vie ! Tu sais, j'ai très envie de lui jeter au visage le fait qu'elle s'est laissée battre par mon père pendant des années avant de se décider à partir.

Cette manière de parler ne ressemble guère à Isabelle. Mais avec ce qu'elle traverse, une telle attitude est sûrement normale.

Voilà déjà plusieurs secondes que le silence s'est installé entre les deux amies. Que dire de plus quand on est confronté à un problème dont la solution ne peut satisfaire personne ? Sur le point de prendre congé d'Isabelle, Sonia pense à quelque chose.

— Attends ! J'ai peut-être une idée. Si tu veux, on pourrait aller voir tante Irma et Lionel. On ne sait jamais, ils pourraient peut-être t'aider. Si tu veux, je les appelle tout de suite et je leur demande quand ils pourraient nous recevoir.

Sonia ne le voit évidemment pas, mais un pâle sourire est apparu sur les lèvres de son amie. Rendue au point où elle en est, Isabelle veut tenter sa chance. Si quelqu'un pouvait lui éviter d'aller s'échouer à Toronto, ce serait déjà bien. En plus, elle ne peut pas compter sur le soutien du père de son enfant. D'ailleurs, celui-ci n'est même pas au courant de sa grossesse. Isabelle croit qu'il est inutile de le prévenir. Il y a déjà un mois qu'elle ne répond plus à ses appels. Reste à voir maintenant comment elle pourra se sortir de cette pénible situation.

— Je veux bien. Comme on dit, le plus tôt sera le mieux.

— Oui mais, depuis qu'ils ont déménagé à la campagne, il faut absolument aller les voir en auto.

— Ce n'est pas vraiment un problème pour moi. Je suis certaine que si je demande à Paul-Eugène de nous conduire là-bas, il va accepter avec plaisir. Il fait encore plus attention à moi depuis qu'il sait que je suis enceinte. Ma famille a beaucoup de chance de l'avoir. En tout cas, moi je l'apprécie énormément.

Sonia a raccroché depuis quelques minutes déjà, mais elle est toujours assise dans sa garde-robe, le téléphone à la main. Ce qui arrive à Isabelle la bouleverse au plus haut point. Sonia trouve la situation terrible pour son amie mais, en plus, cela l'amène à penser à Martine, sa mère biologique. La réalité d'Isabelle ressemble peut-être étrangement à celle qu'a vécue sa mère au moment de sa grossesse. Sonia a le cœur gros. « J'ai peut-être été trop dure avec Martine. » Ce qu'elle vit actuellement à travers Isabelle la rapproche de sa mère biologique d'une certaine façon, et rend cette dernière plus fragile à ses yeux. En étant témoin du désespoir sans cesse grandissant de son amie, Sonia peut avoir une idée de ce qu'a dû traverser sa mère. De grosses larmes coulent silencieusement sur ses joues. Alors que la jeune fille pensait avoir réglé toute les questions relatives à sa naissance, voilà qu'elle n'est plus sûre de rien. Elle en arrive même à croire qu'elle pourrait revoir sa position de ne jamais se manifester à Martine comme étant sa fille.

Sonia ne pourrait pas dire depuis combien de temps elle se trouve dans sa cachette. Des petits coups frappés à la porte de sa chambre mettent brusquement fin à son errance au cœur du secret qu'Isabelle vient de réveiller sans même le savoir. Elle s'essuie les yeux, se racle la gorge et émet d'une toute petite voix :

— Entre, Junior.

Mais elle s'est trompée. Ce n'est pas Junior qui apparaît lorsque la porte s'ouvre, mais tante Irma.

— Je t'ai bien eue ! s'exclame joyeusement la visiteuse en refermant la porte derrière elle. Mais qu'est-ce que tu fais dans le fond de ta garde-robe ?

L'air de Sonia l'inquiétant, Irma se rend auprès de la jeune fille. Elle lui tend ensuite les mains et lui dit doucement :

— Viens que je te serre dans mes bras, ma belle fille.

De longues minutes s'écoulent avant que Sonia cesse enfin de pleurer. Elle ne peut pas expliquer en détails pourquoi elle a tant de peine, mais une chose est sûre : il faut qu'elle repense à sa décision de ne jamais révéler à Martine qu'elle est sa fille. Ces derniers mois, elle n'a rien fait pour se retrouver seule en la compagnie de cette dernière. Il faut avouer que le déménagement de sa grand-mère à Longueuil lui a grandement facilité les choses. Avant, les Pelletier se rendaient au moins deux fois par année à Jonquière, alors que maintenant ce sont plutôt les gens de là-bas qui se déplacent. La semaine passée, Sonia a conversé au téléphone avec Martine. Celle-ci a demandé à parler à Michel. Mais avant, elle en a profité pour lui apprendre sa grande nouvelle : sa famille et elle déménageront bientôt à Saint-Jean-Vianney, dans leur nouvelle maison.

Quand Irma sent que Sonia est plus calme, elle la regarde dans les yeux.

— Est-ce que ça va mieux ?

La jeune fille s'efforce de sourire. Elle respire profondément, puis elle déclare :

— Il faut que je vous parle de quelque chose, mais pas ici.

— J'ai tout mon temps. Pendant que tu te prépares, je vais aller voir ta mère.

Sonia a tellement confiance en sa tante qu'elle ne juge pas nécessaire de lui demander de ne rien dire à Sylvie.

Chapitre 20

Lorsque Michel voit entrer son client qui est si friand de sabres japonais, il s'écrie d'une voix cordiale :

— Bonjour ! Je commençais à me demander si vous aviez eu mon message… Je l'ai laissé à une femme.

— Oui, oui, mais j'ai beaucoup travaillé ces dernières semaines. J'ai tellement hâte de voir ce que vous m'avez déniché.

— Ah ! Je pense que vous allez être content. Je vais vous chercher les trois sabres. Franchement, ils sont encore plus beaux que ceux que je vous ai déjà vendus.

Michel se dirige vers une grande commode près de la caisse ; c'est toujours là qu'il range les sabres. Il ouvre le premier tiroir, mais il est vide. Il est pourtant certain de les avoir mis là. Il ouvre le deuxième, puis le troisième et même le quatrième : aucune trace des sabres. Il se gratte la tête. Il n'y comprend rien. « Il y a quelque chose qui ne marche pas. »

Michel se tourne vers son client.

— Donnez-moi une minute. Les sabres ne sont plus là où je les avais laissés. Je vais aller vérifier auprès de mon associé.

Au moment où Michel saisit la poignée de la porte de l'atelier, Paul-Eugène fait son apparition.

— Je voulais justement te parler, déclare Michel. Est-ce que par hasard tu aurais changé les sabres de place ? Je ne les trouve plus.

— Non ! répond Paul-Eugène. Tu sais que je ne veux même pas les toucher. Je me souviens très bien où tu les as placés, par exemple. Ils sont dans le premier tiroir de la grosse commode.

— C'est justement ça le problème : ils n'y sont plus.

— Attends, je vais aller demander à Fernand s'il les a déplacés… On ne sait jamais.

Évidemment, Fernand n'est au courant de rien – ce qui est normal puisqu'il passe la majorité de son temps dans l'atelier. En plus, son intérêt envers les sabres est quasi inexistant.

— Écoutez, explique Michel à son client, je suis désolé mais je ne trouve pas les sabres. Je ne sais pas ce qui s'est passé. Mais je me souviens les avoir montrés à un homme un vendredi soir. J'allais fermer le magasin quand il est entré en coup de vent. Il m'a demandé si j'avais des sabres à vendre. Je lui ai dit que j'en avais trois, mais qu'ils étaient réservés. Il a insisté pour que je les lui montre, ce que j'ai fait. On aurait dit qu'il tenait le plus beau des trésors entre ses mains. Il les a regardés sous toutes leurs coutures sans tenir compte du temps qui passait. Il était presque dix heures quand je suis rentré chez nous. Mais j'y pense… C'est ce soir-là que quelqu'un est entré par effraction dans le magasin. On a eu beau chercher, on n'a jamais trouvé ce qu'on s'était fait voler.

Plus Michel réfléchit, plus les morceaux du casse-tête se mettent en place. Finalement, tout devient clair comme de l'eau de roche pour lui.

— Pas possible... murmure-t-il pour lui-même. Cet homme serait venu voler les trois sabres ?

Le client a écouté attentivement Michel. Après avoir entendu ses dernières paroles, il commente :

— Ce que vous venez de dire est plein de sens. Je ne sais pas sur quoi vous aviez mis la main exactement, mais si le type a pris autant de temps pour examiner les sabres, je parierais que c'était de très belles pièces. Pourriez-vous me décrire l'homme en question ?

— Malheureusement non ! Je ne lui ai pas porté une grande attention. Entre vous et moi, j'ai plus de facilité à me rappeler les belles femmes !

— Avez-vous appelé la police ?

— Oui, répond Paul-Eugène, mais comme on ne savait pas ce qu'on s'était fait voler, notre dossier a été vite classé.

— Mais je les ai en photos, les sabres ! s'exclame soudainement Michel.

Le jour où il est revenu au magasin avec les trois sabres, Junior est passé le voir. Évidemment, Michel lui a montré ses dernières acquisitions. Le jeune homme a trouvé les sabres si beaux qu'il les a photographiés. Junior n'en finissait plus de les disposer différemment afin de les mettre toujours plus en valeur. Il a déclaré : « Avec de tels objets, mes chances sont excellentes de remporter au moins la troisième place. » Depuis, Michel n'a pas réentendu parler du concours.

Junior, un de mes fils, les a photographiés pour un concours de photo, reprend Michel.

— Si quelqu'un a pris la peine de venir les voler, ils ne doivent pas être ordinaires, formule le client. Si j'étais à votre place, je déposerais une nouvelle plainte à la police. Si vous voulez, je pourrais même donner aux policiers un aperçu de la valeur des sabres si vous me montrez la photo.

— Mais pourquoi feriez-vous ça ? demande Paul-Eugène, les sourcils froncés.

— Parce que ce n'est pas la première fois que des armes japonaises sont volées. En plus, j'ai ma petite idée sur l'identité du voleur. S'il s'agit bel et bien de celui à qui je pense, eh bien je crois qu'il serait grand temps que quelqu'un l'arrête.

Puis, à l'intention de Michel, il ajoute :

— Pourriez-vous demander à votre fils de faire tirer une autre photo des sabres ?

— Oui. Aussitôt que je l'ai, je vous appelle.

— Ce serait préférable d'avoir deux exemplaires de la photo, soit une pour vous et une pour la police.

* * *

Il y a bien longtemps que Sylvie n'a pas été aussi contente de voir sa sœur Ginette, à tel point que celle-ci le remarque.

— Qu'est-ce qui se passe avec toi ? demande-t-elle d'un air soupçonneux en entrant dans la maison.

— Rien de particulier, répond Sylvie en haussant les épaules. Je suis heureuse de te voir et j'ai très hâte d'en savoir plus sur ton nouveau travail.

Aussitôt, Ginette s'anime ; elle oublie sur-le-champ que Sylvie est plus chaleureuse que d'habitude avec elle. Elle ne prend même pas le temps d'enlever son manteau avant d'entamer son récit :

— Ce travail a changé ma vie ! Je me demande comment j'ai fait pour passer autant d'années enfermée entre mes quatre murs. Tu sais à quel point je déteste me lever le matin, eh bien c'est l'emploi parfait pour moi. Je travaille à partir de quatre heures. Je peux dormir tout mon soûl et prendre mon temps. Vraiment, je ne pourrais pas demander mieux. J'aime tellement mon boulot que j'arrive toujours une bonne demi-heure à l'avance, ce qui fait rire le directeur. Je rencontre des gens intéressants et j'apprends un tas de choses.

Ginette s'arrête quelques secondes pour reprendre son souffle, puis elle poursuit :

— Et tu ne sais pas la meilleure : je reçois sans cesse des compliments. Tu n'as pas idée du bien que ça me fait. Je flotte sur un nuage !

— Je suis vraiment contente, se réjouit Sylvie en souriant. Il était temps que le vent tourne pour toi.

— Tu as bien raison. Je n'ai pas un gros salaire, mais je gagne suffisamment pour nous aider à nous sortir du trou. Je ne te remercierai jamais assez de m'avoir aidée.

— Tout ce que j'ai fait, c'est t'appeler pour te dire où aller donner ton nom. Tout le mérite te revient d'avoir obtenu le poste.

— C'est très gentil de ta part, mais ton amie avait très bien préparé le terrain. C'était gagné d'avance. En tout cas, je lui dois une fière chandelle. Dès que j'aurai un peu plus de sous, je vais lui acheter un cadeau.

— Ce n'est pas nécessaire. Tu lui as déjà téléphoné pour la remercier ; Éliane n'en attend pas plus de ta part.

— J'ai vraiment l'impression d'avoir changé de vie et, franchement, ça me plaît beaucoup.

Sylvie doit remonter très loin en arrière pour se souvenir de la dernière fois où Ginette a fait preuve d'un tel enthousiasme. On dirait qu'elle n'est plus la même personne. Et puis, Sylvie mettrait sa main au feu que sa sœur a maigri. Certes, tous les problèmes de Ginette ne se sont pas envolés d'un coup, mais le simple fait que son moral se porte mieux lui fait voir la vie sous un autre jour. Elle a l'air tellement heureuse que Sylvie a du mal à se rappeler tout ce qu'elle a fait endurer à son père et à Suzanne, et à elle aussi. Quand elle a raconté à Camil à quel point Ginette était en train de changer, il s'est exclamé : « Si tu savais à quel point j'ai prié pour qu'elle revienne à de meilleurs sentiments. Ce soir, j'irai à la messe pour remercier Dieu. » Si Sylvie n'avait pas déjà été assise, elle se serait sûrement laissée tomber sur sa chaise. Son père devait vraiment être désespéré. La relation de celui-ci avec les hommes d'Église est meilleure que la sienne, mais cela a quand même été toute une surprise pour Sylvie de l'entendre. L'insistance acharnée d'un curé a quand même entraîné dans la mort celle que Camil aimait de toutes ses forces.

— Et je ne sais pas si tu as remarqué, mais j'ai maigri, annonce fièrement Ginette. J'ai perdu huit livres en deux semaines. Je n'ambitionne pas de ressembler à ta fille, mais je pourrais perdre un bon 50 livres sans risquer d'avoir l'air d'un chicot.

— Je ne savais pas comment te le dire, mais j'avais remarqué que tu avais perdu du poids.

— Crois-moi, c'est seulement le commencement. Le simple fait de travailler m'a redonné le goût de m'occuper de moi. Vois-tu, maintenant, j'ai une raison de me lever, et de mieux manger aussi. Même mon mari ne me reconnaît plus. Hier, il m'a dit que me voir sourire lui redonnait confiance en la vie. Il s'est même remis à la recherche d'un emploi.

Puis, sur un ton plus bas, elle ajoute :

— À force de parler, j'ai la gorge toute sèche. Aurais-tu quelque chose à boire ?

— Bien sûr ! J'ai du Coke, de la liqueur aux fraises, du lait, du café. J'ai même du Kool-Aid aux cerises. Et du gin, si tu veux.

— Pas d'alcool pour moi ! Je n'ai pas envie de perdre mon travail. Je vais peut-être te paraître bizarre, mais je prendrais un grand verre de Kool-Aid avec de la glace. Ça va me rappeler des souvenirs.

Sylvie se met à rire. Quand Ginette était petite, le Kool-Aid aux cerises était sa boisson préférée. Les jours de canicule, elle pouvait en boire tout un pichet. Assise à l'ombre du grand chêne, elle avalait verre après verre jusqu'à ce qu'elle voie le fond du pot. Sylvie avait beau lui dire qu'elle n'était pas obligée de tout boire d'un coup, mais rien n'y faisait. Petite, Ginette souffrait déjà de démesure, et pas seulement en matière de Kool-Aid aux cerises. Peu importe ce qu'elle faisait, tout semblait exagéré aux yeux de Sylvie – qui était, et est toujours, tellement raisonnable.

— Comme tu veux. Moi, je vais me faire un café. Je n'ai jamais compris pourquoi tu aimais tant le Kool-Aid.

— Je ne le sais pas moi-même. C'est la même chose pour les *hot chicken*. J'adore ça alors que c'est une vraie pénitence pour mon mari chaque fois que j'en sers. Étant donné qu'on parle de nourriture, ça me fait penser que j'oublie toujours de te demander ta recette de cubes de porc que tu avais préparée quand on s'est tous retrouvés ici avec papa et Suzanne.

Jamais Sylvie ne pourra oublier une seule minute de cette soirée mémorable où le vent a enfin tourné pour sa famille. Chaque fois qu'elle fait les fameux cubes de porc en question, elle y repense. Mais alors, elle se bute toujours aux mêmes questions. Qu'est-ce qui a bien pu faire changer d'idée Ginette ? Qu'est-ce qui l'a fait revenir sur ses pas si rapidement ? « Il serait peut-être temps de lui poser la question. »

— Je fais tellement souvent cette recette que je la connais par cœur. Je vais te donner un papier et un crayon et tu n'auras qu'à la noter.

Alors que Sylvie s'apprête à se rasseoir, la bouilloire se met à siffler. Elle se dirige vers l'évier. Elle prend une tasse dans l'armoire, met deux bonnes cuillères à thé de café instantané dedans et une cuillère à thé rase de sucre. Elle verse ensuite l'eau bouillante et un nuage de lait. Comme si le fait d'être dos à sa sœur lui donnait du courage, elle se lance :

— Je me suis toujours demandé pourquoi tu avais viré ton capot de bord ce jour-là, surtout à une si grande vitesse.

— Amène-toi avec ton café, et je vais tout t'expliquer. D'abord, je veux que tu saches que si tu m'avais posé la même question il n'y a pas longtemps, j'aurais été incapable de te répondre parce que je refusais de voir la vérité en face. Le lendemain du fameux souper, je suis allée visiter mon fils en prison ; il m'a dit à quel point il avait peur. Peur d'être là, en prison. Peur de ne pas y arriver une fois dehors. Peur de retomber. Je ne peux même pas te dire l'effet que ce simple mot m'a fait. Pendant mon retour à la maison, j'ai repensé au fameux souper de la veille. J'ai alors compris qu'au fond j'étais morte de peur, même lorsque je m'en prenais allègrement à papa. J'étais trop peureuse pour faire face à mes problèmes. J'aimais mieux m'occuper l'esprit à autre chose pour ne pas les voir. Ce soir-là, quand tu nous as présenté ton ami avocat, j'avoue bien humblement que j'ai pris peur. Je savais que j'avais dépassé les bornes depuis longtemps. Aussi, je ne voulais pas me retrouver en prison comme mon fils ; je ne l'aurais pas supporté. Le soir du souper, quand je m'étais retrouvée toute seule dehors, j'avais réalisé que c'était l'occasion de battre en retraite. J'en voulais terriblement à papa d'avoir donné mon argent à mes enfants, mais la seule personne qui était responsable de mes malheurs c'était moi. Tout aurait été tellement plus simple si j'avais accepté son invitation.

Les confidences de sa sœur étonnent Sylvie au plus haut point. L'idée que Ginette ait agi par peur lui avait bien effleuré l'esprit une ou deux fois, mais jamais elle n'aurait pensé que toute sa vie reposait sur cette émotion. Elle en a honte aujourd'hui, mais elle croyait dur comme fer que Ginette agissait par pure méchanceté.

— Je comprends mieux mainte…

Ginette pose sa main sur le bras de sa sœur.

— Attends, je n'ai pas terminé. Je veux que tu saches que je regrette ce que j'ai fait endurer à papa et à toute la famille, même à ceux que j'ai entraînés dans ma folie. J'ai été une vraie harpie. En fait, j'en voulais à la terre entière pour tout ce qui m'arrivait. J'avais l'impression d'être prise dans un tourbillon sans fin. Chaque jour, je m'enfonçais un peu plus. J'enviais tous ceux qui avaient une vie meilleure que la mienne. Par-dessus tout, je t'en voulais de toutes mes forces parce que tu te mettais toujours en travers de mon chemin.

Sans laisser le temps à Sylvie de digérer ses confessions, Ginette reprend la parole.

— Le soir du souper, le monde que je m'étais construit pour passer à travers ma misère a été ébranlé. Tu ne peux même pas t'imaginer à quel point j'étais désemparée. Quand Ghislain m'a laissée chez moi, j'ai vraiment hésité entre rentrer chez moi et aller me jeter du haut du pont Jacques-Cartier. Je me répugnais. Ne me demande pas pourquoi, mais j'ai fini par retourner à la maison. Pour une fois, mon mari était encore debout. Il est venu vers moi et, quand il a vu mon expression, il m'a prise dans ses bras et m'a caressé le dos en silence. J'ai pleuré comme une Madeleine jusqu'à ce que je tombe de fatigue. La femme si forte, en apparence, venait de mourir.

Non seulement Sylvie est surprise, mais elle se reproche de s'être montrée aussi sévère envers sa sœur. Si elle avait su, elle aurait agi différemment.

Ginette précise, comme si elle avait lu dans les pensées de son interlocutrice :

— Personne ne pouvait rien faire pour moi, tant et aussi longtemps que je ne décidais pas de changer d'attitude. Crois-moi, s'il y en a une qui a fait beaucoup pour moi, c'est toi. Une chance que tu étais là d'ailleurs pour protéger papa, parce que je ne sais pas jusqu'où je serais allée. J'en étais venue au point où je me sentais invincible.

Ces paroles donnent la chair de poule à Sylvie. Elle se demande comment une personne sensée peut en venir à agir si mal avec les personnes qui l'aiment le plus. Sylvie ne porte pas de jugement, c'est seulement qu'elle ne comprend pas un tel comportement.

— Je dois te paraître bien méchante, reprend Ginette, et tu as raison de le croire parce que je l'ai été. Mais je ne peux pas revenir en arrière. Tout ce que je peux faire maintenant, c'est prouver à tout le monde que je suis aussi capable du meilleur.

Puis, sans transition, elle lance :

— Vas-y, je t'écoute. Tu peux maintenant me dicter ta recette de cubes de porc.

* * *

Il fait un vrai temps d'automne : le ciel est gris et il pleut des trombes d'eau. Cela n'a rien pour déplaire à Michel. Il adore la pluie. Mais par-dessus tout, la pluie le ramène loin derrière. Il aimait aller s'installer au grenier pour l'entendre tomber sur le toit de tôle de la maison. La pluie lui rappelle aussi les longues heures qu'il a passées à se bercer les jours d'orage ou quand quelque chose le titillait. D'ailleurs, quand il est sorti de chez sa dernière cliente avec, sous le bras, une belle vieille chaise berçante comme celle de son enfance, il s'est demandé pourquoi il n'avait pas un tel meuble chez lui. C'est probablement parce que Sylvie déteste les antiquités. On dirait que depuis que sa mère s'est débarrassée de tout ce qui lui rappelait son enfance, Michel devient nostalgique.

Regardant dans son rétroviseur, il jette un coup d'œil à la chaise. Michel a de plus en plus envie de l'apporter chez lui. Alors qu'il s'apprête à prendre la direction du magasin, il décide de se rendre chez lui. Il ignore totalement comment Sylvie réagira, mais une chose est certaine : il veut avoir une chaise berçante dans la maison et il l'aura. Il se gare dans la cour et sort le trésor de son auto.

Quand il tourne la poignée de la porte, Sylvie sursaute. Installée confortablement dans le fauteuil de Michel, elle était perdue dans ses pensées. Elle va vite voir qui vient d'entrer.

Lorsqu'elle aperçoit son mari avec une chaise berçante dans les bras, elle se demande bien ce qu'il fait là. Avant même qu'elle pose la moindre question, Michel dit :

— Il y a longtemps que je voulais une chaise berçante. Regarde comme elle est belle ! J'ai pensé qu'on pourrait la mettre dans la cuisine.

Sans attendre la réaction de Sylvie, Michel s'exécute. Puis, il recule pour avoir une meilleure vue d'ensemble.

— Elle est parfaite à cet endroit, commente-t-il. Bon, il faut vite que je retourne au magasin avant que Paul-Eugène lance la police à mes trousses. Parlant de police, je te raconterai ce soir les derniers développements concernant le vol qui a eu lieu au magasin.

Michel embrasse rapidement sa femme sur les lèvres. Il repart aussi vite qu'il est arrivé.

Sylvie regarde la fameuse chaise berçante ; elle ne peut s'empêcher de faire la grimace. Elle sait bien que ce sont les antiquités qui la font vivre, mais ce n'est pas une raison suffisante pour qu'elle commence à les aimer – encore moins pour en remplir la maison.

Attirée par elle ne sait trop quoi, Sylvie s'assoit sur la chaise berçante. Sans vraiment s'en rendre compte, elle commence à se bercer. Des tas de souvenirs d'enfance lui reviennent alors en mémoire. Sa mère pouvait passer des heures à bercer ses enfants chacun leur tour. Il n'y avait pas de meilleurs moments que ceux que Sylvie passait collée contre sa mère à se faire chanter des berceuses. Les paroles de celles-ci remontent graduellement à la surface. Sylvie se met à fredonner la première chanson d'une longue série. C'est ainsi que les jumeaux trouvent leur mère quand ils reviennent de l'école.

— Depuis quand on a une chaise berçante, maman ? demande Dominic.

— Depuis que ton père en a apporté une. Tu devrais l'essayer. C'est vraiment très plaisant de se bercer.

— Non ! s'écrie-t-il. Une chaise berçante, c'est pour les vieux, pas pour les enfants !

— Moi, je veux l'essayer, dit François. Je me berçais toujours quand on allait chez grand-maman, à Jonquière.

— En tout cas, moi, je suis allergique aux chaises berçantes. Ça m'endort.

Sylvie cède sa place à François. Ce dernier affiche un grand sourire dès qu'il s'assied sur la chaise. À son tour, Sylvie sourit. Elle sait d'ores et déjà que la chaise berçante sera populaire.

Après avoir vérifié l'heure, Sylvie se dépêche de mettre son tablier. Elle dispose de moins d'une heure pour préparer le souper. Elle ouvre le réfrigérateur et sort un gros paquet de viande hachée. Pendant que celle-ci finira de décongeler dans l'eau froide, elle épluchera les patates. Même si cela implique que la famille se mettra à table un peu plus tard que d'habitude, Sylvie décide de s'en tenir à son menu. Elle fera un gros pâté chinois.

Chapitre 21

Junior est si heureux de ce qu'il vient de lire qu'il saute au cou de sa mère.

— Je le savais ! s'exclame-t-il. Les sabres de papa m'ont valu le premier prix du concours. Ça, c'est une bonne nouvelle !

— Je te félicite ! clame Sylvie. Chaque fois que tu participes à un concours, tu es toujours parmi les trois premiers.

— Oui ! Ce n'est pas pour me vanter, mais depuis le temps que j'envoie des photos à des concours, c'est arrivé seulement deux fois que je n'aie pas été parmi les gagnants... et c'était au début. Mais j'espère que papa n'a pas vendu les sabres. J'aimerais bien faire d'autres photos. Tu devrais voir à quel point ils sont beaux.

— Ta photo leur fait vraiment honneur.

— Ce sont de vraies œuvres d'art.

Junior a de quoi être fier de lui. Chaque concours gagné augmente sa notoriété. Sa tante Chantal lui a dit : « Le jour où tu te chercheras un emploi, ça t'aidera. » D'ailleurs, elle lui a conseillé de commencer à proposer ses services comme photographe à des journaux. « On ne sait jamais. Un journal pourrait décider de t'essayer pendant les vacances de Noël, par exemple. À ta place, je ne tarderais pas. » Cette fois, il a remporté un chèque de cent dollars. Il ira le déposer sur son compte jeudi. S'il continue à épargner, il pourra s'acheter une moto au printemps. Il ne l'a révélé à personne encore, pas même à Sonia. Sa sœur et lui ont été si occupés chacun de leur côté qu'ils n'ont pas eu une seule minute pour se parler, sinon aux repas. Quand Junior est allé souper chez Alain, un des amis de ce dernier est passé le voir en moto. Évidemment, les deux frères sont allés voir de près l'engin. Ils se sont même assis dessus. C'est là que Junior a eu la piqûre et qu'il a décidé de s'acheter une moto. Mais il n'est pas pressé de l'annoncer à ses parents. La vie lui a appris qu'il vaut mieux taire certaines choses le plus longtemps possible. D'ici là, il ira se faire faire un tatouage sur le bras. Même s'il n'a pas encore choisi le motif, il sait au moins qu'il se montrera moins conservateur qu'Alain. Surtout pas de papillon pour lui !

— Si tu n'as pas besoin de moi, maman, je vais aller jouer de la guitare jusqu'à l'heure du souper.

— Pars en paix ! Il ne reste qu'à dresser la table.

Au moment où Junior sort de la cuisine, un bruit de verre cassé se fait entendre en provenance du salon. Sylvie ne prend même pas le temps de s'essuyer les mains ; cette dernière sait d'avance qu'elle n'aimera pas ce qu'elle découvrira. Elle bouscule Junior au passage. Sylvie ne s'est pas trompée : son plat à bonbons en verre taillé gît en mille morceaux sur le plancher du salon. Elle se retient de toutes ses forces pour ne pas secouer le coupable par la peau du cou. Mais pour réagir ainsi, il faudrait d'abord qu'elle sache lequel des jumeaux a fait le coup. L'air pantois, François et Dominic fixent leur mère sans bouger d'un poil. Ils savaient très bien qu'ils n'avaient pas le droit de toucher au plat, mais la tentation a été trop forte. Ils n'ont pu résister plus longtemps à l'envie de croquer une des pipes en réglisse noire contenues dans le plat. Si Sylvie avait des fusils à la place des yeux, les jumeaux seraient déjà morts. Elle doit faire un effort surhumain pour se contenir afin de ne pas dire des choses qu'elle pourrait regretter. Elle est tellement furieuse qu'elle en tremble.

Sylvie prend une grande respiration. Et une autre. Quand elle ouvre enfin la bouche, elle émet d'une voix monocorde :

— Filez dans votre chambre et vite.

Sortant de sa léthargie, Dominic dit :

— Est-ce qu'on pourrait prendre une pipe avant? On n'aurait qu'à la secouer pour enlever la vitre dessus.

Sylvie explose. Elle fait un pas en avant et, les deux mains sur les hanches, elle lance d'une voix sifflante :

— Êtes-vous sourds, ton frère et toi ? Filez dans votre chambre et restez-y tant et aussi longtemps que quelqu'un ne viendra pas vous chercher. Cette fois, vous avez dépassé les bornes.

Témoin de la scène, Junior s'approche de sa mère. Il la prend par les épaules et murmure :

— Va t'asseoir, maman. Je vais tout ramasser.

Sylvie ne tient pas à grand-chose dans la vie, mais son plat en verre taillé était précieux. Elle avait attendu des années avant de s'en offrir un à son goût. C'était la seule chose qu'elle refusait de partager avec qui que ce soit. Elle croyait pourtant s'être bien fait comprendre. Lors d'un souper de famille du dimanche soir, Sylvie avait expliqué qu'elle interdisait à tous de toucher au plat, et à son contenu aussi. Elle avait tellement insisté que Michel avait fini par lui dire que tout le monde avait compris le message. Mais manifestement, il y en avait deux qui n'avaient rien compris.

L'air renfrogné, Sylvie retourne dans la cuisine. Tel un automate, elle se remet à vaquer à ses occupations.

De son côté, Junior s'affaire à ramasser les éclats de verre qui jonchent le plancher du salon. Il y en a partout, même sous les meubles. Il fait le nécessaire pour que ne subsiste aucune trace du plat. Quand il termine sa tâche, il va jeter le tout dans la poubelle de la cuisine. Le bruit sec du verre tombant au fond de la poubelle de métal fait sursauter Sylvie. Elle essaie désespérément de se calmer, mais elle n'y arrive pas. Les sourcils froncés et la bouche pincée, c'est à peine si elle respire.

Junior range le balai et le porte-poussière. Ensuite, il dit d'une voix douce à sa mère :

— Si tu me dis où tu as acheté le plat, j'irai t'en chercher un autre.

Il y a des jours où Junior ne porte pas les jumeaux dans son cœur, surtout quand ils font un mauvais coup à Sylvie. Cette fois, il se promet bien d'avoir une conversation sérieuse avec François et Dominic.

Sylvie a entendu Junior, mais le message ne se rend pas jusqu'à son cerveau tellement elle est emprisonnée dans sa colère.

Junior revient à la charge. Cette fois, Sylvie le regarde en s'efforçant de sourire.

— C'est très gentil de ta part, mais je refuse que tu dépenses autant d'argent pour moi.

— Ne t'en fais pas avec ça. N'oublie pas que je viens de gagner un concours de photo. J'ai bien le droit de te gâter un peu.

Sylvie reconnaît bien là la générosité de son fils. Junior est toujours prêt à aider les autres. Mais l'argent est trop difficile à gagner pour lui, alors elle ne peut accepter sa proposition. D'ailleurs, Sylvie ignore encore si elle a envie d'avoir un autre plat à bonbons en verre taillé. C'est comme si les jumeaux avaient rompu tout le charme qu'elle trouvait à posséder un tel objet.

Voilà déjà plusieurs fois qu'elle répète à Junior qu'elle refuse son offre. Mais ce dernier insiste tellement qu'elle finit par lui donner le nom de la bijouterie où elle a acheté le plat.

* * *

Au souper, les jumeaux se font très discrets. Ils ne lèvent pas la tête de leur assiette et restent muets. Pour une fois, personne ne leur en fait la remarque, pas même Luc. Junior avait prévu le coup : aussitôt que quelqu'un entrait dans la maison, il se dépêchait de lui raconter l'incident du plat à bonbons.

De tous les repas ordinaires que les Pelletier ont vécus, celui-ci est de loin le pire. Tout le monde mange sans entrain, dans le plus grand silence. L'air de Sylvie incite tous les membres de la famille à se tenir coi.

Lorsque les jumeaux se lèvent de table sans même attendre le dessert, Michel les apostrophe.

— Quand j'aurai fini de manger, j'irai vous voir dans votre chambre.

— Mais on a rendez-vous avec... commence François.

Michel l'interrompt d'une voix autoritaire :

— Vous n'irez nulle part ce soir.

Ni François ni Dominic ne rouspètent. La tête basse, les jumeaux prennent la direction de leur chambre. Au ton que vient d'employer leur père, les jumeaux savent qu'il vaut mieux obéir.

À leur arrivée dans la chambre, Dominic s'exclame :

— Jamais je ne comprendrai les adultes. À les voir, on dirait qu'on a commis un meurtre !

— Ouais ! Ce n'est quand même pas si terrible que ça. On a juste cassé un plat à bonbons. Et puis, ça ne serait jamais arrivé si maman ne l'avait pas mis aussi haut.

— Ou si tu m'avais écouté.

— Laisse-moi tranquille. Tu es aussi coupable que moi.

— Si tu étais monté sur une chaise aussi, comme je te le conseillais, rien de tout ça ne serait arrivé. Et on serait déjà allés retrouver nos amis. Mais non, au lieu de ça, on est en punition dans notre chambre. Je te gage que papa va nous obliger à rembourser le plat.

— Avec quel argent? s'inquiète François. On ne travaille même pas.

Les jumeaux savaient parfaitement qu'il leur était interdit de toucher au fameux plat. Mais quand ils ont envie de quelque chose, ils s'organisent pour l'obtenir, et ce, quelles que soient les conséquences.

* * *

Pinceau en main, Sonia peint tranquillement dans sa chambre. Elle était impatiente de se retrouver enfin seule. Elle déteste les soupers pendant lesquels tout le monde a une face d'enterrement. Elle comprend sa mère ; Sylvie a le droit d'être fâchée contre les jumeaux, mais l'intensité de sa colère dépasse l'entendement. Parfois, Sonia trouve que les réactions de sa mère sont exagérées. Le pire, c'est que souvent, ses excès de colère lui sont réservés. La liste est longue dans la mémoire de Sonia : par exemple, le jour où Sylvie a appris qu'elle sortait avec Normand, ou encore, quand elle a quitté Antoine ou Daniel. La jeune fille adore sa mère, mais il lui arrive de croire que peu importe ce qu'elle fait, elle ne prend jamais les bonnes décisions d'après Sylvie.

L'autre jour, Sonia a abordé le sujet avec sa tante Chantal. Celle-ci a essayé de lui faire comprendre pourquoi Sylvie réagit si fortement parfois.

— Rien de ce que je vais te raconter ne pourra excuser le fait que ta mère conteste toutes tes décisions dès que celles-ci vont à l'encontre de ce qu'elle pense, mais au moins ça t'aidera à comprendre ses réactions. Vois-tu, à ton âge, il y avait déjà un sacré bout de temps que Sylvie jouait à la mère avec nous. Mais elle ne l'avait pas choisi. Comme toi et moi, elle avait des rêves. Un beau matin, sans qu'elle s'y attende le moins du monde, ils se sont tous évaporés. Elle venait de perdre sa mère tout comme nous, mais aussi, du même coup, son statut d'enfant. Étant donné qu'elle était la plus vieille de la famille, sa vie a été tracée sans que personne lui demande son avis. Et crois-moi, mes sœurs, mes frères et moi, on n'a pas ménagé Sylvie. Sincèrement, je ne sais pas comment elle a fait pour tenir le coup, et pour continuer à nous aimer. Il n'y a rien qu'on ne lui ait pas dit ou fait. Pendant qu'on réalisait nos rêves, Sylvie, elle, attendait patiemment que le dernier parte de la maison pour pouvoir enfin se marier et fonder sa propre famille.

Sonia n'a pas été insensible à ce que lui a confié Chantal, mais elle ne voyait pas où sa tante voulait en venir.

— Cela ressemble à une histoire, a-t-elle laissé tomber.

— C'est une histoire, sauf qu'elle est vraie du début à la fin. Imagine un peu que tu aies déjà vécu tout ce que tu es en train de vivre. Tu as élevé des enfants, et tu les as aussi emmenés jusqu'à l'âge adulte. Tu leur as consacré les plus belles années de ta vie. Avoue que ça doit finir par taper sur les nerfs de répéter le même scénario jour après jour, d'avoir toujours cette sensation de déjà-vu. La seule différence cette fois, c'est que tu es en autorité. Mais le pire, c'est que tu as une fille. Tu la vois grandir avec plaisir jusqu'au jour où elle tombe en pleine adolescence. Là, les choses se gâtent sérieusement. Imagine un peu : ta mère n'a jamais vécu sa propre adolescence, elle n'a jamais eu la moindre liberté d'action. Résultat ? Sylvie te met des bâtons dans les roues autant qu'elle le peut. Je ne veux pas minimiser les choses, mais je ne suis pas certaine que ma sœur se rende vraiment compte de ses agissements. Je serais même prête à parier qu'elle est jalouse de toi, mais qu'elle l'ignore.

— Franchement, c'est trop facile. Ce n'est quand même pas d'une enfant d'école dont on parle, mais de ma mère.

— Je sais tout ça, mais je voudrais juste que tu essaies de te mettre dans sa peau une minute. Tu vas voir que les choses ne sont pas aussi simples qu'elles le paraissent. Si j'étais à sa place, je serais jalouse de toi, de toutes mes forces. Tu es belle, tous les hommes sont à tes pieds, tu es bourrée de talents, tu voyages, tu es intelligente. Tu as un avenir prometteur, alors que Sylvie n'a pu réaliser les rêves qu'elle caressait quand elle avait ton âge. Je ne sais pas si tu es au courant, mais ta mère rêvait de faire carrière comme chanteuse lyrique. Au lieu de ça, elle a élevé deux familles.

— Mais elle n'était pas obligée de se marier à ce que je sache, a riposté Sonia d'un air offusqué.

— À l'âge qu'elle avait quand elle s'est mariée, Sylvie a cru qu'il était trop tard. Mais n'oublie jamais qu'elle aurait eu des enfants de toute façon. Fonder une famille était ce qu'il y avait de plus important pour elle. La seule différence, c'est que si tous les astres avaient été alignés, vous habiteriez probablement ailleurs.

— Et peut-être que papa ne serait pas là.

— Qui sait ? C'est vrai que je vois très mal ton père suivre sa femme partout. Mais la question ne se pose pas. Tu as la chance d'avoir des parents qui s'aiment, tout comme mes parents s'aimaient avant que ma mère ne mette fin à ses jours.

Sonia a essayé de faire la part des choses entre les explications de sa tante et ce qu'elle vit au quotidien à cause de sa mère. Elle voulait bien être tolérante, mais il y a quand même des limites.

— Et alors ? Maintenant que je sais tout ça, qu'est-ce que je suis supposée faire ?

Chantal comprenait très bien sa nièce. Comme elle était la dernière de la famille, elle avait goûté à la médecine de Sylvie – et pas seulement une fois. Certains jours, où elle avait songé sérieusement à fuguer, Sylvie semblait s'acharner à lui gâcher la vie. En fait, d'après elle, Chantal ne faisait jamais rien de bien.

— Je crains que tu n'aies pas d'autre option que celle de prendre ton mal en patience. Mais au moins, tu as la chance d'avoir des gens qui veillent sur toi et qui raisonnent ta mère quand elle va trop loin.

— Une chance que je vous ai, a admis Sonia, tante Irma, papa et toi. Sinon, je ne sais pas ce que je ferais quand maman dérape. Je sais qu'elle m'aime, mais parfois elle me fait peur.

— Tu n'as pas à avoir peur, nous sommes là. Et ta mère n'est pas méchante ! Il faut que tu me promettes une chose, par exemple : ne la laisse pas t'empêcher d'aller jusqu'au bout de tes rêves.

Depuis le premier jour où son père s'est élevé devant Sylvie alors que celle-ci s'en prenait à elle, jamais il n'a failli à sa tâche. Michel la protège, à son corps défendant. Il est même arrivé que Sylvie boude son mari pendant plus d'une journée.

Quand Sylvie a su qu'Isabelle était enceinte, elle a tenu un long discours à Sonia. Michel a dû intervenir, en lui disant que ce n'était pas de leur fille dont il était question. Lorsque Sylvie a appris que tante Irma et Lionel allaient héberger Isabelle jusqu'à son accouchement, elle est repartie de plus belle, clamant haut et fort qu'elle ne comprenait pas pourquoi ils avaient accepté de s'occuper de la jeune fille.

— Mais maman, a protesté Sonia, il faut bien que quelqu'un aide Isabelle.

— Elle aurait dû y penser avant, a lancé Sylvie d'un ton rempli de reproches. J'espère au moins qu'elle ne gardera pas son enfant.

— C'est à elle de décider, a simplement répondu Sonia avant de sortir de la pièce.

La jeune fille est contente de savoir que son amie est au chaud chez tante Irma et Lionel. Héberger une fille-mère ne faisait pas partie de leur projet, mais ils ne pouvaient pas laisser Isabelle se débrouiller seule, surtout que celle-ci fait partie de la famille d'une certaine façon. Isabelle ne sait pas encore si elle gardera son bébé ou si elle le donnera en adoption. Tante Irma lui a dit que rien ne pressait.

Sonia trouve Isabelle bien courageuse ; du jour au lendemain, sa vie a changé du tout au tout. Son amie a dû mettre brusquement fin à sa session au cégep, et son corps est en train de se transformer sans qu'elle y puisse rien. C'est la première fois que Sonia suit une grossesse d'aussi près. Étant donné sa faible différence d'âge avec les jumeaux, elle ne se souvient pas très bien à quoi ressemblait sa mère quand elle les portait. Mais maintenant, elle constate les changements qu'une grossesse occasionne à chacune de ses visites à Isabelle.

Sonia ne comprend pas pourquoi la naissance prochaine d'un bébé hors mariage crée autant de remous dans la famille. On pourrait presque croire qu'Isabelle a commis un crime. Dès que Shirley se trouve à proximité, chacun y va de son commentaire à voix basse. Pour ce qui est de Sylvie, elle ne cesse de plaindre son amie Shirley, comme si c'était elle qui portait un bébé. Pourtant, Isabelle est loin d'être la seule dans son cas. Et puis, à part l'Église catholique, qui a dit qu'il fallait absolument être marié pour faire des enfants ? Évidemment, Sonia ne tient pas ce discours devant sa mère et Shirley. La pauvre, on dirait qu'elle a vieilli de dix ans depuis qu'elle sait que sa fille est enceinte.

La dernière fois qu'elle est allée voir Isabelle, Sonia lui a conseillé de prévenir le père de son enfant. Mais son amie ne veut rien entendre. Non seulement elle a mis fin à sa relation avec lui aussitôt qu'elle a su son état, mais elle refuse de l'importuner avec ça. « Il en a déjà plein les bras avec sa famille », prétexte-t-elle. Sonia n'est pas du même avis, et elle se dit qu'il aurait dû y penser avant. D'après elle, il doit vite être mis au courant, et il devra prendre ses responsabilités si Isabelle décide de garder l'enfant. Quand Sonia a fait part à sa tante Chantal de son intention d'aller le voir, celle-ci lui a dit de ne pas s'en mêler. Mais au fond d'elle-même, Sonia reste convaincue que le futur père doit savoir. Comme elle n'a pas de cours le lendemain après-midi, Sonia en profitera pour se rendre à la galerie de l'ancien amant d'Isabelle.

Sonia a enfin assez d'argent pour s'acheter une auto – pas une neuve, toutefois. L'important, c'est qu'elle puisse aller partout où elle veut sans toujours être obligée de demander à ses parents de la conduire là où ni l'autobus ni le métro ne peuvent l'emmener – comme chez tante Irma, par exemple. Sonia avait l'intention d'en parler à son père au souper, mais avec le coup d'éclat des jumeaux, elle a jugé qu'il valait mieux attendre un moment plus favorable. « À moins que je propose à papa d'aller marcher avec Prince 2. Il n'est pas question que je lui parle de mon auto en présence de maman. Pas aujourd'hui, en tout cas. »

Ses amours avec Vincent n'ont pas fait long feu. Elles ont duré à peine un mois et, même là, c'est parce qu'elle a laissé traîner les choses avant de rompre. Il était gentil, mais guère plus. Et il ne la faisait plus rire. Vincent s'est transformé du tout au tout dès qu'ils ont commencé à sortir ensemble. Heureusement, Junior s'est bien gardé de lui faire le moindre commentaire. Depuis qu'elle est seule, il arrive à Sonia de sortir avec Daniel de temps en temps, mais en amie seulement. Même s'il est clair qu'il aimerait renouer, pour elle c'est bel et bien fini. D'ailleurs, elle a eu l'honnêteté de lui donner l'heure juste.

* * *

Sylvie donnerait cher pour allumer une cigarette, une seule. Elle se sent comme un lion en cage et elle est incapable de reprendre son calme. Depuis qu'elle a arrêté de fumer, c'est la première fois qu'elle a autant envie d'une cigarette. C'est à peine si elle a pris quelques bouchées au souper tellement elle avait l'estomac noué.

Comme Dominic le craignait, Michel a demandé aux jumeaux de rembourser le plat de leur mère. Lorsqu'ils ont su le prix de l'objet en question, les deux garçons ont blêmi. Pour leur défense, ils ont dit qu'ils n'avaient pas d'argent, ce à quoi leur père a répondu que ce n'était pas son problème, qu'ils n'avaient qu'à se débrouiller pour en trouver.

Lorsque Michel revient dans la cuisine, il s'assoit en face de Sylvie. Puis, il lui parle de la punition qu'il vient de donner aux jumeaux. La réaction de sa femme est instantanée. Elle a beau être fâchée contre François et Dominic, elle sait qu'ils n'ont pas d'argent – en tout cas, pas suffisamment pour lui acheter un plat à bonbons.

— Je ne suis pas d'accord. Ils n'avaient pas le droit de toucher à mon plat, mais comment veux-tu qu'ils trouvent autant d'argent ? Je n'ai pas envie qu'ils se mettent à voler pour se sortir du pétrin.

— Parfois, je ne te comprends pas. Depuis que je suis arrivé de travailler que tu boudes – pas juste les jumeaux, mais tout le monde. Et là, pour une fois que je les punis, tu rouspètes. Aussi bien t'y faire, je n'ai pas l'intention de revenir sur ma parole. Ils ont dépassé les bornes et il faut qu'ils assument. Ils n'ont quand même plus cinq ans.

— Mais ils ne travaillent même pas. Et on ne leur donne jamais d'argent de poche.

— Crois-moi, ils ne sont pas à plaindre. Ils sont très débrouillards quand il s'agit de faire des mauvais coups. Eh bien, pour une fois, ils devront l'être pour trouver de l'argent. Ils ont tout leur temps, car je ne leur ai alloué aucun délai pour s'acquitter de leur dette. Ça va leur faire du bien. Il est temps qu'ils commencent à réfléchir avant d'agir.

Puis, sur un ton plus doux, Michel ajoute :

— Si tu n'as plus besoin de moi, je vais aller écouter les nouvelles. Ça brasse pas mal ces jours-ci. On dirait que rien ne va comme il le faut au Québec.

En allumant la télévision, Michel est saisi par ce qu'il entend: «Le diplomate James Richard Cross a été enlevé par des membres de la cellule Libération du FLQ.»

— Ça parle au diable! s'exclame-t-il. Il ne manquait plus que ça. On n'est en sécurité nulle part. Les felquistes ont enlevé un diplomate. Ils sont fous, ma parole!

Contrairement à l'habitude, sa voix ne trouve aucune résonance auprès de Sylvie. Il s'étire le cou pour voir ce qu'elle fait. Sa femme n'a pas bougé d'un iota depuis qu'il est venu s'asseoir au salon. «Après les nouvelles, je vais lui offrir d'aller prendre une marche. Il va falloir qu'elle s'en remette, de son plat cassé. Il y a pas mal pire juste de l'autre côté du pont.»

* * *

Cette nuit-là, Sylvie a très mal dormi. Elle s'est réveillée à plusieurs reprises. Chaque fois, elle se sentait envahie par la colère, comme si l'événement venait d'arriver. Elle s'en veut terriblement de ne pas être capable de passer par-dessus. Après tout, les jumeaux n'ont tué personne. Ils ont seulement désobéi, ce qui est loin d'être exceptionnel dans leur cas. Il est urgent qu'elle retrouve sa bonne humeur; elle ne peut pas faire subir indéfiniment sa colère aux autres membres de la famille.

Aussitôt que Sylvie se lève, elle file à la salle de bain. Elle se plante devant le miroir et s'efforce de sourire. Elle a l'impression que sa figure va craquer tellement les muscles de son visage sont raides. Elle essaie plusieurs fois, jusqu'à ce qu'elle parvienne à garder le sourire. C'est magique, car au bout de quelques secondes elle se sent toute ragaillardie. Elle se passe de l'eau sur le visage et retourne dans sa chambre pour s'habiller. Si elle se dépêche, elle aura le temps de faire des crêpes pour le déjeuner.

C'est Luc qui arrive le premier dans la cuisine. Le sourire aux lèvres, il vient vérifier que son nez ne l'a pas trompé.

— Youpi ! On mange des crêpes ! Est-ce qu'il y a encore du sirop d'érable ?

— Oui, répond joyeusement sa mère. Il en reste une boîte dans l'armoire.

Luc ne se contente pas d'aller chercher la boîte de sirop : il l'ouvre et la verse dans le pot qui est réservé à cet usage.

— Est-ce que je peux avoir quatre crêpes ? demande-t-il à sa mère.

— Tu en auras autant que tu veux, répond celle-ci. J'ai fait une triple recette.

Luc fait gentiment remarquer :

— Je suis content de voir que tu vas mieux, maman.

Chapitre 22

Longueuil, le 17 octobre 1970

— Je n'ai jamais vu une affaire semblable, déclare Michel en entrant dans le magasin. On ne parle que de ça à la radio. Le corps de Pierre Laporte a été retrouvé près de la base militaire de Saint-Hubert, dans l'auto qui avait servi à son enlèvement. D'après ce que j'ai entendu aux nouvelles, il aurait été assassiné par la cellule felquiste qui l'avait enlevé. Je n'en reviens pas. Hier, Ottawa a décrété la Loi des mesures de guerre. Il paraît que 450 arrestations ont été effectuées. Ah oui ! Et Jean Marchand a déclaré que le FLQ aurait en sa possession pas moins de 2 000 livres de dynamite. C'est assez pour faire sauter le centre-ville de Montré…

— Prends le temps de respirer, le coupe Paul-Eugène. Tu es rouge comme une tomate. Je n'ai pas envie que tu te tapes une crise de cœur.

— C'est tout l'effet que ça te fait ? s'indigne Michel. La ville de Montréal a été envahie par des milliers de militaires. Quelqu'un pourrait faire sauter la ville n'importe quand. Un de nos ministres s'est fait tuer. Hé ! Réveille ! On est en pleine crise de terrorisme.

— Il est plus que temps que quelqu'un fasse de quoi, réplique Paul-Eugène sans sourciller. Ça fait des années qu'on nous pioche sur la tête, on ne va quand même pas se laisser faire jusqu'à la fin de nos jours. La semaine passée, j'ai écouté le journaliste d'un bout à l'autre quand il a lu le manifeste. Franchement, celui-ci est plein de bon sens.

— Mais ils ont tué un homme ! riposte Michel.

— Tu sais comme moi qu'on ne peut pas faire d'omelette sans casser d'œufs. J'ai beaucoup d'admiration pour ces gens. Ça prend beaucoup de courage et de ténacité pour faire bouger les choses.

— Je ne te comprends pas. À mon avis, il existe bien d'autres manières d'intervenir.

Mais Paul-Eugène n'a pas le temps de revenir à la charge. La porte vient de s'ouvrir sur un agent de police.

— J'ai une bonne nouvelle pour vous ! annonce l'arrivant. Nous avons arrêté le voleur. Avec la photo que vous nous avez fournie et l'aide de votre client, ça a été un jeu d'enfant. Je ne sais pas si vous étiez au courant, mais les sabres valent une petite fortune.

L'air étonné, les deux associés se jettent un coup d'œil.

— Tout ce qu'on sait, c'est le prix qu'on les a payés, dit Michel. On n'avait pas encore fixé leur prix de vente.

Si Paul-Eugène se souvient bien, Michel et lui n'ont pas payé un seul sou pour ces sabres – pas plus que pour la majorité des sabres qu'ils ont déjà vendus. La plupart du temps, les femmes sont tellement contentes de se débarrasser de ces objets qu'elles refusent tout argent en échange.

— Eh bien, vous allez être surpris, affirme l'agent de police. Figurez-vous que le voleur avait déjà des acheteurs en vue. Quand votre client a su le prix que celui-ci demandait, il a dit que c'était très près de la valeur réelle des sabres.

Lorsque l'agent de police annonce le prix demandé pour les trois sabres, les deux hommes sont estomaqués.

— Êtes-vous en train de nous dire qu'on n'a jamais vendu nos sabres assez cher ? s'écrie Michel. Notre client doit être mort de rire à l'heure qu'il est.

— Une chose est certaine : il a dû faire pas mal d'argent sur notre dos, renchérit Paul-Eugène. Mais, en même temps, il payait toujours le prix exigé.

— Tu as raison. Et puis, te souviens-tu de la fois où il a insisté pour nous donner le double de ce qu'on demandait ?

— Ouais ! J'étais le premier à te dire que je ne comprenais pas pourquoi il ne se contentait pas de payer le prix indiqué, comme tout le monde. Je m'explique mieux sa réaction maintenant.

Le policier les a écoutés sans intervenir. Il a bien d'autres affaires à régler.

— Je ne voudrais pas vous interrompre, dit-il poliment, mais je vais devoir vous laisser.

— Et nos sabres ? s'inquiète soudainement Michel. Est-ce qu'on pourra les récupérer ?

— Aussitôt que l'enquête sera close, ce qui devrait prendre… environ un mois.

Avant de franchir le seuil, l'agent se retourne et ajoute :

— Ah oui ! Je ne devrais pas vous le dire, mais vous auriez dû voir les yeux de votre client quand il a vu les sabres. À mon idée, vous allez commencer à faire de l'argent avec lui.

Sitôt l'homme sorti du magasin, les deux associés se tapent dans les mains.

— Ça, c'est une bonne nouvelle ! se réjouit Paul-Eugène.

— Tu peux le dire ! exulte Michel. Ça me donne même envie de me lancer à la recherche d'autres sabres.

— Wow ! Ne pars pas en peur ! J'ai besoin de toi ici aujourd'hui.

— Je sais tout ça, mais avoue quand même que c'est une bonne nouvelle. C'est rare qu'on fasse de l'argent parce qu'on s'est fait voler. J'en connais un qui ne perd rien pour attendre. On peut dire que notre client s'est moqué de nous pendant un sacré bout de temps.

* * *

Lorsque Sylvie aperçoit les jumeaux avec Gérald par la fenêtre de la cuisine, elle va à leur rencontre. Quand ses petits derniers prennent le pauvre garçon sous leur aile, comme maintenant, ça la réconforte. Elle se dit alors que François et Dominic peuvent faire de belles choses, et pas seulement des mauvais coups. Mais Sylvie a encore l'histoire du plat de bonbons en verre taillé de travers dans la gorge. Et puis, même si personne ne s'est plaint des jumeaux depuis la visite du curé, elle ne se fait pas d'illusions. Dernièrement, son père lui a dit : « Aussi bien t'y faire parce que ça ne leur passera pas. C'est dans leur tempérament de jouer des tours. Et puis, François et Dominic ne font de mal à personne. À leur âge, j'étais bien pire qu'eux. Un jour, je te raconterai quelques-uns de mes exploits. »

Aussitôt qu'ils voient leur mère sur la galerie d'en avant, les jumeaux pressent le pas, en s'assurant toutefois que leur protégé arrive à les suivre. François et Dominic lui ont posé chacun une main dans le dos et lui parlent doucement. Même si elle est encore à une bonne distance, une vague d'émotion traverse Sylvie. Elle croit vraiment qu'il y a de l'espoir avec ses petits derniers.

Depuis que les jumeaux ont fait la connaissance de Gérald, ils vont chercher celui-ci au moins une fois par semaine. D'habitude, ils l'emmènent au parc ; c'est la première fois qu'ils viennent avec lui à la maison. Ils se sont dit que ça aiderait sûrement leur cause si leur mère les voyait faire une bonne action. Depuis le « jour du plat cassé » – c'est le nom qu'ils ont donné à l'événement –, Sylvie ne leur laisse rien passer. En plus, elle est… moins gentille avec eux, ce qui ne les laisse pas indifférents.

Les jumeaux aiment passer du temps avec Gérald et prendre soin de lui. D'ailleurs, François et Dominic ont mis en garde tous ceux qu'ils connaissent : ces derniers ont intérêt à ne pas lui faire de mal, sinon ils auront affaire à eux. Les jumeaux ne sont pas craints par les autres garçons, mais tous les respectent. Plusieurs donneraient cher pour participer à l'un de leurs mauvais coups, mais François et Dominic ne font confiance à personne.

— Maman, est-ce que Gérald pourrait manger avec nous ce midi ? demande François.

Sans laisser le temps à Sylvie de répondre, il poursuit sur sa lancée :

— Tu pourrais appeler sa mère pour l'avertir.

Les jumeaux ont eu raison de croire que ça aiderait leur cause de venir avec Gérald. Sylvie sent les larmes lui monter aux yeux tellement elle est émue. Voir sa progéniture – les jumeaux de surcroît – prendre soin d'un enfant handicapé, cela lui va droit au cœur. Si elle ne se retenait pas, elle embrasserait sur-le-champ François et Dominic. Elle s'approche de Gérald et lui caresse doucement la joue en disant :

— Bonjour, jeune homme. Comment vas-tu aujourd'hui ?

Tout ce que Sylvie obtient comme réponse, c'est un petit sourire en coin. Le garçon se tord les mains tellement il est intimidé.

— Pour le dîner, c'est une bonne idée, acquiesce la mère de famille à l'adresse des jumeaux. Mais on ne mangera pas avant une bonne heure. Qu'allez-vous faire en attendant ?

— Ne t'inquiète pas, on a tout prévu, répond Dominic. On va aller jouer au parc. On peut même emmener Prince 2 avec nous, si tu veux. Ensuite, on va venir faire des casse-tête. On a sorti ceux qu'on faisait quand on était petits : la vache, le cochon…

— C'est parfait ! accepte Sylvie, ravie. Attendez-moi, je vais aller chercher Prince 2. Il va être content de faire de l'exercice.

Les jumeaux savent maintenant qu'ils ont visé juste. Mais pas question de montrer leur joie devant leur mère. Ils attendront d'être hors de vue.

Pendant que Sylvie regarde les trois garçons s'éloigner avec le chien tenu en laisse par Gérald, elle sourit. La vie est bien faite. Chaque fois qu'elle vous enlève quelque chose ou quelqu'un, elle se dépêche de combler cette absence. Dans une semaine, Marie-Paule n'habitera plus près des Pelletier. Alors que Sylvie s'était réjouie quand elle avait appris que sa belle-mère s'installait à Longueuil, elle n'a finalement pas profité de la présence de Marie-Paule autant qu'elle l'aurait souhaité. Les premiers temps, elle voyait souvent sa belle-mère, mais aussitôt que cette dernière a commencé à se faire des amis – ce qui est arrivé trop rapidement au goût de Sylvie –, il est devenu de plus en plus difficile de communiquer avec elle, même par téléphone. Évidemment, depuis que René est entré dans sa vie, Marie-Paule a encore moins de temps disponible. La vieille femme se montre toujours aussi gentille lorsque Sylvie la voit, mais elle s'est fait une nouvelle vie et elle mord dedans avec joie. Sylvie ne trouve pas ça anormal, bien au contraire. Elle est heureuse pour Marie-Paule. Elle voit bien à quel point son René lui fait du bien. Ses propres enfants ne cessent de lui dire qu'elle a rajeuni ; Sylvie est parfaitement d'accord avec cette affirmation. L'amour fait des miracles. Ce qui désole Sylvie, c'est qu'une fois de plus elle se retrouve seule. Elle a des amies, mais avec Marie-Paule c'était différent. Depuis l'arrivée de sa belle-mère à Longueuil, Sylvie entretenait avec celle-ci le même genre de relation qu'elle avait avec Alice. D'une certaine manière, ces deux femmes ont remplacé sa mère. Et elle pourrait même inclure tante Irma à cette liste. À sa sortie de chez les religieuses, Irma passait beaucoup de temps chez les

Pelletier, mais c'était avant qu'elle retrouve son Lionel. Cette fois, Sylvie ne sait vraiment pas vers qui elle pourra se tourner. Alice est morte. Quant aux deux autres, elles sont trop occupées à être heureuses pour se soucier de son sentiment d'abandon.

De retour dans la cuisine, Sylvie se demande ce qu'elle pourrait cuisiner pour faire plaisir aux garçons. Elle ouvre les armoires l'une après l'autre. Quand elle aperçoit un emballage renfermant tout le nécessaire pour confectionner une pizza, elle sourit. « Ça, c'est une bonne idée ! » Elle se met aussitôt en frais de préparer le dîner. Le samedi, la tablée n'est jamais nombreuse. Il y a de fortes chances qu'il n'y ait que les jumeaux, Gérald et Luc qui dînent ici aujourd'hui. Sonia travaille à la galerie, et Junior à l'usine. Quant à Michel, il est toujours trop occupé cette journée-là pour quitter le magasin. Il a probablement emporté le lunch qu'elle lui avait préparé.

Lorsque Sylvie ouvre le réfrigérateur pour prendre le bloc de fromage, quelle n'est pas sa surprise de voir un petit sac de papier brun sur une tablette. Ce n'est pas nouveau : une fois sur deux, Michel prétend avoir oublié son lunch. Mais Sylvie sait parfaitement qu'il s'agit d'un prétexte. Son mari ira manger au petit casse-croûte près du magasin et il ne manquera pas de commander une grosse pointe de tarte au sucre. Sylvie n'est pas dupe. Elle n'ignore pas que son mari saisit toutes les occasions de se faire plaisir et que, dans ces moments, il oublie totalement ses problèmes de diabète. D'ailleurs, le reste de la famille s'en fait bien plus que lui à ce sujet. Chaque fois que les enfants le voient manger du dessert, ils essaient de le dissuader. Mais cela a toujours l'effet contraire sur Michel. Quand quelqu'un ose lui rappeler qu'il devrait faire attention, il se fait un malin plaisir à prendre une deuxième portion de dessert, ce qui enrage Sylvie au plus haut point. Elle ne comprend pas pourquoi Michel refuse de prendre ses problèmes de santé au sérieux. On dirait que tout ce qu'il a retenu lorsque le médecin lui a annoncé qu'il souffrait du diabète, c'est qu'il n'en faisait qu'un peu. Pour Michel, un peu c'est rien. Il ne réalise pas qu'à force de manger du sucre – parfois plus qu'il en mangeait auparavant –, il finira par empirer son diabète. Il est inconscient du danger. Si Sylvie avait vu plus tôt le lunch de Michel, elle se serait fait un malin plaisir d'aller le lui porter, mais maintenant il est un peu tard, surtout qu'il a peut-être déjà mangé. Le samedi, Michel et les autres dînent à tour de rôle aussitôt qu'il y a une petite accalmie ; parfois, il leur arrive même de manger en plein milieu de l'après-midi car il y a un trop grand achalandage au magasin.

L'horloge se fait aller gaiement pour marquer la onzième heure. Occupée à étendre la pâte sur une plaque, Sylvie sursaute lorsqu'elle entend la sonnette de la porte. Elle s'essuie les mains sur son tablier et se dépêche d'aller ouvrir. « Je me demande qui ça peut être. »

Après avoir ouvert la porte, Sylvie découvre sur le seuil un livreur qui tient un gros bouquet de fleurs. Elle sourit.

— Je m'apprêtais à partir, s'écrie l'homme d'une voix teintée d'impatience. C'était la troisième fois que je sonnais. J'étais convaincu qu'il n'y avait personne.

— Vous avez dû sonner en même temps que l'horloge se faisait entendre, déclare Sylvie. Dans un tel cas, je n'entends ni la sonnette de la porte ni la sonnerie du téléphone. Elles sont pour qui les fleurs, cette fois ?

— Pour Sylvie Pelletier.

Surprise, Sylvie prend le bouquet. Quand elle réalise que ce sont des œillets, elle soupire.

— Vous êtes bien la première femme que je rencontre qui n'est pas contente de recevoir des fleurs, observe le livreur.

— J'aime recevoir des fleurs, mais je déteste les œillets. Vous devriez le dire à l'expéditeur.

— Je peux faire le message, on ne sait jamais. Bonne journée quand même !

De retour dans la cuisine, Sylvie dépose les fleurs sur la table. Elle s'occupera du bouquet après avoir mis la pizza au four. Mais quelques secondes plus tard, sa curiosité l'emporte. Il faut qu'elle sache de qui elles proviennent. Même si elle n'aime pas les œillets, le geste est empreint de gentillesse et elle l'apprécie beaucoup.

Mais la carte ne porte que ces mots :

Un admirateur.

Sylvie aimerait vraiment savoir qui lui a offert un aussi gros bouquet – et pour la deuxième fois, en plus. « Si mon admirateur savait que je suis mariée et que j'ai six enfants, il déchanterait vite ! » C'est du moins ce qu'elle pense. Elle est flattée de l'attention, mais guère plus. Elle est heureuse avec Michel et elle n'a aucune envie de « sauter la clôture ». Sa brève amourette avec Jacques et le baiser de Xavier lui ont largement suffi.

Sylvie a envie d'aller porter le bouquet à tante Irma. Au moins, là-bas, il sera apprécié. Contrairement à elle, sa tante adore les œillets. Et puis, ça lui donnera l'occasion d'avoir des nouvelles d'Isabelle en personne. Elle n'ose plus en demander à Shirley. Chaque fois que le sujet est abordé, son amie finit par pleurer. Certes, Sylvie plaint Shirley de tout son cœur d'être aux prises avec un tel problème, mais il faudra bien qu'elle s'en remette. En plus, Isabelle veut garder son bébé, ce qui n'a rien pour rassurer Shirley. Là-dessus, Sylvie partage le même avis que cette dernière. Comment Isabelle se débrouillera-t-elle avec un enfant sur les bras ? À son âge surtout ?

Depuis qu'elle sait qu'Isabelle est enceinte, Sylvie fait brûler des lampions pour qu'un tel malheur n'arrive jamais à Sonia. Elle croit que si cela a marché pour ramener Ginette à de meilleurs sentiments, elle qui semblait pourtant être une cause désespérée, il y a des chances pour que cela fonctionne encore.

* * *

À force de poser subtilement des questions à Isabelle, Sonia a fini par savoir où elle pouvait trouver Hubert – sans tomber sur la femme de celui-ci, bien entendu. Comme l'endroit est tout près de la galerie où elle travaille, Sonia profite de son heure de dîner pour s'y rendre. Une fois devant l'édifice, elle lève la tête et respire à fond. La jeune fille ignore encore ce qu'elle dira à Hubert. Elle prend son courage à deux mains et monte l'escalier. À son arrivée devant la porte, elle reprend son souffle et appuie sur la sonnette. Quelques secondes plus tard, un bel homme d'une trentaine d'années ouvre la porte. Sonia comprend immédiatement pourquoi Isabelle est tombée en amour avec lui : Hubert a des yeux extraordinaires et un sourire enjôleur comme elle n'en a jamais vu.

— Bonjour, belle dame, dit-il poliment. Est-ce qu'on se connaît ?

— Je ne crois pas, non, balbutie Sonia.

Puis, de but en blanc, elle annonce :

— Je suis une amie d'Isabelle.

Pendant quelques secondes, l'homme cherche dans sa mémoire. Après avoir fait le lien, il déclare :

— J'espère qu'Isabelle va bien. Il y a un sacré bout de temps qu'elle ne m'a pas donné signe de vie.

— Eh bien, si vous avez quelques minutes, je peux vous donner de ses nouvelles. D'abord, sachez qu'elle me tuerait si elle savait que je suis venue vous voir.

L'homme écoute attentivement Sonia pendant qu'elle raconte l'histoire d'Isabelle.

— Qu'est-ce que vous attendez de moi ? demande-t-il à la jeune fille lorsqu'elle se tait.

— Personnellement, rien. Je voulais juste que vous sachiez qu'Isabelle attend un enfant de vous. Le reste vous appartient.

— Vous savez sûrement que je suis marié et que j'ai des enfants…

— C'est à vous de voir. Mais ma visite devra rester un secret.

— Est-ce qu'on t'a déjà dit à quel point tu es belle ? déclare-t-il à brûle-pourpoint.

Sonia est déjà à côté de la porte, prête à sortir. Elle en a assez entendu. Avant de franchir le seuil, elle se retourne.

— Vous ne la méritez pas.

Pendant qu'elle retourne à la galerie, de grosses larmes coulent sur ses joues. Même si elle n'espérait rien de cette rencontre, elle s'attendait au moins à un peu de compassion de la part d'Hubert. Décidément, elle ne comprendra jamais ce qui attire autant Isabelle chez les hommes mariés. À quelques pâtés de maisons de la galerie, Sonia s'achète un grand café et elle s'assoit quelques minutes sur un banc de parc situé en face du restaurant. Même si elle le voulait, elle serait incapable d'avaler une seule bouchée. Sa rencontre avec l'ancien amant d'Isabelle lui a coupé l'appétit.

Chapitre 23

Le lundi après-midi suivant, alors que Sylvie est en train de réparer quelques vêtements avec sa machine à coudre, on sonne à la porte. Avant d'aller ouvrir, elle dépose ses ciseaux et la paire de jeans sur laquelle elle s'apprêtait à poser une nouvelle fermeture éclair.

Sylvie met quelques secondes à reconnaître l'agent d'assurances qui s'est présenté quelques semaines auparavant. Puis, elle se souvient de lui avoir précisé de revenir le soir car Michel serait à la maison, ce qu'il n'a pas fait encore. Elle ne lui réserve pas un accueil des plus chaleureux.

— Écoutez, lui annonce-t-elle sans préambule, je vous ai dit que c'est avec mon mari que vous devez parler d'assurances, pas avec moi. Revenez un soir de semaine.

— Mais je ne suis pas venu pour voir votre mari, aujourd'hui.

— Alors, pourquoi êtes-vous là ?

— Vous n'allez pas me faire accroire que vous ne vous en doutez pas ? s'étonne-t-il. Je vous ai fait livrer deux bouquets de fleurs.

Incrédule, Sylvie fixe Hector Caya. C'est donc lui le fameux admirateur qui lui a envoyé des œillets à deux reprises. Mais comment a-t-il pu s'imaginer qu'il avait une chance avec elle ? « Surtout avec des œillets ! » Il faut vite qu'elle lui enlève tout espoir, si petit soit-il.

— C'est vous ? s'écrie-t-elle. Vous n'êtes vraiment pas chanceux, monsieur Caya. D'abord, je déteste les œillets pour m'en confesser. Et ensuite, je suis très heureuse en mariage. Je ne sais pas ce qui vous a pris, mais je vous demanderais de ne plus jamais revenir chez moi.

— Mais je croyais que…

— Eh bien, vous vous êtes mis un doigt dans l'œil jusqu'au coude.

— Vous avez été tellement gentille avec moi.

— La plupart du temps, je suis gentille car c'est dans ma nature, explique Sylvie. Mais je peux aussi être une vraie peau de vache. Je vous demanderai donc une dernière fois de vous en aller, ajoute-t-elle en haussant la voix.

C'est alors qu'Alain arrive. Il n'a pas tout compris, mais au ton employé par sa mère, il sait que quelque chose ne va pas. Aussitôt qu'elle voit son fils, Sylvie lui dit :

— Entre, mon garçon ! Monsieur était justement sur son départ.

Dès que la porte se referme sur le valeureux prétendant de Sylvie, Alain observe :

— Il va falloir que tu me paies cher si tu ne veux pas que j'aille tout bavasser à papa ! plaisante-t-il.

— Tu peux lui raconter ce que tu veux, répond nerveusement Sylvie. Je n'ai rien à cacher. D'après ce que j'ai compris, le pauvre homme s'était imaginé que j'en pinçais pour lui. Non mais, dans quel monde vivons-nous ? C'est n'importe quoi. Imagine-toi qu'il a eu le toupet de me faire livrer deux gros bouquets d'œillets.

— Des œillets ? Ouf ! On ne peut pas dire qu'il a mis toutes les chances de son côté.

— N'empêche que je suis contente que tu sois arrivé. Celle-là, je ne l'avais pas vue venir du tout.

— Es-tu que ça signifie que ce n'est pas la première fois que tu te fais faire les yeux doux ? la taquine Alain.

— Arrête de dire des niaiseries et viens t'asseoir, riposte Sylvie d'un ton sévère alors qu'elle se sent rougir jusqu'aux oreilles. Dis-moi plutôt comment tu vas.

— Depuis que j'ai retrouvé l'usage de mon bras, je vais de mieux en mieux. Même qu'aujourd'hui, je suis venu te donner un peu d'argent.

— Mais il n'y a rien qui presse.

— Je sais bien. C'est juste que je n'aime pas avoir des dettes. J'ai travaillé le jour de la fête du Travail, alors ça m'a donné une chance. Mais ne te réjouis pas trop vite, car je vais te remettre seulement quelques piastres aujourd'hui.

— Tu ne penses pas que tu serais mieux d'avoir un peu d'économies devant toi?

— Ne t'en fais pas pour moi. J'ai tout calculé, et deux fois plutôt qu'une.

Dans de tels moments, Sylvie est encore plus fière de ses enfants. Elle ne prétend pas qu'ils sont mieux que les autres, mais ils sont de loin les plus responsables qu'elle connaisse. Aussitôt qu'ils sont en âge de gagner de l'argent, ils se trouvent un travail pour jouir d'une certaine autonomie. Seuls les jumeaux sont encore totalement dépendants. D'ailleurs, comme elle l'a souligné à maintes reprises à Michel, elle désapprouve complètement le fait qu'ils soient obligés de lui payer un nouveau plat à bonbons en verre taillé. Un tel objet est beaucoup trop dispendieux pour leurs moyens. Elle craint que François et Dominic commettent un vol pour se procurer de l'argent. Mais Michel reste sur ses positions. «Ils n'auront qu'à demander de l'argent en cadeau à Noël et à leur fête. Il est grand temps qu'ils assument les conséquences de leurs gestes.» Sylvie ne veut pas protéger ses petits malfaisants, loin de là, mais à treize ans, ce n'est pas facile de se trouver un travail, même pour quelques heures par semaine. François et Dominic ont espoir d'obtenir un jour la ronde de journaux de Luc, mais il faudrait d'abord que ce dernier se trouve un autre travail. Elle a pensé demander aux jumeaux de faire quelques menus travaux et les payer un peu. Ce serait un début.

Au moment où elle ferme sa machine à coudre, les jumeaux font leur entrée avec Sonia. Surprise, Sylvie regarde l'heure. Les jumeaux et sa fille arrivent une demi-heure plus tôt que d'habitude. « Que se passe-t-il ? » Elle n'a pas le temps de poser la moindre question, car les jumeaux lui tendent une boîte. À en juger par la dimension de celle-ci, Sylvie mettrait sa main au feu qu'elle contient un plat à bonbons. La mère de famille ne sait comment réagir. Une partie d'elle-même savoure déjà le moment où elle tiendra le plat dans ses mains, alors qu'une autre s'inquiète de la manière dont François et Dominic ont obtenu l'argent nécessaire.

— C'est pour toi, affirme François. Je suis certain que tu vas être contente.

Restée en retrait, Sonia observe ses petits frères. Le soir même où le plat a volé en éclats, tous les enfants de la maison se sont réunis pendant que Michel et Sylvie étaient sortis marcher. Quand un des leurs est dans l'embarras, il n'est pas question de le laisser se débrouiller tout seul. Ensemble, ils ont convenu de remplacer le plat le plus rapidement possible. Chacun a fait sa part, avec les moyens dont il dispose. Évidemment, Junior et Sonia ont fourni beaucoup plus que les trois plus jeunes. D'ailleurs, Sonia a été très étonnée quand la vendeuse lui a annoncé le prix du plat ; la jeune fille refusait de croire ce que les jumeaux lui avaient dit à ce sujet. Il s'en est fallu de peu qu'elle sorte du magasin sur-le-champ. Jamais elle n'aurait pensé que sa mère aurait payé si cher pour un simple petit plat à bonbons. Au bout de quelques secondes, Sonia a déclaré à la vendeuse qu'elle le prenait. « Il va falloir que j'en commande un, a dit cette dernière. Celui-ci, notre démonstrateur, a un petit éclat. Si vous êtes chanceuse, je devrais recevoir le plat d'ici trois semaines. Je vous appellerai dès que je l'aurai. » Comme Sonia ne voulait pas courir la chance que ce soit Sylvie qui réponde, elle a préféré passer à la bijouterie chaque semaine pour vérifier si l'objet était arrivé. Hier, la vendeuse lui a confirmé qu'elle le recevrait aujourd'hui. Sonia est donc passée prendre les jumeaux à l'école. Elle tenait à ce que ces derniers viennent chercher eux-mêmes le plat, pour qu'ils le paient – même si la plus grande partie de l'argent ne provient pas de leurs poches.

— On te promet qu'on n'y touchera jamais, déclare Dominic.

Sylvie sourit. Elle tourne le plat de tous les côtés pour s'assurer qu'il est parfait. Satisfaite, elle ne peut résister plus longtemps à l'envie de demander aux jumeaux où ils ont trouvé l'argent. À sa grande surprise, c'est Sonia qui prend la parole.

— Tu n'as pas à t'inquiéter. Chaque dollar qui a servi à payer le plat est propre. Je te le certifie. Pour le reste, c'est entre Junior, Luc, les jumeaux et moi.

Aussitôt, Sylvie a les larmes aux yeux. Elle a vraiment de bons enfants et a raison d'être fière d'eux. Ce n'est pas dans toutes les familles que les enfants s'entraident. Sylvie serre les jumeaux dans ses bras, puis elle embrasse Sonia sur les joues. Ensuite, elle s'essuie les yeux avec le coin de son tablier. Les jumeaux sont sur le point de sortir de la cuisine quand elle leur demande :

— Est-ce que ça vous dirait de manger une pipe en réglisse noire ?

Évidemment, les deux garçons rebroussent chemin et s'écrient en chœur :

— Certain !

Sylvie va dans sa chambre. Elle revient avec deux petites pipes qu'elle tend aux jumeaux.

— Mais vous avez intérêt à ne jamais toucher à mon plat à bonbons ! prévient-elle d'une voix autoritaire.

Quand elle se retrouve seule avec Sonia, Sylvie remercie sa fille.

— Tu n'as pas à me remercier, maman. Comme je te l'ai dit, ce n'est pas seulement moi qui ai fourni l'argent. On ne pouvait pas laisser les jumeaux se débrouiller seuls. Après tout, ils ne gagnent même pas d'argent encore.

— C'est ce que j'ai dit à ton père, mais il ne voulait rien entendre.

Depuis que Sonia possède une auto, Sylvie trouve que sa fille a gagné en maturité. Au départ, elle n'était pas d'accord pour que Sonia s'achète une voiture, surtout qu'elle lui prêtait la sienne au besoin. Elle ne comprenait pas pourquoi la jeune fille tenait tant à avoir sa propre voiture. Fidèle à sa nature, Sylvie a protesté jusqu'à ce que Michel lui signifie que c'était assez, que Sonia s'achèterait une auto que ça lui plaise ou non – d'autant que leur fille la payerait entièrement avec son propre argent. C'est plus fort que Sylvie : chaque fois que Sonia veut faire un pas en avant, elle est là pour lui mettre des bâtons dans les roues. Elle s'en veut de toutes ses forces. Pourquoi fait-elle tout pour briser les rêves de sa fille ? La dernière fois qu'elle en a discuté avec Chantal, cette dernière lui a dit qu'elle était jalouse de Sonia. Sylvie a beaucoup réfléchi à la question et, en plus, elle en a parlé avec tante Irma. Elle ne peut se résoudre à avouer qu'elle est jalouse de sa fille ; une mère qui se respecte n'a pas le droit d'éprouver un tel sentiment. Tante Irma lui a dit qu'à cause de son vécu, c'était tout à fait normal qu'elle réagisse ainsi. Elle a été privée de toutes les expériences que Sonia vit. Sylvie ne peut nier ce fait, mais elle estime que ce n'est pas une raison suffisante pour empoisonner la vie de sa fille. Elle préfère croire qu'elle agit pour le bien de Sonia, pour la protéger. Sylvie craint que si sa fille jouit de trop de liberté, cette dernière tournera aussi mal que son amie Isabelle.

— Je peux te donner un coup de main pour préparer le souper, si tu veux, maman.

— Ça me rendrait service si tu épluchais les patates. C'est pour faire une purée. Tu peux même en peler un peu plus. Il y a bien longtemps qu'on n'a pas mangé de bonbons aux patates.

Sonia vient de sortir le panier de pommes de terre de sous l'évier quand Luc fait une entrée fracassante. C'est à peine s'il tient sur ses jambes. Sylvie lâche tout et se précipite vers son fils pour s'assurer qu'il n'est pas en pleine crise d'asthme. Même s'il y a des mois qu'il n'en a pas fait, la moindre petite variation dans le comportement de Luc met immédiatement Sylvie en alerte. Une fois à côté de Luc, elle constate vite que l'asthme n'est pas en cause. On dirait qu'il est ivre : en plus d'afficher un sourire niais, le garçon a le plus grand mal à se tenir debout.

— Mais tu as bu, ma parole ! s'écrie Sylvie d'un ton sec. Viens t'asseoir.

Sonia approche son nez de la bouche de son frère.

— Luc n'a pas bu, maman ; il ne sent même pas l'alcool. Il empeste la térébenthine.

— Ce n'est quand même pas ça qui l'a mis dans cet état. Peut-être a-t-il fumé un joint ?

— Je ne crois pas. Il faut qu'on réussisse à lui faire dire ce qu'il a pris.

Sonia interroge Luc d'un ton insistant en le secouant par les épaules. Mais le garçon est trop « parti » pour lui répondre. Tout ce qu'il fait, c'est regarder bêtement sa mère et sa sœur tour à tour en souriant de toutes ses dents.

Alertés par le bruit, les jumeaux font leur apparition dans la cuisine. Quand ils aperçoivent Luc, ils figent sur place. C'est la première fois qu'ils voient leur frère dans cet état.

— Connaissez-vous tous les amis de Luc ? leur demande Sonia. Il faut absolument qu'on sache ce qu'il a pris.

François et Dominic observent Luc en silence. Ils n'en reviennent pas de voir à quel point il est différent. Sonia s'empresse de répéter sa question. Dominic sort enfin de sa léthargie.

— Depuis quelques jours, Luc se tient avec un gars plus vieux que lui. Tout ce que je sais, c'est que le père de Jean possède un garage près de l'école. Ce gars-là a toujours l'air perdu. On a conseillé à Luc de ne pas se tenir avec lui, mais il nous a envoyé promener.

— Quand notre frère est avec ce gars-là, on n'existe plus pour lui, précise François. Hier, il nous a même traités de petits merdeux.

— Pouvez-vous me montrer où habite le gars en question ? s'enquiert Sonia.

— Si tu veux, répond Dominic en haussant les épaules. Mais puisque c'est le seul garage qu'il y a dans le coin, l'endroit est facile à trouver.

Sonia se tourne vers sa mère.

— Il faut en avoir le cœur net. On ne peut rien faire pour Luc tant qu'on ignore ce qu'il a pris.

— On pourrait aller à l'urgence.

— La première chose qu'ils vont demander, c'est ce qu'il a pris. J'emmène les jumeaux avec moi.

— Je peux appeler ton père, propose Sylvie d'un ton inquiet.

— Ce n'est pas la peine. Je pars tout de suite.

Sylvie est totalement désespérée. Quand un de ses poussins ne va pas bien, elle ne va pas bien non plus. « Comme s'il n'y avait pas assez de Junior et d'Alain qui prennent du *pot.* Je maudis toutes les drogues de la terre. » Elle fouille dans sa mémoire. Le comportement de Luc ces derniers temps a-t-il changé ? D'après Sylvie, ce n'est pas le cas. Son fils réussit bien à l'école ; il rentre toujours à l'heure, sauf aujourd'hui ; et il sort avec la belle Josiane à l'occasion. Elle ne comprend rien. Ses yeux sont pleins d'eau. Comme un automate, Sylvie passe sa main dans les cheveux de Luc. Le garçon la laisse faire sans protester. Pourtant, depuis toujours, il déteste se faire jouer dans les cheveux. Étendu sur le divan, le sourire aux lèvres, Luc fixe le plafond d'un air végétatif.

Dans de tels moments, Sylvie se souvient combien elle trouve difficile d'élever des enfants. Sa sœur Ginette lui rappellerait gentiment qu'elle n'a aucune raison de se plaindre. « Tu devrais te compter chanceuse, dirait-elle, tu as de bons enfants. » Quand les choses vont rondement, tout est parfait. Mais quand tout se met à aller de travers, Sylvie prendrait ses jambes à son cou ; elle ne reviendrait qu'une fois l'orage passé. Ce n'est pas sa faute : c'est la deuxième famille qu'elle élève et la première ne l'a pas ménagée.

Michel est déjà rentré lorsque Sonia et les jumeaux reviennent à la maison. Il est hors de lui et se promène de long en large. Si Sylvie ne l'avait pas retenu, il aurait emmené Luc à l'hôpital. Elle lui a répété plusieurs fois qu'il fallait d'abord savoir ce que leur fils avait pris. Heureusement, Junior a tenu le même discours que sa mère.

Sonia explique :

— Ça a été long, car Jean est dans un plus piètre état que Luc. Et le père refusait de parler. Ce n'est qu'à force d'insistance de ma part qu'il a fini par avouer que son fils s'amusait à « sniffer » de la térébenthine dans l'atelier attenant à son garage. Heureusement, il a pris sur le fait les deux garçons. Il a essayé de retenir Luc, mais celui-ci est parti en courant. Quand je lui ai demandé ce qu'il fallait faire, il a simplement haussé les épaules d'un air découragé et m'a dit : « L'effet va finir par passer. »

— C'est tout ? demande Michel d'une voix remplie de colère.

— Oui, répond Sonia.

— Maintenant qu'on sait ce que Luc a pris, dit Sylvie en reniflant, je vais appeler Shirley. Elle saura sûrement quoi faire.

Le père de Jean avait raison. Il n'y a pas grand-chose à faire, sinon attendre que l'effet se dissipe. Une fois sorti des limbes, Luc s'est mis à trembler. Il n'a pas aimé du tout son expérience.

— Je te jure que je ne « snifferai » plus jamais de la térébenthine, déclare-t-il à son père.

— Tu as intérêt, mon gars. Sinon, je t'enfermerai jusqu'à ta majorité s'il le faut !

Chapitre 24

Sonia n'en revient pas que Junior, son frère adoré, ait commis une telle bêtise.

— Je ne peux pas croire qu'avec toutes les filles qu'il y a au cégep, tu aies osé t'en prendre à Violaine. Voyons donc ! Ça ne se fait pas de récupérer l'ancienne blonde de son frère, surtout lorsque celui-ci est mort.

Junior hausse les épaules. Il ne voit pas les choses de la même manière que sa sœur.

— Je te jure sur la tête de maman que je ne voulais pas. Mais Violaine a tellement insisté que j'ai fini par céder.

— Franchement, j'espère que tu ne penses pas que je vais avaler ça !

— Il va bien falloir parce que c'est la stricte vérité. Ce n'est quand même pas moi qui l'ai appelée ; je n'avais pas son numéro de téléphone. Crois-moi, j'ai été le premier surpris quand j'ai entendu sa voix.

— Tu aurais pu dire non.

— Oui, tu as raison, j'aurais pu. Mais j'aurais été le pire des imbéciles si j'avais refusé de faire l'amour avec Violaine. C'est une très belle fille. En fait, elle est encore plus belle que lorsqu'elle sortait avec Martin. De toutes celles que j'ai mises dans mon lit, c'est elle qui remporte la première place.

— Arrête de parler ainsi. On croirait que tu parles d'un concours de photo.

— Que veux-tu dire ?

Junior sait parfaitement ce que cela signifie. Mais en posant la question, c'est comme s'il se donnait bonne conscience. Certains jours, il n'est pas fier de lui quand il se regarde dans le miroir. Toutefois, même s'il voulait agir autrement, il en serait incapable – du moins pour le moment.

— Mon pauvre Junior, tu le sais très bien. L'unique raison pour laquelle tu collectionnes les filles, c'est parce que tu en veux toujours à Christine. Il va falloir que tu finisses par t'en remettre. La seule personne à qui tu fais du mal, c'est à toi.

Au début, cela ne dérangeait pas Sonia de voir Junior changer de filles au gré de ses humeurs. Mais là, elle commence sérieusement à déchanter. « Ça fait assez longtemps que ça dure. » Elle a peur que son frère finisse par ne plus être capable de tomber amoureux. Selon elle, ce serait une grosse perte pour la gent féminine parce que son frère est vraiment quelqu'un de bien.

Junior pose sa main sur le bras de Sonia. En souriant, il déclare :

— Arrête de t'en faire pour moi. Je ne suis pas malheureux, car c'est le genre de vie que je veux mener pour le moment. Plus tard, on verra bien. Mais toi, comment vont tes amours ?

— De ce côté-là, je suis en plein désert. Mais ce n'est pas si grave.

— Voyons donc ! s'exclame Junior. Avec tous les gars qui te tournent autour, tu ne vas pas me faire accroire qu'aucun d'entre eux ne t'intéresse…

— Aucun ! répond vivement Sonia. Ils sont beaux, ils sont gentils aussi, mais ils n'ont pas ce petit quelque chose de spécial qui me fait vibrer. Comme le dit si bien tante Chantal : « Il vaut mieux marcher seul qu'être mal accompagné. » Mes amis de gars sont là quand j'ai envie de sortir. Ils sont toujours très contents de faire une petite virée avec moi. Pour le reste, rien ne presse. Un de mes professeurs me fait de l'œil, mais je le trouve trop vieux. Et à la galerie où je travaille, il y a un client qui m'apporte une rose à chacune de ses visites. Même s'il est un peu plus âgé que moi, je le trouve de mon goût. Le père d'Antoine m'a dit que ce jeune homme était en train de finir sa médecine. Selon lui, il est célibataire. Voilà ! Tu sais tout maintenant.

— Tu n'es vraiment pas à plaindre. Sacrée chanceuse ! Les hommes se jettent à tes pieds et c'est tout l'effet que ça te fait.

Sonia prend une pose de vedette et lance d'un ton emprunté :

— Que veux-tu que j'y fasse, je suis faite comme ça !

La seconde d'après, le frère et la sœur éclatent de rire. Ils apprécient toujours autant la compagnie de l'autre. Lorsque leur horaire le leur permet, ils reviennent ensemble du cégep. Ces jours-là, ils achètent toujours des petits gâteaux au caramel. Comme ils se promènent en auto la plupart du temps, ils vont manger leurs pâtisseries en bordure du fleuve.

— Quand allez-vous donner votre premier spectacle, ton groupe et toi ? s'informe Sonia.

— Ce n'est pas aussi simple. Si on voulait se produire dans un sous-sol de bungalow, ce serait déjà fait. Mais comme on veut s'exécuter dans une vraie salle, c'est une autre paire de manches. La semaine passée, Daniel est venu nous entendre. Il nous a trouvés tellement bons qu'il a dit qu'il allait nous donner un coup de main pour nous trouver un premier contrat. Je…

Junior hésite un peu. Il fait un demi-sourire à sa sœur avant de poursuivre :

— Je ne voudrais pas te faire de peine, mais je pense que notre chanteuse lui est tombée dans l'œil. Tu aurais dû voir de quelle manière il la regardait.

— J'espère que c'est réciproque ! déclare joyeusement Sonia. Je te rappelle que c'est moi qui ai laissé Daniel. Tant mieux pour lui si ça marche avec la chanteuse !

— Je suis content que tu le prennes comme ça. Mais pour en revenir à mes affaires, moi, je ne sais pas trop comment je vais m'organiser quand on va commencer à donner des spectacles. Une chose est certaine : je ne pourrai pas tout faire. J'entends déjà papa me dire que je devrais garder mon emploi à l'usine, que contrairement à la musique c'est un emploi assuré.

— Tu t'en fais pour rien. Moi, je suis certaine qu'il va comprendre. De toute façon, tu connais la règle : il faut qu'on se débrouille tout seuls. À ce que je sache, tu ne demandes jamais d'argent à personne. Alors, où est le problème ?

C'est connu, et même de Michel, que les enfants de la famille ne veulent pas suivre les traces de leur père – du moins jusqu'à maintenant. Ils sont tous un peu inquiets de sa réaction quand ils lui annoncent leur choix de carrière. Chaque fois que cela est arrivé, ils ont eu l'impression que Michel le prenait personnel. Les enfants Pelletier n'ont rien contre le fait que leur père ait passé la plus grande partie de sa vie à conduire un camion, c'est seulement qu'ils nourrissent d'autres ambitions.

— Tu as bien raison, approuve Junior. Mais changement de sujet. Je voulais te parler de Luc. Je suis allé passer les journaux avec lui le lendemain de l'épisode de la térébenthine. J'en ai profité pour avoir une conversation sérieuse avec lui. Je l'ai averti que je l'aurais à l'œil et que, si j'apprenais qu'il s'adonnait encore à « sniffer », il aurait affaire à moi.

— Moi aussi, j'ai discuté avec Luc. Je ne crois pas qu'il va récidiver. Il m'a dit qu'il avait détesté son expérience.

— J'espère que c'est vrai, parce que la térébenthine c'est vraiment très mauvais pour le système. En plus, un des gars de mon groupe m'a dit que ce produit ne pouvait même pas être détecté dans le sang. N'empêche que c'est facile de développer une dépendance. Crois-moi, je suis bien placé pour le savoir. Mais la mari est pas mal moins dommageable que la térébenthine.

— C'est toi qui le dis. Moi, je pense que toute dépendance est néfaste : drogue, alcool, médicaments… c'est du pareil au même. À partir du moment où quelqu'un ne peut se passer de quelque chose, cela signifie qu'il a un problème.

— C'est facile de parler quand on n'a aucune dépendance. Crois-moi, tu es bien chanceuse.

* * *

Pendant ce temps, Sylvie discute allègrement avec son père. Elle est ravie de le voir.

— Je ne le crois quasiment pas ! s'exclame-t-elle. Vous êtes assis dans ma cuisine comme dans le bon vieux temps. Vous n'avez pas idée combien vos petites visites me manquent.

Camil n'a pas envie de commenter les reproches à peine voilés de sa fille aînée. Lui aussi, il est content de la voir, mais il est heureux de vivre un peu à l'écart de la famille. En fait, depuis qu'il a déménagé à L'Avenir, sa santé s'est nettement améliorée. Son moral aussi. Là-bas, il ne craint pas que Ginette ou qui que ce soit d'autre débarque à l'improviste. Ses jours s'écoulent tranquillement aux côtés de Suzanne dans le bonheur le plus simple. Là-bas, tous deux vivent au rythme des saisons avec comme seuls bruits de fond ceux de la nature. Montréal ne lui manque pas. Camil n'aurait jamais pensé finir ses jours à la campagne, mais maintenant il hésite à quitter son coin de pays même pour quelques jours seulement. Il s'y sent bien.

— Tu ne m'as pas encore parlé de tes chansons.

— Je présenterai quatre solos dans le prochain spectacle. Ce sont tous des airs que maman me chantait quand j'étais petite, alors je les sais déjà par cœur.

— Est-ce que je me trompe ou tu me parles du chant avec moins de passion qu'avant ?

— J'aime toujours autant chanter. Mais plus je chante, plus je réalise tout ce que j'aurais pu faire d'autre de ma vie. Il y a des jours où ça me rattrape. Mais n'allez pas croire que j'ai des regrets ; je suis très heureuse.

Camil s'en est voulu longtemps d'avoir décidé de l'avenir de sa fille sans même la consulter. Parfois, il se dit qu'il n'avait pas le droit d'agir ainsi.

— Tu sais ce que je pense des gens qui collectionnent les regrets. Mais toi, tu as le droit d'en avoir. Tu t'es réveillée un beau matin avec toute une famille sur les bras sans avoir rien choisi. Je suis désolé.

— Ne soyez pas désolé. Vous et moi avons été victimes d'une situation à laquelle nous ne pouvions rien changer. Non, je n'ai pas de regrets. Seulement, il m'arrive de me demander ce qu'aurait été ma vie si maman ne s'était pas suicidée. Peut-être que je n'aurais pas eu le courage de me lancer dans le chant lyrique, mais peut-être aussi que j'aurais suivi exactement la même voie. Tout ce que je sais, c'est que j'adore chanter et que, plus le temps passe, plus j'ai envie de croire Xavier. Selon lui, il n'est pas trop tard pour moi si je veux donner des spectacles solos. Il m'a même offert de s'occuper personnellement de ma carrière.

Sylvie se laisse bercer par ce rêve de tenter sa chance en solo. Si elle se fie à Xavier, elle a tout ce qu'il faut pour réussir, même à son âge. « La voix ne vieillit pas », lui répète-t-il constamment. Elle s'est même risquée à en parler à Michel. La réaction de ce dernier a été instantanée. « Pourquoi tu t'en priverais ? Bientôt, plus personne n'aura besoin que tu restes à la maison. Vas-y. Je serai toujours là pour t'épauler. »

— Quelle bonne nouvelle ! s'exclame Camil. Tu peux te fier à Xavier. Il a un très bon jugement, et du goût aussi. C'est vrai que tu as tout ce qu'il faut pour réussir. Je suis tellement content que Chantal et lui se marient. Elle ne pouvait espérer un meilleur mari.

Camil aime beaucoup son futur gendre. Dès leur première rencontre, les deux hommes se sont bien entendus. Camil sait que Xavier rendra sa fille heureuse. Et il espère que celui-ci aura suffisamment d'influence sur Sylvie pour la convaincre d'aller de l'avant avec sa carrière de chanteuse.

— Vous avez raison. Xavier est un très bon parti. Mais dites-moi : Suzanne et vous, allez-vous assister au mariage de Marie-Paule ?

— Non, car il faut absolument qu'on retourne chez nous vendredi. On a promis de donner un coup de main pour organiser la fête du village. Et puis, d'ici là, Suzanne et moi avons un horaire assez chargé. Je veux voir tout le monde. Demain, je vais dîner chez Ginette.

— Pour vrai ? Vous en avez de la chance ! Moi, je ne me souviens même pas de la dernière fois où je suis allée manger chez elle. Vous allez voir, depuis qu'elle travaille, ce n'est plus la même personne. Figurez-vous qu'elle rit maintenant !

Les dernières paroles de Sylvie ramènent instantanément Camil à l'époque où ses enfants étaient jeunes. Il se souvient que Ginette était la plus rieuse, surtout pendant la messe. Plus d'une fois, Camil a dû la faire sortir de l'église parce qu'elle riait trop.

— Tant mieux ! Quand Ginette était jeune, elle avait le sourire facile. On dirait que tout a changé le jour de son mariage.

— Je ne crois pas que ce soit à cause de son mari parce qu'elle est encore avec lui. C'est probablement parce qu'elle n'était pas faite pour rester à la maison – comme bien des femmes de notre époque, d'ailleurs. Je vous le dis, Ginette est méconnaissable. Son moral n'a jamais été aussi bon. J'ai même du mal à me souvenir du monstre qu'elle a été avec Suzanne et vous.

— Tout ça, c'est du passé. Aussi bien que tu l'apprennes de ma bouche, j'ai décidé de lui donner un peu d'argent pour l'aider. J'espère que ça ne te dérange pas.

— Je ne vois pas pourquoi ça me dérangerait. Vous pouvez disposer de votre argent à votre guise. Vous faites bien d'aider Ginette ; elle va apprécier votre geste. En plus, elle en a vraiment besoin. Aux dernières nouvelles, son mari avait obtenu une deuxième entrevue dans une entreprise, mais je n'en sais pas plus.

* * *

Lorsque la cloche annonçant la fin du cours retentit, les jumeaux sont les premiers à sortir de la classe. Ils sont furieux. Ils en ont plus qu'assez de monsieur Greenwood, le professeur de géographie. Celui-ci est aussi poussiéreux que ses vieilles cartes, ses vestons sont cernés sous les bras et il empeste. En réalité, il s'appelle monsieur Boisvert, mais depuis qu'il enseigne, les élèves l'ont toujours appelé monsieur Greenwoood. L'autre jour, un élève a dit au professeur qu'il était aussi poussiéreux que les cartes qu'il passe son temps à dérouler pendant ses cours. Pour toute réaction, l'homme s'est contenté de faire un sourire niais dévoilant des dents jaunies par la nicotine. Certains disent qu'il est idiot, alors que d'autres prétendent qu'il se moque de tout. Monsieur Greenwood donne des devoirs et des leçons à la pelle, ce qui horripile tous ses élèves – surtout que les autres professeurs de géographie n'en donnent presque pas.

— J'en ai plus qu'assez de ses maudits devoirs ! maugrée Dominic. Si ça continue, on va devoir passer nos soirées à étudier la géographie. Ça me dégoûte, surtout que c'est loin d'être ma matière préférée… On devrait lui montrer de quel bois on se chauffe.

— Qu'est-ce que tu veux-dire ? demande François d'un air intéressé.

— J'ai pensé qu'on pourrait lui jouer un tour. J'ai ma petite idée. Écoute bien : on pourrait chauffer la poignée de la porte de la classe avec des briquets.

François fronce les sourcils. Il attend de connaître la suite.

— On chaufferait la poignée extérieure juste avant qu'il arrive. Quand il poserait la main dessus, il se brûlerait. Je l'imagine avec sa petite face en grimace !

— C'est tout ?

— Tu ne trouves pas que c'est suffisant ? Si je me fie à ce que m'a raconté Daniel, l'ancien *chum* de Sonia, monsieur Greenwood devrait ensuite avoir des cloques d'eau dans la main, comme c'est le cas quand on se brûle. Qu'est-ce que tu veux de plus ?

— C'est juste que je me demande en quoi ça va aider notre cause.

— Je ne te suis pas. Si tu espères qu'un jour il donnera moins de devoirs et de leçons, c'est peine perdue. Ça fait trente ans qu'il enseigne et il a toujours été pareil. Si on lui joue un tour, c'est seulement pour se payer sa tête.

— OK ! Je suis partant. Je suis pas mal certain que si on demandait à une couple de gars de nous aider, ils accepteraient avec plaisir. Il va falloir qu'on fasse vite. À deux, on n'y arrivera pas.

— Il va aussi falloir qu'on empêche les élèves d'entrer dans la classe. On pourrait demander à Jimmy et à Steve de nous donner un coup de main.

— Bonne idée ! Ça nous laisse deux jours pour nous trouver chacun un briquet.

Chapitre 25

Tout le monde dort à poings fermés chez les Pelletier lorsque Sylvie et Michel rentrent à la maison. Ils ont quitté la noce les derniers et ensuite, ils sont allés prendre un verre à l'hôtel où les frères et les sœurs de Michel ont réservé des chambres. Comme les gens du Saguenay avaient prévu le coup, l'alcool coulait à flots. Pour une fois qu'ils se retrouvaient tous ensemble ailleurs que dans la maison familiale, ils en ont profité pour lever le coude – un peu trop haut, d'après Sylvie. Il ne manquait qu'André. Il devait venir, mais il a dû annuler son voyage à la dernière minute. Son plus jeune fils a été opéré d'urgence pour l'appendicite. Évidemment, les Pelletier ont appelé leur frère. Il fallait les entendre parler tous en même temps ; ils avaient l'air de vrais gamins. Même pendant la réception de mariage, ils ne cessaient de frapper sur leurs verres pour que les mariés s'embrassent. Marie-Paule était au septième ciel. Non seulement elle commençait une nouvelle vie aux côtés d'un homme qu'elle aime, mais elle avait la chance d'avoir ses enfants avec elle. Certes, l'absence d'André lui a fait de la peine, mais la vie lui a appris à quel point on est impuissant devant la maladie.

Sylvie soutient Michel du mieux qu'elle peut. Son mari est tellement mou qu'il semble peser une tonne. Alors qu'ils s'engagent dans le couloir, Michel déclare :

— Je ne veux pas aller dormir tout de suite. J'ai envie de parler un peu. Je vais m'asseoir dans mon fauteuil.

— Comme tu veux, répond gentiment Sylvie. Je vais te préparer un café instantané ; ça va te faire du bien.

C'est tellement rare que Michel s'enivre que Sylvie ne s'en fait pas avec ça. Elle a passé une soirée très agréable avec sa belle-famille. Elle aime beaucoup les Pelletier. Il fallait voir à quel point

Marie-Paule était ravie que tous les siens soient venus de Jonquière pour assister à son mariage. Au bras de son René, elle rayonnait de bonheur.

— Non madame, il n'en est pas question ! émet Michel d'une voix pâteuse. Tu veux ma mort ou quoi ? Avec tout l'alcool que j'ai ingurgité, il n'y a rien comme une bonne bière froide pour me remettre. Peux-tu me donner une bière parce que moi je ne serai pas capable de me lever de ma chaise avant un petit moment ?

Sylvie se met à rire. Elle file à la cuisine et revient vite avec une bouteille de bière décapsulée. Lorsqu'elle remet celle-ci à Michel, il se dépêche de prendre une longue gorgée, comme s'il mourait de soif.

— J'ai lu dans le journal qu'on devrait boire autant d'eau que d'alcool, si on ne veut pas être malade, dit Sylvie.

— L'eau c'est pour les plantes, pas pour les hommes, proteste Michel. Il ne faut pas croire tout ce qui est écrit dans le journal. Tu le sais bien, l'alcool ne me rend jamais malade.

Puis, sur un ton plus doux, il ajoute :

— Il y avait bien longtemps que je n'avais pas vu ma mère aussi heureuse. J'espère que le père ne s'est pas retourné dans sa tombe. Elle a quand même été heureuse avec lui ; c'est du moins ce que je crois. Mais elle a bien fait de se remarier. Elle n'était toujours pas pour passer son temps à attendre comme un vieux coton que ses enfants viennent la voir. Ce n'est pas une vie. Et je dois avouer que j'aime bien mon beau-père. C'est drôle, car jamais je n'aurais pensé en avoir un. C'est un bon gars, son René, un peu serré mais quand même gentil. Ça lui a fait de la peine à la mère qu'André ne soit pas là. Je ne sais pas si j'ai l'esprit mal tourné, mais je n'y crois pas beaucoup à son histoire d'opération.

— Tu es sérieux ? Voyons donc ! Jamais je ne croirai qu'il a inventé un mensonge pour ne pas venir.

— J'espère que je me trompe, mais ça sent l'excuse à plein nez. Fie-toi sur moi, je vais en avoir le cœur net. La prochaine fois que je vais l'appeler, je vais le cuisiner jusqu'à ce qu'il crache le morceau. Mais j'ai une meilleure idée. Je vais vérifier le numéro de vol qu'il m'avait donné. Il est ratoureux, mon frère.

— Ça n'a pas de sens. Ta mère a beau ne pas voir ses enfants aussi souvent que les nôtres, elle va sûrement saisir la première occasion pour questionner celui qui s'est fait opérer. Non, André ne peut pas avoir menti, ça ne lui ressemble pas.

— Moi, je te certifie qu'il en est capable. Il a la tête aussi dure que du roc. Même s'il a fini par dire à notre mère qu'il était d'accord pour qu'elle se remarie, je gagerais qu'il n'en pensait rien. T'en souviens-tu ? Cela m'a pris pas mal de temps pour le convaincre d'aller lui parler. Mais quoi qu'il en soit, c'étaient des maudites belles noces !

— Parle moins fort, lui demande Sylvie. Tu vas réveiller tout le monde.

— Mais non, tu sais bien que nos enfants dorment comme des bûches.

La seconde d'après, Michel bâille à s'en décrocher la mâchoire. Quand Sylvie enlève ses souliers à talons hauts, il lui dit qu'elle peut aller se coucher, si elle le désire, et qu'il ira la rejoindre plus tard. La journée a été longue. Sylvie dépose un baiser sur le front de son mari. Dommage qu'il soit dans cet état, elle aurait bien aimé se coller un peu, d'autant plus que c'est samedi. Elle saisit ses chaussures et se dirige d'un pas lourd vers sa chambre. Il vaut mieux qu'elle aille dormir parce que le lendemain, tous les Pelletier ont promis de venir déjeuner.

* * *

Le matin, avant que l'horloge grand-père ait sonné les coups de dix heures, les rires des frères et des sœurs de Michel et de leurs conjoints résonnent dans la maison des Pelletier. C'est à qui parlera le plus fort pour réussir à se faire entendre. Tous les hommes sans exception ont les yeux plus petits qu'à l'accoutumée. Quant aux femmes, elles s'activent aux côtés de Sylvie et de Sonia pour nourrir tout ce beau monde, faisant fi de leurs traits tirés et de leur soif insatiable de lendemain de veille. L'atmosphère est si bruyante que les jumeaux et Luc ont pris une bouchée et ont filé sans se faire remarquer.

En ce dimanche de la fin octobre, tous les adultes ont décidé – sans même s'être consultés – de sauter la messe du dimanche pour une fois. Après tout, ce n'est pas tous les jours qu'on a la chance de marier sa mère.

— Je me suis bien gardé d'en parler devant la mère, déclare Michel, mais j'ai l'impression que notre frère André lui en a passé une petite vite.

Sylvie fait les gros yeux à son mari. Franchement, pour une fois, il aurait pu garder ses impressions pour lui.

— C'est drôle que tu en parles, intervient Donald, le parrain de Junior. Figure-toi que j'ai justement dit la même chose à ma femme ce matin. Je n'y crois pas trop à cette histoire d'opération.

— Moi non plus, émet Madeleine. Je parierais même qu'il n'avait pas réservé ses billets d'avion. Ce n'est pas parce qu'on a été sans nouvelles de lui pendant des années que j'ai oublié à quel point il est ratoureux. André pense sûrement que d'ici la prochaine fois qu'il va voir maman, celle-ci ne se souviendra plus qu'un de ses fils a été opéré d'urgence la veille de son mariage. Fiez-vous sur moi, je vais aller au fond des choses. André ne s'en tirera pas aussi facilement. Il peut faire accroire ce qu'il veut à maman, mais pas à moi.

— Cela ressemble à ce que j'ai dit à Sylvie hier soir, indique Michel.

— J'étais loin de penser que tu t'en souviendrais, par exemple, déclare Sylvie. En tout cas, on peut dire que vous autres, les Pelletier, vous ne faites pas les choses à moitié. Quand vous fêtez, vous y allez à fond!

— Oui madame! s'exclame Charlotte, habituellement la plus réservée de la famille. Maman avait l'air tellement heureuse que ça valait le déplacement. Elle en a assez fait pour nous qu'on se devait d'être là. Je l'ai trouvée bien audacieuse de vendre tous ses meubles, et même ses vêtements. À son âge, il faut quand même le faire. En tout cas, si l'opération du fils d'André est bidon, c'est bien égoïste de sa part. Croyez-moi, il ne perd rien pour attendre.

Sylvie songe que Michel a de la chance d'avoir une famille comme la sienne. Les Pelletier possèdent un bon sens de l'humour, et en plus ils n'ont pas peur de se dire leurs quatre vérités. Heureusement qu'ils ne sont pas rancuniers parce que Sylvie a déjà été témoin de rencontres où les couteaux volaient bas. Une fois la pilule avalée, la bonne entente revient aussitôt dans le cercle des frères et sœurs. Et les Pelletier se connaissent suffisamment pour savoir jusqu'où ils peuvent aller.

D'une certaine manière, Sylvie envie un peu sa belle-famille. Malgré les nombreux efforts qu'elle a faits pour développer une complicité avec les membres de sa propre famille pendant qu'elle les élevait et après aussi, elle n'y est pas parvenue. En fait, c'est Ginette qui a réussi le meilleur coup à ce chapitre. Mais comme ce n'était pas pour une noble cause, sa sœur n'a pas de quoi être fière. Et puis, les frères et les sœurs de Michel sont plus joviaux que les Belley; ils ont le bonheur facile. Malgré leur âge, tous savent encore s'émerveiller des petites choses de la vie, ce qui est bien différent dans la famille de Sylvie. Chez elle, la plupart ont enterré leur cœur d'enfant. Ils ont plutôt tendance à vouloir le beurre et l'argent du beurre sans réfléchir plus longtemps. Il n'y a qu'à se rappeler ce qu'ils ont fait vivre à leur père pour quelques milliers de dollars. Pourtant, à part Ginette qui traverse une période difficile, personne n'est à plaindre. Les Belley gagnent tous bien leur vie, tout comme les Pelletier.

— J'ai une idée : on pourrait appeler André, propose Georges, l'autre frère de Michel.

— Maintenant ? s'étonne Sylvie qui ne tient pas du tout à être présente si les Pelletier découvrent qu'effectivement, André a servi un mensonge à Marie-Paule.

— Je vais l'appeler, moi, décide Charlotte en s'avançant vers le téléphone. Je vais même payer les frais d'interurbain.

— Laisse faire ça, proteste Michel. Ça ne me ruinera pas.

— À moins que Charlotte parle aussi longtemps à André que lorsqu'elle me téléphone ! ironise Madeleine.

— Venez tous vous asseoir à la table, déclare Sonia. Tout est prêt. S'il vous manque quelque chose, vous n'avez qu'à me le dire.

— Ou à vous servir ! complète Michel en riant.

Depuis toujours, Sonia aime beaucoup la famille de son père. Même si les Pelletier habitent à cinq heures de route – à part André –, Sonia et les siens les ont fréquentés davantage que la famille de sa mère. C'est toujours pareil quand le clan Pelletier est réuni : tous se taquinent, ils refont le monde, ils rient à s'en donner mal aux mâchoires. Ils sont heureux de se voir et ça paraît. D'ailleurs, depuis que sa grand-mère est venue s'installer à Longueuil, les grandes virées à Jonquière pour Noël, Pâques et les vacances de la construction manquent cruellement à Sonia. Elle se promet bien de se reprendre maintenant qu'elle possède une auto.

Il y a quand même une chose qui embête Sonia. Depuis qu'elle sait que Martine est sa mère biologique, elle ne favorise pas les rencontres avec la cousine de son père. Et puis, la jeune fille ne se fait pas d'illusions ; à Jonquière, ce ne sera pas pareil sans ses grands-parents, sans la maison familiale. Contrairement à ses oncles et à ses tantes, la vente de celle-ci lui a fait mal au cœur. Elle aimait chaque pièce de cette maison. Tout comme son père, elle aimait s'installer au grenier les jours de pluie pour entendre celle-ci tomber sur le toit de tôle. C'est fini tout ça. Désormais, elle devra téléphoner chez l'un ou chez l'autre avant de partir pour s'assurer d'être reçue, alors que la maison de ses grands-parents était toujours accessible. Elle savait même où trouver la clé. Sonia est sûre que tous ses oncles et tantes la recevraient à bras ouverts, mais ce ne sera plus jamais pareil. Cela la désole. Et puis, Martine insistera pour que Sonia dorme chez elle. Mais la jeune fille devra refuser l'invitation : elle peut probablement jouer le jeu un certain temps, mais sûrement pas quelques jours.

Aussitôt qu'elle a eu André au téléphone, Charlotte s'est installée dans la chambre de Sonia pour être plus tranquille. Elle n'entendait rien dans la cuisine tellement tout le monde parlait fort.

Voilà déjà cinq bonnes minutes que Charlotte a terminé sa conversation avec André. Elle est incapable de bouger. S'il lui restait un peu d'insouciance de la veille, son frère la lui a fait perdre jusqu'à la dernière miette. Ce que ce dernier vient de lui dire est loin d'être réjouissant. Non seulement les Pelletier avaient raison de croire que l'opération de son fils était une pure invention, mais André lui a débité tout un chapitre sur le fait que leur mère n'avait pas le droit de se remarier, que cela souillait la mémoire de leur père qui avait tout fait pour la rendre heureuse… Charlotte n'a pas ménagé ses efforts pour lui faire entendre raison, mais en vain. André s'est montré aussi borné que leur père pouvait l'être parfois. À bout d'arguments, Charlotte a fini par raccrocher. Elle ne comprend pas comment André peut en vouloir autant à leur mère de refaire sa vie. « Ça paraît qu'il n'a pas été là pendant toutes les années où papa a viré des brosses plus souvent qu'à son tour. André n'a aucune idée de tout ce que maman a dû endurer. »

Sylvie réalise soudainement que l'assiette de Charlotte est encore vide. C'est alors qu'elle se souvient qu'elle a installé sa belle-sœur dans la chambre de Sonia pour qu'elle soit plus tranquille pour parler à André. « Depuis le temps, Charlotte a sûrement raccroché. Je vais aller voir… Elle s'est peut-être endormie. »

Sylvie entrouvre la porte et regarde dans la chambre. Sa belle-sœur est assise par terre et elle serre le combiné du téléphone contre elle. Sylvie s'avance et dit :

— Je m'inquiétais. Alors, comment ça s'est passé avec André ?

Charlotte se lève et fait un effort pour sourire. Puis, d'une voix faible, elle émet :

— On avait raison. Il faut que j'aille le dire aux autres.

Les Pelletier viennent d'encaisser la nouvelle quand leur mère et son nouveau mari arrivent comme un cheveu sur la soupe, alors qu'ils étaient censés partir en voyage de noces aux petites heures du matin. Mais il n'était pas question pour Marie-Paule de laisser les siens retourner à Jonquière sans venir les saluer. En constatant l'expression que ses enfants affichent, elle leur demande joyeusement :

— Est-ce que c'est à cause de moi que vous avez un air de chien battu ?

Comme aucun de ses enfants ne souffle mot, Sylvie se dépêche d'inventer une excuse :

— Ne vous en faites pas avec eux, Marie-Paule. Vos enfants avaient oublié qu'ils n'ont plus vingt ans et que les lendemains de veille sont pénibles.

Ces quelques mots suffisent pour que les Pelletier se composent un visage moins affligé.

— Le pire, c'est que Sylvie a raison, avoue Michel. Vous le savez bien, maman : avant je me couchais chaud à quatre heures du matin, je dormais deux heures et j'allais travailler. Et le soir, je recommençais. Mais croyez-moi : la prochaine fois, je vais réfléchir sérieusement avant de prendre un coup.

Après le départ de leur mère, les Pelletier se remettent à parler d'André.

— Je vous l'avais dit ! s'écrie Georges. C'est du André tout craché. Quand il a quelque chose dans la tête, il ne l'a pas dans les pieds. Maintenant, il faut qu'on trouve une façon de le faire changer d'idée, mais surtout de rattraper ce qu'il a fait accroire à la mère. Si je l'avais devant moi, je lui mettrais mon poing dans la figure.

— Calme-toi, lui ordonne sa femme en posant sa main sur son bras. C'est lui qui s'est mis dans le pétrin, alors qu'il s'en sorte tout seul.

— Tu as raison, mais c'est notre mère qu'il faut protéger dans tout ça, réplique Michel. On ne doit pas laisser André gâcher son bonheur.

— Je propose qu'on appelle André chacun notre tour pour lui dire notre façon de penser, suggère Madeleine.

— Non ! objecte Michel. Je ne crois pas que ce soit une bonne idée. Laissez-moi ça entre les mains.

— Comme tu veux, formule Donald. Mais il faut qu'on en ait le cœur net avant Noël.

Chapitre 26

Les jumeaux étaient ravis que leurs cousins de Jonquière leur envoient des noisettes dans une poche de jute. L'ennui, c'est que non seulement elles ne sont pas équeutées, mais qu'en plus, elles ne sont pas mûres, comme leur a expliqué leur père.

— Il faut d'abord que vous laissiez faner les noisettes. Après, il faudra les battre pour que l'enveloppe dans laquelle elles se trouvent s'enlève en grande partie. Croyez-en mon expérience : vous en aurez plein les bras d'équeuter celles qui auront résisté au battage. Et vous aurez les doigts noirs, aussi.

— On pourrait mettre des gants, a proposé Dominic.

— Si vous voulez ! a dit Michel. Pour ma part, j'aime mieux avoir les doigts tachés plutôt que d'équeuter des noisettes avec des gants. On ne travaille pas à son aise. Une fois que vous aurez fini, il faudra étendre les noisettes sur un papier journal et les laisser sécher pendant quelques semaines.

— Est-ce qu'on va pouvoir au moins en manger une avant Noël ? a demandé François d'un air déçu. C'était bien moins compliqué de prendre les noisettes dans le pot de métal de nos cousins.

— C'est certain, mais au moins vous saurez maintenant tout le travail qu'il faut accomplir avant de pouvoir mettre une noisette dans sa bouche.

— Ce n'était vraiment pas nécessaire, a gémi Dominic. De toute façon, il n'y a même pas de noisetiers par ici. Ça ne nous servira plus. C'est quand même gentil de leur part, mais je parierais que c'est une façon de nous montrer pourquoi ils criaient au meurtre chaque fois qu'on plongeait la main dans leur pot de noisettes. À ce que je vois, c'est presque aussi précieux que de l'or.

— Ouais! a approuvé François. Tu peux être certain que personne n'aura le droit de se servir dans notre pot.

Depuis ce jour, les jumeaux vont observer leurs noisettes au moins deux fois par jour, un peu comme si cela pouvait accélérer le processus de vieillissement.

François et Dominic s'apprêtent à sortir du garage pour aller rejoindre leurs amis. Pendant ce temps, Sylvie est au téléphone avec le directeur de l'école des jumeaux. Plus elle l'écoute, plus elle fulmine. Elle est outrée à cause de ce que ses chers chérubins ont fait subir à leur pauvre professeur de géographie. Elle ne se doutait pas qu'ils pouvaient être aussi méchants. Sylvie convient d'aller rencontrer le directeur avec les jumeaux le lendemain, après les classes. « Cette fois, François et Dominic ont vraiment dépassé les bornes. Il faudra qu'on les punisse sévèrement, Michel et moi. »

Mue par l'adrénaline, Sylvie sort de la maison en coup de vent. Elle vient d'entendre la porte du garage claquer ; ça signifie que les jumeaux n'ont pas eu le temps de s'éloigner. Une fois sur la galerie, elle laisse planer son regard tout autour. Quand elle aperçoit ses fils au bout de la rue, elle les interpelle d'une voix forte. Toutes les personnes du quartier ont dû l'entendre – sauf les jumeaux, bien sûr. Ces derniers poursuivent leur chemin comme si de rien n'était. Sylvie est tellement furieuse qu'elle a l'impression que quelque chose lui compresse la poitrine et qu'elle va éclater. Lorsqu'elle réalise que ses deux petits monstres font la sourde oreille, elle se précipite à leur rencontre. Elle souffle comme un bœuf, mais elle continue à courir sans s'en préoccuper. Il faut absolument qu'elle rattrape les jumeaux. Après, elle aura tout son temps pour reprendre son souffle. Alors qu'elle est sur le point de rejoindre François et Dominic, elle est soudainement prise d'une crampe qui l'oblige à s'arrêter. Non seulement Sylvie est incapable de bouger, mais elle est aussi trop essoufflée pour crier à ses fils. Pliée en deux et privée de tous ses moyens, elle regarde ceux-ci s'éloigner d'un œil aussi noir qu'une nuit sans lune. « Ils ne perdent rien pour attendre, ces deux-là ! »

Lorsqu'elle revient enfin à la maison, Sylvie se laisse tomber sur la chaise berçante. Elle se sent aussi fatiguée que si elle venait d'escalader le mont Royal en courant. Elle respire à petits coups une fois, deux fois, trois fois. Lorsqu'elle retrouve enfin son souffle, elle commence à se bercer doucement sans s'en rendre compte. Ce n'est qu'après quelques minutes que Sylvie sent revenir le calme à l'intérieur d'elle.

Elle ne comprend pas pourquoi les jumeaux s'en sont pris à leur professeur de géographie, surtout de cette manière. Certes, elle savait qu'ils ne portaient pas monsieur Boisvert dans leur cœur, mais cela ne leur donnait pas le droit de lui brûler la main sous prétexte qu'il donne trop de devoirs et de leçons. « François et Dominic ont treize ans, mais parfois ils n'ont pas plus de jugement qu'un enfant de cinq ans. » Pour une fois, Sylvie n'ira pas voir le directeur toute seule ; elle demandera à Michel de l'accompagner. D'abord, les jumeaux seront beaucoup plus impressionnés si leur père est présent ; ils le prennent au sérieux, ce qui n'est pas le cas avec leur mère. Sylvie laissera le soin à Michel d'infliger un châtiment exemplaire à leurs fils. Et cette fois, il ne sera pas question de solidarité avec le reste de la famille. Elle ne laissera ni Luc, ni Sonia, ni Junior, ni même Alain venir aux secours des jumeaux. François et Dominic ont eu l'audace de piéger leur professeur de géographie, alors ils devront avoir le courage de subir la punition qui leur incombera. Depuis qu'ils sont au monde, Sylvie a dû les punir tellement souvent qu'elle ne sait même plus quoi leur imposer comme sanctions.

Lorsque l'horloge sonne, Sylvie réalise qu'il est temps de dresser la table. Pendant qu'elle s'est bercée, elle a réfléchi au meilleur moment pour parler aux jumeaux. Pour une fois, elle attendra après le souper. Ainsi, les membres de la famille pourront manger en toute tranquillité car ils ignoreront qu'une bombe est sur le point d'éclater. Quand les jumeaux sortiront de table, Sylvie racontera toute l'histoire à Michel. Évidemment, François et Dominic devront rester à la maison ce soir ; ils réfléchiront dans leur chambre à ce qu'ils ont fait. Michel et Sylvie attendront d'avoir rencontré le directeur pour leur donner leur punition.

* * *

Le soir, installée devant le miroir de sa coiffeuse, Sylvie s'étend une bonne couche de Noxzema sur le visage. Elle applique le produit avec beaucoup plus d'ardeur qu'à l'habitude, à tel point qu'elle s'en met dans les yeux. Elle est toujours d'aussi mauvaise humeur que lorsqu'elle a parlé au directeur avant le souper. Il y a des jours où elle vendrait les jumeaux pour une vieille chiquée de gomme. Sylvie revoit encore l'expression de François et Dominic quand elle leur a appris qu'ils devraient rencontrer le directeur le lendemain après les cours à cause du mauvais tour qu'ils avaient joué à leur professeur de géographie. Elle a dû se retenir pour ne pas les gifler. Les deux chenapans sont restés de marbre, comme si elle venait d'énoncer une banalité. Puis, Dominic s'est permis de dire que leur professeur ne méritait pas mieux. Et François a renchéri en déclarant que son frère et lui étaient devenus les coqueluches de l'école, et qu'à chaque récréation au moins un élève venait les féliciter.

Comme l'événement est arrivé il y a près de deux semaines, François et Dominic croyaient s'en être tirés sans conséquence. Mais c'était bien mal connaître leur professeur de géographie. Avec toutes les années d'enseignement que monsieur Boisvert a derrière lui, il en a vu à la tonne des garnements comme les jumeaux qui essaient de faire la loi dans sa classe. Dommage pour eux parce que ça ne l'impressionne pas du tout. Le professeur a laissé mariner volontairement François et Dominic pour leur faire croire qu'ils avaient gagné la partie, ce qui est loin d'être le cas. Tous les élèves qui s'en sont pris à lui ont payé cher leurs mauvais tours. Et les jumeaux et leurs deux complices ne feront pas exception. « Les sacripants, ils vont voir de quel bois je me chauffe. »

Quand Michel a déclaré qu'il assisterait à la rencontre, Sylvie a cru voir un petit froncement de sourcils chez les jumeaux. Avec leur mère, ils savent qu'ils ont plus de chances de s'en sortir sans trop de tracas. Mais avec leur père, c'est une tout autre histoire. Même si François et Dominic ont vieilli, la grosse voix de Michel les impressionne encore.

Ce soir-là, il n'est pas encore neuf heures quand Sylvie se met au lit. Elle sait que le sommeil ne viendra pas facilement. La colère gronde beaucoup trop fort en elle. Elle soupire un bon coup. Elle prend ensuite le roman-photo qu'elle a emprunté à Sonia et commence à lire. Cinq minutes plus tard, elle en est encore à la première page. Elle dépose brusquement le roman-photo sur sa table de nuit. Puis, elle se glisse sous les couvertures, les remonte jusqu'au menton et ferme les yeux. « Ça prendra le temps que ça prendra pour m'endormir, mais c'est tout ce que je suis capable de faire pour le moment. »

* * *

Au salon, Junior et Michel viennent tout juste de finir leur cours de guitare. Ils rangent aussitôt leurs instruments dans leurs étuis.

— Excuse-moi, mon gars, dit Michel. Ce soir, je n'ai pas été un très bon élève.

— Ne t'en fais pas avec ça, papa, je comprends. C'est déjà beau que tu aies voulu avoir ton cours quand même. Autant les jumeaux peuvent être adorables, autant ils peuvent être détestables.

— Mais entre toi et moi, indique joyeusement Michel, je trouve que c'était une maudite bonne idée. Imagine comme le bonhomme a dû sursauter ! Contrairement à ta mère, je n'ai pas envie de jeter tout le blâme sur tes frères. D'après ce que j'ai compris, ce professeur est loin d'être tout blanc.

L'histoire des jumeaux a ramené Michel à sa propre adolescence. Contrairement à ses fils, il avait l'habitude de parler avec ses poings, ce qui lui a valu de nombreuses retenues à l'école – et beaucoup de punitions à la maison. Il se souvient particulièrement d'un frère qui enseignait le catéchisme. Celui-ci était d'une telle méchanceté que personne ne voulait être dans sa classe, pas même les plus fanfarons. Michel a bien essayé de se faire changer de classe, mais ni son père ni sa mère n'ont accepté de le soutenir dans sa démarche. Aucun des deux ne voyait la détresse de leur fils à la seule idée d'avoir ce professeur. Plus les semaines passaient, plus la colère montait en Michel. Casser la figure à des jeunes de son âge ne lui faisait pas peur, mais là il s'attaquait à beaucoup plus gros que lui, et plus grand aussi. Il ne pensait plus qu'à ce qu'il pourrait faire à ce frère pour lui rendre la monnaie de sa pièce, en son nom et en celui de tous les élèves de sa classe. Non seulement les notes de Michel chutaient de façon alarmante, mais il collectionnait les pages de copie – soit parce qu'il avait parlé en classe, copié sur le voisin ou omis de faire ses devoirs... En fait, pour Michel, toutes les raisons étaient bonnes pour faire suer le professeur qu'il détestait de toutes ses forces. Le jour où Michel en a eu assez, il a commencé à imaginer ce qu'il pourrait faire pour faire souffrir un peu le frère : des punaises sur sa chaise, du sable dans les poches de son manteau, une colonie de fourmis dans sa serviette en cuir... Tout y est passé. Plus il en faisait endurer à son professeur, plus celui-ci en faisait baver à ses élèves. Il n'avait pas son pareil pour pincer les jeunes avec ses longs doigts maigres, leur donner des coups de règles de bois ou leur administrer une claque derrière la tête pour tout ou rien – surtout pour rien. Les élèves détestaient tellement ce professeur que jamais personne n'a dénoncé Michel. Au contraire, plusieurs se sont mis de la partie. Cela a entraîné une vraie épidémie de mauvais coups à l'endroit du professeur dont personne ne voulait. Heureusement, au retour des vacances de Noël, les élèves ont appris qu'ils auraient un remplaçant.

— À mon avis, c'était quand même malintentionné de leur part de chauffer la poignée de porte.

— Oui, mais il y a quelque chose qui ne marche pas. Les jumeaux n'ont jamais été méchants quand ils jouent des tours. C'est la première fois qu'ils s'en prennent à quelqu'un directement. Ça n'excuse pas pour autant ce que François et Dominic ont fait, mais il y a des choses dans cette histoire qui ne sont pas claires et je n'aime pas ça du tout. Tu sais, certains professeurs sont loin d'être des saints. J'ai bien l'intention d'avoir une discussion franche avec le directeur.

— Ouf ! Je sens que maman n'aimera pas ça, elle qui vénère tous les professeurs de la terre, les bons comme les mauvais. « Hors de l'école, point de salut », comme elle dit.

— Eh bien, elle va devoir faire avec. Je veux bien punir les jumeaux, mais de manière juste.

— Mais changeons de sujet, si tu veux bien. Tu commences à être assez bon avec ta guitare, papa, pour qu'on pense sérieusement à se produire sur scène comme on avait projeté de le faire.

— Tu es malade ou quoi ? s'écrie Michel. Il n'en est pas question ! Enfin, pas tout de suite. Donne-moi encore un peu de temps. Si on convenait de faire notre spectacle l'été prochain, cela te conviendrait-il ?

— Ce serait même mieux pour moi. D'ici là, j'aurai sûrement pris de l'expérience sur scène avec mon groupe.

— Alors, c'est sérieux ?

— Mais oui ! On a même signé deux contrats pour des noces en décembre. Si tu veux, tu pourrais venir à notre prochaine répétition.

— Avec plaisir, mon gars !

L'air radieux, Michel regarde son fils. Junior réussit tout ce qu'il touche. Il sait bien que celui-ci ne suivra pas ses traces, qu'il doit trouver quelqu'un d'autre pour prendre la relève à son magasin, mais il est fier de lui. Junior excelle en photographie ; tous les concours qu'il a gagnés le prouvent. Il a même été approché par le journal local pour fournir des photos sur des sujets précis. Et son fils collectionne les filles comme d'autres collectionnent les timbres ou les papillons. Chaque fois que Michel pense à cela, il gonfle la poitrine sans même s'en rendre compte. Mais une question lui brûle les lèvres de plus en plus ; toutefois, il n'a pas encore osé la poser à Junior. Sans plus de réflexion, Michel se jette à l'eau :

— Gardes-tu un souvenir de tes conquêtes ?

Surpris, Junior rougit jusqu'à la racine des cheveux. Nerveux comme une puce, il hésite avant de répondre.

— Voyons, ne rougis pas comme ça ! s'écrie Michel. Si ça peut t'encourager, je peux te révéler mon secret là-dessus.

Sans attendre la réponse de son fils, Michel poursuit :

— Moi, j'ai gardé un objet de chaque fille avec qui j'ai fait l'amour : un ruban, une barrette, une boucle d'oreilles, un foulard… J'ai conservé mes souvenirs jusqu'au jour de mon mariage.

En écoutant les confidences de son père, Junior recouvre son calme. Même s'il trouve Michel plutôt bel homme, il imagine mal celui-ci en Casanova. Une fois le choc passé, il dit :

— Tout d'abord, promets-moi de ne pas rire de moi. Tu sais, il n'y a personne qui est au courant de ce que je fais – à part mes conquêtes, bien entendu.

Souriant, Michel trace vite une croix sur son cœur. Il est impatient de savoir ce que son fils a bien pu imaginer. Junior est un peu gêné. Il doit prendre une grande respiration avant de se lancer.

— Moi, je garde la petite culotte des filles. Je conserve toute les culottes dans une vieille taie d'oreiller rangée dans le haut de ma garde-robe.

Michel éclate de rire. Il rit tellement qu'il en a mal aux côtes. Quelques secondes plus tard, quatre portes de chambre s'ouvrent en même temps. Tous ceux qui étaient sur le point de s'endormir ou qui lisaient tranquillement ont sursauté en entendant Michel. Quand ce dernier voit les siens, il s'esclaffe de plus belle. Après s'être calmé, il déclare à Junior :

— Viens, on va aller prendre une bière à la taverne. Il faut qu'on fête ça !

Le sourire aux lèvres, Junior prend son manteau. Il est ravi de sortir avec son père ; cela arrive si rarement. Et puis, ce sera une occasion en or pour lui parler de son projet.

Comme la température est plutôt clémente, Michel et son fils ont décidé de marcher jusqu'à la taverne. Les deux hommes cheminent d'un bon pas. Ils poursuivent la discussion entamée à la maison. Ils ont tellement de plaisir qu'ils se retrouvent devant la taverne sans avoir eu conscience du trajet.

— J'ai une de ces soifs ! s'écrie Michel en ouvrant la porte.

— Moi aussi, affirme Junior.

Junior ignore si c'est le fait d'être avec son père qui lui donne tant soif ou si c'est à cause du sujet de leur discussion. Toutefois, une chose est certaine : cette fois il fera honneur à la bière. Il demandera quand même un petit verre de Clamato pour couper l'amertume de celle-ci. Contrairement à son père et à son frère Alain, il n'aime pas le goût âcre de la bière. Il a bien essayé de s'habituer, mais après de nombreuses tentatives, il en est toujours au même point ; il préfère de loin le Beefeater. Toutefois, ce soir il n'est pas question qu'il offense son père en commandant autre chose, surtout pas dans une taverne.

Aussitôt assis, Michel commande un pichet et deux verres. Tout se déroule si rapidement que Junior n'a même pas le temps de demander un Clamato. Le serveur est déjà retourné derrière son bar. « Ce n'est pas grave, je commanderai mon verre quand il apportera le pichet. »

Après l'arrivée du Clamato, Michel attend patiemment que Junior ajoute quelques gouttes du liquide à sa bière avant de porter un toast. Les deux hommes entrechoquent leurs verres avec énergie.

Junior décide de passer à l'attaque tout de suite, pendant que son père a encore toute sa lucidité.

— Il faut que je te parle de quelque chose, papa. J'aurais besoin de ton aide.

Junior hésite quelques secondes avant de poursuivre.

— Je n'irai pas par quatre chemins : je veux m'acheter une moto. J'en ai trouvé une, mais j'aimerais que tu viennes la voir avec moi pour me dire ce que tu en penses.

Dès qu'il a prononcé le mot *moto*, un grand sourire est apparu sur le visage de son père. Junior l'ignore, mais Michel a toujours voulu avoir un tel engin. Il a sans cesse reporté cet achat pour toutes sortes de raisons, toutes plus louables les unes que les autres : manque d'argent et de temps, famille à élever… Encore aujourd'hui, Michel se retourne pour regarder chaque moto qu'il entend gronder à proximité de lui.

— Tu me donnes envie de m'en acheter une aussi, avoue-t-il à la grande surprise de Junior. Je peux y aller avec toi si tu veux, mais je ne connais pas grand-chose aux motos. Mais attends, j'ai une idée. Je pourrais demander à Fernand de nous accompagner. Il s'y connaît en mécanique, et il a eu plusieurs motos dans son jeune temps.

Junior est agréablement surpris de la réaction de son père. Il croyait que celui-ci tenterait de le dissuader sous prétexte qu'une moto c'est dangereux et que ça coûte trop cher, qu'il serait mieux avec une auto... Mais voilà que Michel pense à s'acheter une moto lui aussi.

— Il y a autre chose, reprend Junior. Crois-tu que tu aurais le temps de me montrer à conduire ?

— C'est vrai, tu n'as pas encore ton permis ! s'exclame joyeusement Michel. Depuis le temps que tu me donnes des cours de guitare, je serais bien mal placé de refuser de t'apprendre à conduire. On commence dimanche matin après la messe, si tu veux.

— Merci papa !

Le père et le fils trinquent une seconde fois.

— Mais Junior, pourquoi tu n'attends pas au printemps pour acheter ta moto ? À part de passer l'hiver à la bichonner, ça ne te servira pas à grand-chose de l'avoir dans le garage.

Junior n'a pas encore toute la somme qu'il faut pour l'acheter, mais Sonia lui avancera l'argent qui lui manque.

— C'est simple : j'épargnerai beaucoup si je l'achète maintenant.

— Ah bon ! Je n'avais pas pensé à ça. Je ne sais pas si tu es comme moi, mais je mangerais du fromage en grains.

— Et des langues de porc dans le vinaigre, aussi ! renchérit Junior.

Chapitre 27

Depuis plusieurs semaines, Chantal et Sylvie n'ont pas eu le temps de discuter à leur aise. De son côté, Chantal a beaucoup voyagé pour son travail. Pour sa part, Sylvie attendait que sa sœur soit disponible. Elle se demande bien comment Chantal arrivera à tout faire pour son mariage prévu dans moins d'un mois. D'une façon ou d'une autre, il faudra bien qu'elle s'organise puisque les invitations ont été envoyées il y a déjà un bon moment.

— Ne t'inquiète pas pour moi ! s'écrie Chantal en posant sa main sur le bras de sa sœur. Comme disait grand-maman : « On va arriver à Noël en même temps que tout le monde. » La salle et le groupe de musique sont réservés. Le repas est commandé. J'ai ma robe. Et vendredi, on va signer les papiers chez le notaire pour la maison.

— N'oublie pas que je me suis portée volontaire pour t'aider à déménager, indique Sylvie.

— Je te l'ai déjà dit : j'ai pris deux semaines de vacances pour m'occuper de mon déménagement, et Xavier aussi. À deux, on devrait y arriver.

— Oui, mais j'insiste. Si tu as besoin d'aide pour les rideaux...

— Je ne veux pas te décevoir, mais on rencontre une décoratrice en sortant de chez le notaire. Au nombre de fenêtres qu'il y a à habiller, ça va être beaucoup plus simple comme ça.

Sylvie soupire. Elle voit bien que sa sœur n'a pas besoin d'elle et ça lui fait quelque chose. Ce qui la désole le plus, c'est de voir que Chantal ne fera plus partie de la même classe sociale qu'elle et le reste de la famille. En se mariant avec Xavier, elle monte d'un cran dans la société. Elle habitera une grande maison sur le bord du fleuve avec une allée interminable bordée d'arbres pour y accéder. Sylvie ne l'a vue que de l'extérieur, mais ça lui a suffi pour savoir que la vie de Chantal ne sera plus la même. Désormais, sa sœur sera entourée de professionnels de tout acabit, de gens qui ont réussi dans la vie. Elle aura comme voisins immédiats un chirurgien et un avocat. Même si Chantal l'assure qu'elle restera la même, Sylvie a peur de la perdre. D'ailleurs, les deux sœurs ne se sont pas vues beaucoup ces derniers mois. Même si cette période est toujours très occupée pour Chantal à cause de son travail, Sylvie s'imagine les pires scénarios. Il y a même des moments où elle croit que bientôt sa sœur ne trouvera plus de temps pour elle.

En voyant l'expression de Sylvie, Chantal vient se placer derrière sa sœur et l'entoure de ses bras. Elle la connaît suffisamment pour savoir qu'il y a quelque chose qui ne va pas.

— Si tu penses que tu vas te débarrasser de moi aussi facilement, tu te trompes royalement ! Jamais je ne te laisserai tomber. Tu es ma sœur, mon amie aussi, et je t'aime beaucoup trop pour ça. J'ai vraiment hâte que tu voies notre nouvelle maison. Mais tu comprends, Xavier et moi avons décidé de faire le maximum ensemble. Il ne faut pas que tu te sentes rejetée. Disons que, pour l'instant, je garde en banque ton offre de venir m'aider.

Plus Chantal parle, plus Sylvie retrouve le sourire. Elle aime tellement sa petite sœur qu'elle ne supporterait pas que celle-ci disparaisse de sa vie. Elle se réjouit que Chantal ait enfin trouvé le bonheur mais, d'une certaine façon, Sylvie doit faire son deuil. Malgré les belles paroles de Chantal, elle sait bien que les choses ne seront plus jamais pareilles.

— Et puis, je ne m'en vais pas à l'autre bout du monde. Je serai juste à côté, à quelques milles à peine.

Chantal dépose un baiser sonore sur les joues de Sylvie et retourne à sa place.

— Tu me connais, déclare Sylvie, je m'en fais toujours pour tout. C'est d'accord. Tu n'auras qu'à me faire signe quand tu auras besoin d'un coup de main.

— Je ne te l'ai pas encore dit, mais j'ai demandé à l'abbé Léon de nous marier, annonce Chantal d'un ton réjoui.

— Ah oui ? Tu m'étonnes. Je croyais que vous alliez prendre le curé de l'église.

— C'est ce qu'on avait pensé faire. Mais la dernière fois que j'ai vu papa, j'ai bien vu que ça lui ferait plaisir si je demandais à son cousin de nous marier. Il l'a même appelé pour moi. Tu fais une drôle de tête. On dirait que ça te dérange ? Tu sais de qui je parle, au moins ?

Sylvie fait la moue depuis qu'elle a entendu mentionner le nom de l'abbé Léon. Elle n'a rien contre le personnage lui-même, mais elle n'a rien pour non plus. Elle n'a jamais recherché la compagnie de cet homme. Ce qui la dérange en fait, c'est que toute la famille de son père le vénère à tel point que chaque fois qu'il y a un mariage, un baptême ou un service funèbre, le saint homme célèbre la cérémonie. Sylvie n'a jamais compris pourquoi. Avec les années, une sorte de rituel s'est installé dans la famille Belley. À sa connaissance, elle est la seule à avoir refusé de le prendre pour célébrer son mariage – au grand désespoir de son père d'ailleurs, et probablement du reste de la famille aussi. À cause de ce qui est arrivé à sa mère par la faute d'un prêtre, il n'était pas question que Sylvie connaisse celui qui allait bénir son mariage. Elle voulait se marier parce qu'elle croit au mariage, mais elle tenait mordicus à ce que le célébrant soit un pur étranger. Même Michel a dû se plier à sa décision et laisser de côté le prêtre de la famille Pelletier. Le jour où Sylvie a fait la connaissance de celui-ci, elle a dit à Michel qu'il était bien différent de celui de sa famille. Contrairement à l'abbé Léon qui est imbu de sa personne – Sylvie a toujours trouvé qu'il a des airs du curé Labelle dans *Les belles histoires des pays d'en haut* –, l'oncle abbé de Michel est un homme d'une grande humilité. Il ressemble même à un saint avec sa petite taille et la coiffe posée sur les rares cheveux qui lui restent. Il exerce son ministère à Saint-Irénée depuis plus de vingt ans – une petite municipalité toute simple en bordure du fleuve Saint-Laurent, dans Charlevoix. Michel a promis à Sylvie de l'emmener là-bas un jour, mais elle attend toujours l'invitation. Pour sa part, l'abbé Léon lèche les bottes de l'évêque tant qu'il peut ; il aime être au premier rang, et il apprécie grandement les honneurs aussi. Lorsqu'elle était jeune, Sylvie disait à sa mère « Mon oncle le curé va finir par éclater à force de gonfler la poitrine. »

— Comment pourrais-je oublier le saint abbé Léon de papa et de toute la famille ? formule Sylvie. C'est ton mariage, pas le mien, ajoute-t-elle en haussant les épaules. Mais, comme tu le sais, je ne l'ai jamais porté dans mon cœur.

— Je n'ai jamais compris pourquoi.

— Il y a tellement longtemps que c'est ainsi que je ne m'en souviens plus trop moi-même. Mais je l'ai toujours trouvé pédant et je n'ai aucun intérêt à parler avec lui. Je le trouve même condescendant.

Sylvie n'a pas l'intention de s'attarder sur le sujet. Elle survivra même si l'abbé Léon célèbre le mariage de sa sœur. Elle sera tellement occupée à s'essuyer les yeux qu'elle finira sûrement par oublier sa présence. Pour éviter que Chantal relance la discussion sur l'abbé, Sylvie fait dévier la conversation :

— As-tu commencé à recevoir des cadeaux de mariage ?

Chantal s'anime aussitôt.

— Oui, j'en ai reçu quelques-uns. Des beaux, et des moins beaux aussi. Imagine-toi donc que tante Gisèle m'a apporté à l'agence de voyage deux coussins ronds tricotés à la main !

— Wow ! Ils sont sûrement beaux. Tante Gisèle a toujours eu des doigts de fée.

— Si tu les veux, ils sont à toi.

Sylvie est surprise. Comment sa sœur peut-elle rejeter des coussins comme ceux-là ? Elle en a même dans sa maison actuelle.

— Je ne veux pas faire ma snob, explique Chantal, mais ces objets ne s'agencent pas tellement bien avec le style de notre maison. Chez nous, ce sera plutôt moderne.

— Es-tu en train de me dire que tu lèves le nez sur ces coussins ? s'indigne Sylvie.

— À ce que je sache, j'ai bien le droit de ne pas vouloir de coussins tricotés dans ma maison, riposte Chantal. Ce n'est pas parce qu'on reçoit un cadeau qu'on est obligé de l'aimer.

— Moi, je ne vois pas les choses de la même manière. Si tante Gisèle a fait l'effort de te tricoter des coussins, tu devrais au moins avoir assez de respect pour les mettre dans ta maison, au moins au sous-sol. Sais-tu que c'est à peine si elle voit ? La pauvre vieille, elle en a mis du temps pour confectionner ton cadeau.

— N'essaie pas de m'avoir par les sentiments ! s'exclame Chantal. Cela ne marchera pas. Au mieux, je sortirai les coussins si jamais elle vient chez nous, mais à part ça, je ne les mettrai pas à la vue. Et je ne changerai pas d'idée. Quad Xavier les a vus, il a ri un bon coup. Mais pour en revenir aux cadeaux, j'ai aussi reçu un tapis tressé de tante Béatrice. Ce serait horrible dans notre maison ! Xavier m'a dit qu'on devrait garder le tapis et les coussins pour notre chalet.

La réaction de Sylvie est instantanée. Elle fronce les sourcils et fait la moue. Elle trouve que Chantal exagère.

— Tu ne te vois pas l'air ! se moque Chantal. Tu sais bien qu'on n'a pas de chalet, mais on projette d'en acheter un. Et là, le tapis serait parfait à l'entrée. Est-ce que tu vas bouder chaque fois que je vais te parler de ce qu'on fait ou de nos projets ? Tu n'es pas drôle.

— Tu me fais peur, avoue Sylvie. Vous n'avez pas encore déménagé dans votre maison et vous pensez déjà à vous acheter un chalet. J'espère de tout cœur que tu ne te perdras pas dans toute cette abondance.

— Ne t'inquiète pas pour moi, il n'y a aucun danger. Je viens d'un milieu modeste et j'en suis fière, mais ce n'est pas une raison suffisante pour que je me contente de peu pour le reste de mes jours. La vie a placé un homme merveilleux sur mon chemin et, que ça te plaise ou non, il a les moyens de m'offrir une vie meilleure. Crois-moi, j'ai bien l'intention d'en profiter au maximum.

— Mais le bonheur ne tient pas uniquement à l'argent.

— Crois-en mon expérience. L'argent ne fait peut-être pas le bonheur, mais lorsque tu en manques, tu te rends compte à quel point il est important. Alors, arrête de me casser les oreilles avec les bienfaits de la pauvreté. J'ai été pauvre suffisamment longtemps. À part des maux de tête, le manque d'argent n'apporte strictement rien.

— Ne le prends pas ainsi, je t'en prie.

— Comment veux-tu que je le prenne ? Je te parle de mon bonheur et toi, tout ce que tu trouves à dire, c'est que je devrais faire attention à ceci ou à cela. Aussi bien t'y faire : le temps est passé pour moi des coussins tricotés à la main et des pantoufles en Phentex. Je suis rendue à la meilleure période de ma vie et j'ai bien l'intention d'en profiter au maximum. Est-ce que je me suis bien fait comprendre ?

Une fois de plus, Sylvie a joué à la mère avec sa sœur. C'est plus fort qu'elle. Chaque fois que Chantal ne fait pas les choses comme elle le voudrait, Sylvie tente par tous les moyens de la faire changer d'avis. Elle comprend que sa sœur en ait assez de ses jérémiades.

Les bras croisés, Chantal ronge son frein. Elle déteste au plus haut point quand Sylvie agit de la sorte. À son âge, il n'est pas question qu'elle s'en laisse imposer par qui que ce soit. Chantal ne laissera personne faire ombrage à son bonheur, pas même sa sœur.

Sylvie n'aime pas lorsque Chantal lui parle ainsi, même si elle sait que sa sœur était dans son droit. Son cerveau bouillonne. Elle doit trouver le moyen de relancer la conversation, et le plus vite sera le mieux. Tout à coup, une idée de génie lui vient.

— Je suis vraiment déçue, déclare-t-elle d'une voix sourde. Je voulais t'offrir une douzaine de paires de pantoufles en Phentex pour ton cadeau de mariage.

Les deux sœurs éclatent de rire. S'il y a une chose que Sylvie a en horreur, et Chantal le sait parfaitement, c'est bien les pantoufles en Phentex. Elle les déteste tellement qu'elle a toujours refusé d'en porter. Le simple fait de toucher une pantoufle en Phentex la fait grincer des dents. Elle n'a jamais empêché les enfants ni Michel d'en mettre. Elle aurait été bien mal placée pour agir ainsi, car Marie-Paule en donnait un plein sac aux Pelletier chaque fois qu'elle les voyait. Sylvie se contentait alors de remercier sa belle-mère en prenant le sac du bout des doigts.

Quand les deux sœurs finissent par reprendre leur souffle, Chantal dit :

— J'ai vu une pancarte *À vendre* chez ton voisin en arrivant.

— Ah oui ? s'étonne Sylvie. Il nous en avait glissé un mot cet été, mais sa décision n'était pas encore prise. J'espérais qu'il déciderait de rester. J'ai tellement peur de tomber sur des voisins aussi fous que ceux qu'on avait à notre ancienne maison ou, pire encore, comme ceux qui ont pris leur place. Il y a des jours où je me demande où le monde s'en va. Et avec ce qui se passe à Montréal, c'est rendu que je me prive d'aller en ville.

— Moi aussi, j'éviterais Montréal si je n'étais pas obligée d'y aller pour le travail. On dirait presque qu'on est en guerre, et c'est un peu ça aussi. Mais rien de tout cela ne serait arrivé si les richesses étaient mieux réparties, et si nos dirigeants gouvernaient mieux. Il y a de plus en plus de pauvres au Québec. Même le maire Drapeau a fait installer des grands panneaux de couleur pour que les riches touristes ne voient pas la misère des gens. Voyons donc, il faudrait être aveugle pour ne pas s'apercevoir que les choses vont vraiment mal !

— Nos dirigeants ne doivent pas être si mauvais que ça. Après tout, ils viennent de mettre en place l'assurance maladie. Ce n'est pas rien. Les Américains n'en ont même pas.

— Il faut bien qu'ils fassent des bons coups de temps en temps, réplique Chantal. Crois-moi, ça va coûter cher de s'offrir un tel régime. Je peux me tromper, mais j'ai bien l'impression qu'on vient de s'embarquer dans un tourbillon qui nous entraînera vers le fond.

— Mais au moins, tout le monde va pouvoir se faire soigner.

— Toi et moi, on va voir le médecin quand on n'a pas le choix. Mais tout le monde n'est pas comme nous. Maintenant que les soins sont gratuits, je suis certaine que plusieurs vont exagérer.

— Je te trouve bien sévère à l'endroit des pauvres malades.

— Tu ne comprends pas ! Il y a des gens qui n'ont rien d'autre à faire que de s'écouter. Mais on verra bien. Changement de sujet, as-tu réfléchi à ce que t'a dit Xavier ?

À sa dernière répétition de chant, Xavier a demandé à Sylvie de lui accorder quelques minutes, ce qu'elle a fait avec plaisir. Depuis qu'il est le compagnon de Chantal, elle est beaucoup plus à l'aise avec lui – ce qui est normal puisqu'elle le voit plus souvent. Xavier lui a proposé d'entreprendre des démarches pour lancer sa carrière de chanteuse. Sylvie était tellement excitée qu'elle lui a sauté au cou, ce qui a suscité un rire général. Elle voyait déjà son nom en grosses lettres sur les affiches. Seulement, une fois l'excitation passée, elle a pris peur – et c'est encore ce qu'elle ressent à la veille de devoir donner sa réponse à Xavier. Elle meurt d'envie de chanter, encore plus qu'avant. Elle rêve de se produire sur des grandes scènes. Mais elle craint plus que tout de ne pas être à la hauteur, même si tout le monde l'encourage à tenter sa chance.

— Plus je réfléchis, plus je tremble de peur. À certains moments, je me vois sur scène devant une salle pleine à craquer et je suis au meilleur de ma forme. Tout est facile et je suis heureuse. Mais parfois, je m'imagine devant la même salle dans un tout autre contexte : j'oublie mes paroles, même que je fausse. Je suis alors désespérée, brisée, découragée. Je me connais ; si j'échoue, je ne pourrai plus jamais me regarder dans le miroir.

Même si Chantal a promis à Xavier de ne pas exercer de pression sur Sylvie pour que celle-ci accepte son offre, elle ne peut faire autrement. Sa sœur a tout ce qu'il faut pour réussir, et elle souhaite de tout son cœur faire une carrière de chanteuse. C'est pourquoi Chantal se permet de revenir à la charge pour aider Sylvie à y voir clair. Cette dernière est restée tellement longtemps entre les quatre murs de sa maison que sa confiance en soi est parfois fragile, surtout lorsqu'il s'agit de plonger dans une nouvelle aventure. Sylvie et le changement n'ont jamais fait bon ménage.

— Voyons donc, Sylvie ! C'est exactement la même chose que lorsque tu chantes en solo pendant les spectacles de l'ensemble lyrique.

— Tu ne comprends pas. Lors des spectacles, je chante quelques chansons seulement. Mais là, je devrai chanter du début à la fin, ce qui est bien différent.

— Je vais te poser une question : est-ce que ça te tente ?

— Certain ! s'exclame Sylvie sans aucune hésitation. Je donnerais n'importe quoi pour y arriver.

— Mais alors, qu'est-ce que tu attends ? Fonce ! Le pire qui puisse arriver, c'est que tu t'aperçoives que tu t'es trompée, que ce n'est pas du tout ce à quoi tu t'attendais. Sinon, je te connais, tu vas toujours te demander ce qui serait arrivé si tu avais osé et tu auras des regrets. Crois-moi, si tu n'avais pas tout ce qu'il faut pour réussir, jamais Xavier ne t'aurait offert de te prendre sous son aile. Il est gentil, mais pas assez pour accorder de son temps à une personne qui n'a pas toutes les chances de réussir. N'oublie pas, Xavier est aussi un homme d'affaires.

Le petit discours de Chantal a réussi à ébranler la réserve de Sylvie. Au fond, Chantal a raison : si elle n'essaie pas, jamais elle ne saura si elle est capable d'y arriver.

Son père lui a tenu le même discours quand elle l'a eu au téléphone hier. « Fais-toi plaisir, ma petite fille. Tu as toute ma confiance. » Et Michel lui a dit qu'elle n'avait pas à s'inquiéter pour les enfants. « Ce ne sont plus des bébés. On va tous t'aider. La seule chose qu'on ne peut pas faire, c'est chanter à ta place. Regarde-moi, j'y suis arrivé. Mon magasin fait vivre quatre familles maintenant. Vas-y et ne relève la tête que lorsque tu seras rendue à destination. »

Sylvie réfléchit quelques secondes. Puis, elle déclare :

— C'est d'accord ! Advienne que pourra, je fonce !

Chantal est si contente qu'elle saute au cou de sa sœur.

— Ne dis jamais à Xavier que je t'en ai parlé parce qu'il va m'arracher les yeux ! déclare Chantal. Il m'avait fait promettre de ne pas m'en mêler.

— Tu as bien fait d'insister. Tu sais, quand un choix me concerne directement, cela me prend du temps avant de me décider. Je te donne la permission d'apprendre à Xavier la bonne nouvelle.

— Jamais je n'oserais faire ça. C'est à toi de le lui dire… à la condition que tu l'appelles avant que je rentre à la maison, par exemple. Sinon, je ne garantis pas que je pourrai tenir ma langue.

— Je lui téléphonerai aussitôt que tu monteras dans ton auto.

Puis, sur un ton plus sérieux, Sylvie poursuit:

— Je voulais avoir ton avis. La dernière fois que j'ai vu tante Irma, c'est-à-dire la semaine passée, j'ai trouvé qu'elle avait les traits tirés. Est-ce que je me trompe?

— Non. J'ai fait le même commentaire à tante Irma quand je suis allée les voir hier soir, Lionel et elle. Mais tu connais notre tante; elle m'a dit que c'était parce que Lionel ne lui avait pas laissé fermer l'œil de la nuit. Il m'a jeté un regard en coin, mais comme on n'a jamais été seuls lui et moi, je n'en sais pas plus. Je vais l'appeler ce soir et je t'en donnerai des nouvelles.

Tante Irma et Lionel sont tellement beaux à voir ensemble que personne dans la famille ne voudrait qu'il leur arrive un malheur. En plus, depuis qu'ils viennent en aide aux jeunes en difficulté, l'admiration de leurs proches à leur égard a redoublé. D'ailleurs, selon Sylvie, ils ont déjà fait des miracles avec Renaud, le jeune homme qui habite chez eux.

— D'accord! As-tu vu Isabelle hier?

— Elle est belle comme un cœur avec sa bedaine. C'est vraiment triste ce qui lui arrive. J'imagine qu'être enceinte est une des plus belles choses qui puisse arriver à une femme, alors que pour Isabelle c'est la catastrophe – enfin, aux yeux de la société. Sais-tu si elle a l'intention de garder le bébé?

— La dernière fois que j'ai vu Shirley, elle m'a raconté qu'Isabelle change d'avis comme elle change de chemise. Évidemment, sa mère voudrait qu'elle donne l'enfant en adoption. Mais comme Isabelle est presque majeure, c'est à elle que revient la décision. À mon avis, dans un cas comme dans l'autre, c'est une vie brisée. Si Isabelle donne son enfant en adoption, elle n'arrêtera pas d'y penser. Mais si elle le garde, la vie sera extrêmement difficile pour elle. Figure-toi que le père de l'enfant n'a même pas daigné se montrer le bout du nez.

— Comment veux-tu qu'il le fasse ? Isabelle m'a confié qu'il n'est pas au courant de sa grossesse.

— Isabelle l'ignore, mais Sonia est allée le voir il y a quelques semaines. Imagine-toi qu'il lui a chanté la pomme ! En plus, à cause de sa grossesse, ce qui est encore plus dommage pour Isabelle, c'est qu'elle perd une année au cégep.

— Elle est toute jeune, elle a bien le temps de se reprendre.

Chantal et Xavier ont l'intention d'avoir un enfant. Ils ont même pensé à l'adoption au cas où ça ne fonctionnerait pas. Quand elle a vu Isabelle, Chantal a songé que Xavier et elle pourraient adopter son bébé – à la condition, bien sûr, qu'elle ne veuille pas le garder. Depuis, Chantal n'arrête pas de se dire que ça n'a aucun sens. Il n'y a qu'à regarder ce qui est arrivé à Sonia parce que Sylvie et Michel ont adopté le bébé de la cousine de celui-ci. Non, c'est inhumain de faire vivre une telle situation à un enfant.

— Tu as bien raison. Mais tu me connais : pour moi, hors de l'école, point de salut. En tout cas, mes enfants ont intérêt à se lever de bonne heure s'ils veulent me convaincre que c'est mieux pour eux d'abandonner les études.

— Moi, je les trouve très chanceux d'avoir une mère qui les oblige à étudier. La majorité des parents souhaitent que leurs enfants aillent travailler pour payer pension au plus vite. Un jour, tes enfants vont te remercier.

— C'est loin d'être le cas des jumeaux ces temps-ci. Depuis qu'ils s'en sont pris à leur professeur de géographie, on dirait que plus les jours passent, plus ils détestent l'école. Évidemment, leurs notes s'en ressentent. Michel n'arrête pas de me répéter que leur professeur n'est pas blanc comme neige. « Avec sa face de rat d'égout, il ne m'inspire pas confiance. » Mais tu le connais, il est toujours prêt à protéger ses petits. En tout cas, je pense que si François et Dominic pouvaient choisir, ils préféreraient travailler au pic et à la pelle plutôt que d'aller à l'école.

— Les pauvres ! On dirait qu'on a oublié à quel point ce n'est pas facile d'aller à l'école – et c'est encore pire ces dernières années. Avec tous les changements qu'on impose aux enfants, on ne devrait pas être surpris qu'ils soient perturbés. Une journée, on utilise une méthode ; le lendemain, on en adopte une autre. Comment veux-tu que les élèves s'y retrouvent alors que les professeurs eux-mêmes n'y arrivent pas ?

— Tu as raison. Mais à part s'adapter, les élèves n'ont pas grand pouvoir. L'école n'est pas parfaite, mais elle est un mal nécessaire, surtout à notre époque. Mais pour en revenir aux jumeaux, je peux te certifier qu'ils perturbent bien plus les autres que l'inverse. Crois-moi, ils sont loin d'être des anges.

Chapitre 28

À la télévision, le lundi soir est de plus en plus populaire dans tout le Québec depuis que Télé-Métropole a mis à l'antenne *Les Berger* et *Symphorien*. Les Pelletier suivent la parade. Les amateurs de téléromans, dont Sylvie fait partie, ne ratent pas une seule émission de la captivante histoire des Berger, une famille d'un quartier populaire de Montréal. Yvan Ducharme et Rita Bibeau – et les nombreux autres comédiens qui font partie de la distribution – crèvent l'écran semaine après semaine, pour le bonheur de tous. Les femmes, et certains hommes aussi, parlent des personnages comme si ceux-ci partageaient réellement leur vie. Lorsque Sylvie s'installe pour écouter son émission, elle ne veut rien entendre, pas même Michel ronfler dans sa chaise. Chaque fois que son horaire le lui permet, Sonia vient rejoindre sa mère devant l'écran. Mais cette fois, Sylvie devra lui raconter l'épisode dans les moindres détails, car Sonia est en plein travail d'équipe au cégep.

Quant à Michel, comme la majorité des hommes, ses préférences vont à l'émission *Symphorien*. Pendant certains épisodes, il rit tellement qu'il a toutes les misères du monde à reprendre son souffle. Il aime tout de cette émission : les histoires invraisemblables, les personnages, les décors... Il a un petit faible pour Éphrem ; chaque fois que celui-ci essaie de raconter une histoire, Michel se tord de rire. Mais ce qui l'impressionne le plus, c'est que Fernand Gignac – le comédien qui joue le rôle du fameux Éphrem – est l'un des interprètes les plus populaires du Québec. Sa chanson, *Donnez-moi des roses*, a tellement joué à la radio que tout le monde peut la fredonner. « Comment un chanteur peut-il être un aussi bon comédien ? » Cela épate Michel.

Installés à la table de cuisine, les jumeaux et Luc poursuivent allègrement leur concours de « ballounes ». Entre deux gorgées de

Tang, c'est à qui fera la plus grosse. Depuis le début de l'activité, les garçons ont changé au moins trois fois de gomme. Ils s'amusent ferme, tellement que depuis le salon un gros « chut » leur parvient aux oreilles de temps en temps, ce dont ils ne se préoccupent guère. Quand Sylvie a vu à quel jeu ses fils jouaient, elle leur a dit qu'ils étaient trop vieux pour ça. « Voir si ça a du bon sens ! Regardez-vous : vous avez de la gomme même dans les cheveux ! » Mais cela ne dérange absolument pas Luc et les jumeaux.

Près d'eux, Prince 2 est couché sur son tapis. Mais c'est à contrecœur que le chien a fini par s'y installer. Depuis que les garçons sont là, il est venu les voir tour à tour à plusieurs reprises pour essayer d'attirer leur attention. Chaque fois, on lui a dit de retourner à son tapis ; il n'a obtenu ni marche, ni gâteries, ni même la moindre petite marque d'affection. Pourtant, Luc sait très bien qu'il est de service pour aller lui faire prendre l'air. Il s'en occupera avant d'aller se coucher, mais pas tout de suite. Cela lui pèse de plus en plus de marcher avec son chien. Il a beau se forcer, chaque fois que son tour vient, il repousse le temps de sortir le plus possible sans penser que son chien a peut-être des besoins pressants à satisfaire. Luc n'en est pas fier, mais plus les jours passent, plus il se désintéresse de la pauvre bête. Il se donne bonne conscience en se disant que Prince 2 est le chien de la famille, pas seulement le sien, et qu'il a beaucoup de temps en banque puisque, au début, il était le seul à s'occuper de l'animal.

— Alors, Luc, vas-tu finir par avouer que tu sors avec la belle Josiane ? s'écrie Dominic.

— Combien de fois vais-je être obligé de te le répéter ? réplique Luc d'une voix bourrue. Josiane est juste une amie. Je ne sors pas avec elle. Es-tu sourd ?

— Ne t'emporte pas comme ça ! s'exclame Dominic. C'était juste pour savoir.

— Eh bien, maintenant que tu le sais, j'espère que tu vas me laisser tranquille. J'en ai vraiment assez de me faire asticoter avec ça.

— À moins que tu ne sois gai, jette nonchalamment François. Ce ne serait pas si…

Mais Luc ne lui laisse pas le temps de finir sa phrase. Il est tellement fâché qu'il doit se retenir de sauter sur son frère. Comme ses parents sont à proximité, il se contente de se lever et, le regard noir à faire peur, il profère d'une voix sourde :

— Je te préviens : si tu répètes ça, je te casse la gueule. Je te le dis une fois pour toutes, je ne suis pas gai. Est-ce que c'est clair ?

Surpris, François recule un peu sur sa chaise. Ce n'est pas dans les habitudes de Luc de réagir de la sorte. Les jumeaux se jettent un coup d'œil en coin. D'un air fanfaron, Dominic lance à Luc :

— Change d'air, ce n'est pas si grave que ça.

— J'aimerais bien te voir à ma place, grommelle Luc. Ce n'est pas la première fois que j'avertis François. J'en ai assez de toujours me faire écœurer avec les mêmes niaiseries.

Luc ne comprend pas pourquoi tout le monde le taquine parce qu'il n'est encore jamais sorti avec une fille. Il voudrait bien essayer, mais jusqu'à présent il n'a pas rencontré une fille qui lui plaise suffisamment pour lui demander de sortir avec lui. Il avait un béguin pour Josiane, mais après avoir fait quelques sorties avec elle, il s'est vite aperçu que leur histoire était vouée à l'échec : ils n'ont pas les mêmes goûts et, en plus, elle embrasse vraiment mal. Les quelques fois où il a tenté l'expérience, elle lui a labouré la bouche sans aucun ménagement, comme si elle avait un bout de bois à la place de la langue. Et puis, il ne ressentait rien quand elle le touchait. C'est pourquoi il a vite mis fin à ce qui était à peine commencé. Il voit toujours Josiane, mais comme amie seulement – et cela le satisfait pour l'instant. Pour sa part, Josiane prétend qu'il finira par l'aimer. « Elle peut toujours rêver. »

Luc sort avec fracas de la pièce et prend la direction de sa chambre. Il en a assez entendu pour ce soir. Il lira un peu, étendu sur son lit. Alors qu'il est à peine sorti de la cuisine, Dominic lui crie :

— Au cas où tu l'aurais oublié, c'est à ton tour de sortir Prince 2. Cette fois, on ne le fera pas à ta place.

Mais Luc ne prête aucune attention aux paroles de son frère. Il entre dans sa chambre avec la ferme intention de n'en ressortir que le lendemain matin. « Bande d'imbéciles ! Qu'ils s'arrangent ! »

Les jumeaux poursuivent leur activité jusqu'à ce qu'ils arrivent au bout de leur réserve de gommes. C'est toujours comme ça : ils ne peuvent pas interrompre leur jeu tant qu'ils ont de la gomme. Alors qu'ils quittent leurs chaises, ils sursautent en entendant ouvrir la porte de la maison – ce qui déclenche un fou rire chez eux. Mais le plus surprenant, c'est que Prince 2 part à toute vitesse et s'élance dehors en bousculant Junior au passage. Ce dernier ne l'a pas vu arriver. Les jumeaux sont les premiers à réaliser ce qui vient de se passer : Prince 2 s'est sauvé. Rapidement, ils rejoignent Junior à la porte.

— Tu aurais dû l'arrêter ! s'exclame Dominic d'un ton rempli de reproches.

— Prince 2 est sorti à la vitesse de l'éclair, réplique Junior. Comment voulais-tu que je l'arrête ?

— Je vais aller le chercher, décide François en jetant un regard noir à Junior pour que celui-ci le laisse passer.

Au moment où François met un pied sur la galerie, un klaxon se fait entendre, suivi immédiatement d'un impact violent – si violent que tous les Pelletier présents dans la maison se retrouvent sur la galerie en moins de quelques secondes.

— Je pense que Prince 2 vient de se faire frapper ! crie Dominic.

Il se précipite vers la rue. Lorsque Dominic voit Prince 2 étendu sur le bord du trottoir, il se met à pleurer. Il n'y a aucun doute : Prince 2 est mort. Il s'agenouille près du chien et se met à lui caresser la tête. Dominic a trop de peine pour remarquer que celle-ci est pleine de sang.

Au beau milieu de la voie, la conductrice de la grosse auto noire dont le devant est cabossé pleure à chaude larmes. En état de choc, elle ne cesse de se répéter que ça aurait pu être un enfant. Mais elle sait à quel point les gens sont attachés à leur chien, parce qu'elle-même en possède un. Le grand chien a foncé sur son auto ; elle n'a pu l'éviter. La femme n'ose pas sortir de sa voiture.

Quand les membres de sa famille viennent le rejoindre, Dominic ne leur porte aucune attention. Il a trop de peine. Il refuse que Prince 2 soit mort. « C'est trop injuste ! Il voulait seulement aller prendre l'air. Jamais je ne pardonnerai à Luc de ne pas s'être occupé de lui. Il ne méritait pas d'avoir un chien comme Prince 2. »

La conductrice vient de sortir de l'auto. Elle s'approche du petit attroupement, auquel plusieurs curieux se sont joints. Les yeux remplis de larmes, elle ne cesse de répéter qu'elle est désolée, qu'elle n'a pas vu le chien, que celui-ci a surgi de nulle part devant son auto. Passant par-dessus sa propre peine, Sylvie fait son possible pour la rassurer. Elle lui propose même de la ramener chez elle si elle ne se sent pas capable de conduire. De son côté, Michel vérifie si le cœur de Prince 2 bat encore, mais ce n'est pas le cas. Il aide ensuite Dominic à se relever. Ensuite, il prend le chien dans ses bras et, en silence, il s'en retourne vers la maison. La mine basse, Junior, Dominic et François lui emboîtent le pas. Sylvie reste auprès de la femme, toujours en état de choc. Les bras chargés, Michel regarde attentivement où il met les pieds. Ce n'est pas le moment de glisser sur une plaque de glace. Alors qu'il s'apprête à poser le pied sur la première marche du perron, un bruit qu'il reconnaîtrait parmi cent attire son attention. Plié en deux sur la galerie, Luc respire avec peine. Michel dépose plus vite qu'il ne l'aurait souhaité son colis sur la galerie et crie de toutes ses forces :

— Sylvie ! Viens vite ! Luc fait une crise d'asthme.

Sylvie laisse la femme en plan. Prenant ses jambes à son cou, elle court aussi vite que possible. Michel a fait entrer Luc dans la maison. Le garçon est assis, plié en deux. Son état se détériore rapidement. Sa respiration est de plus en plus sifflante. Michel est allé chercher la bouteille de sirop rouge et une cuillère. Lorsque Sylvie entre dans la maison, il lui remet ces objets en disant :

— Je pense qu'on devrait emmener Luc à l'hôpital. Je ne l'ai jamais vu aussi mal en point.

— Va démarrer l'auto. Je lui donne son sirop et, après, nous irons te rejoindre, Luc et moi.

Les autres garçons de la famille sont accroupis autour de Prince 2. Dans le silence le plus complet, ils le regardent avec intensité, un peu comme s'ils voulaient imprimer son image dans leur mémoire à jamais. Mais au fond, ils espèrent de toutes leurs forces qu'il se réveillera et que tout redeviendra comme avant, même s'ils savent que ces choses-là n'arrivent jamais dans la vraie vie.

Lorsque Michel passe à leur hauteur, il leur dit :

— Vous devriez aller mettre un manteau avant d'attraper votre coup de mort.

Puis, sur un ton plus doux, il ajoute :

— Mettez Prince 2 dans le garage. On l'enterrera dans le jardin quand je reviendrai de l'hôpital.

Mais ses paroles ne trouvent aucune résonance. Michel rebrousse chemin et va vite chercher les manteaux de ses fils. Puis, il les dépose tour à tour sur les épaules de chacun des propriétaires et se dépêche d'aller démarrer son auto. Quelques secondes plus tard, Sylvie sort de la maison en tenant Luc par le bras. La respiration du garçon est tellement sifflante que ses trois frères se retournent sur son passage. Les yeux remplis de larmes, Junior, François et Dominic regardent passer Luc en silence. Ce serait trop leur demander en ce moment de lancer quelques mots d'encouragement à leur frère.

Lorsque l'auto de Michel tourne au coin de la rue, Junior renifle un bon coup. Puis, il s'essuie les yeux du revers de la main et dit aux jumeaux :

— On devrait aller enterrer notre chien tout de suite. Papa risque de passer la nuit à l'hôpital. Voulez-vous m'aider ?

— Je vais aller chercher des pelles, déclare Dominic d'une voix nasillarde.

— Et moi, je vais apporter une vieille couverture pour envelopper Prince 2, annonce François.

— Pendant ce temps-là, je vais l'emmener en arrière de la maison. Je pense qu'on devrait l'enterrer près des lilas.

Junior savait que Prince 2 n'était pas un poids plume, mais en le soulevant, il réalise à quel point il est lourd. « Il ne faut surtout pas que je l'échappe. Heureusement, il n'a pas fait encore très froid, alors la terre ne devrait être gelée qu'en surface. »

Junior avance prudemment vers l'arrière de la maison. Il fait si noir qu'il ne voit pas à un pied devant lui. Et comme si c'était fait exprès, la lumière de derrière est éteinte. Soudain, celle-ci s'allume. François sort de la maison, une vieille couverture sous le bras. Le garçon descend l'escalier et se dirige vers le fond de la cour. Il étend ensuite la couverture par terre. Quelques secondes plus tard, Junior dépose Prince 2 dessus.

Lorsque Dominic arrive avec les pelles, ils se mettent tous les trois au travail. Une heure plus tard, ils replacent enfin la tourbe sur le dessus de la fosse et vont ranger les pelles.

En entrant dans la maison, ils aperçoivent le tapis de Prince 2, ses bols et ses jouets. Sans même se consulter, ils ramassent tout ce qui pourrait leur rappeler leur chien et déposent le tout dans la poubelle du garage.

Ensuite, Junior, François et Dominic prennent le chemin de leur chambre. Ils n'ont nul besoin de parler de leur peine, car ils sont tous les trois dans la même situation. Tout ce qui leur reste à faire, c'est d'essayer de dormir, même s'ils savent pertinemment que le sommeil risque de se faire attendre. Mais c'est encore la meilleure chose à faire. Ils auront bien le temps d'en vouloir à Luc, ou à la femme qui a heurté Prince 2, ou peut-être même à leur propre personne. Mais rien ne ramènera jamais leur fidèle compagnon.

Contrairement à toutes les fois où ils ont vu leur frère partir pour l'hôpital, aucun d'entre eux n'a une pensée pour Luc. Ils ont trop de peine d'avoir perdu Prince 2.

Lorsque Sonia revient à la maison, elle ne comprend pas pourquoi l'auto de son père n'est pas là. Il ne sort jamais le lundi soir. Elle fait attention de ne pas faire de bruit en entrant. Quelle n'est pas surprise de voir que Prince 2 ne vient pas à sa rencontre. « Il est peut-être parti avec papa. C'est curieux ! Je me demande où ils ont bien pu aller. » Elle allume la lumière au-dessus de la cuisinière en se disant que le chien dort peut-être sur son tapis. Mais le tapis, les jouets, l'eau et la nourriture de Prince 2 ne sont plus là. Tout a disparu comme par enchantement. « Il y a quelque chose qui ne va pas. » Elle se rend dans le salon. La télévision joue à plein volume, mais la pièce est vide. Que se passe-t-il ? Elle décide de faire le tour des chambres. Les jumeaux dorment à poings fermés.

La porte de la chambre de ses parents est ouverte, mais Sylvie et Michel sont absents. Sonia commence à être sérieusement inquiète. Elle frappe trois petits coups à la porte de Junior, mais elle n'obtient aucune réponse. Elle tourne doucement la poignée. Son frère dort tout habillé en travers de son lit. Sonia vérifie dans la chambre de Luc. Le lit du garçon n'est même pas défait. « Il a peut-être fait une crise d'asthme et les parents ont dû l'emmener à l'hôpital. Oui mais, pourquoi les affaires de Prince 2 ont-elles disparu ? »

Sonia hausse les épaules et retourne dans la cuisine. Elle sort une feuille de papier et un crayon et écrit :

Merci de me réveiller quand vous arriverez pour me dire ce qui se passe.

Sonia

Elle dépose le mot au beau milieu de la table, puis elle va faire sa toilette dans la salle de bain. Elle a eu une grosse journée et elle tombe de sommeil. Et il ne reste plus que deux jours avant sa sortie avec le beau médecin qui lui offre une rose à chacune de ses visites à la galerie. Elle sourit à cette idée.

Avant de fermer les yeux, elle a une pensée pour Luc. « J'espère que ce n'est pas trop grave. »

Chapitre 29

Hier, Sylvie a essayé une nouvelle recette de bœuf qu'Éliane lui a donnée. C'était tellement bon que tout le monde en a pris deux fois. Comme elle avait fait une recette triple, il en est resté un peu. Avant d'avaler sa dernière bouchée, Michel s'est dépêché de réserver les restes pour son dîner du lendemain. Surprise, Sylvie s'est tout de suite levée de table, puis elle a posé sa main sur le front de son mari pour vérifier si celui-ci faisait de la fièvre. Depuis le temps qu'il travaille au magasin, c'était la première fois qu'il demandait un lunch. D'habitude, c'est toujours elle qui insiste pour lui en préparer un et, la plupart du temps, il refuse. Elle sait très bien qu'il en profite pour aller manger au petit casse-croûte à quelques pâtés de maisons du magasin. Elle l'a mis en garde à plusieurs reprises, mais elle ne peut faire plus. À l'âge qu'il a, elle ne peut quand même pas l'empêcher de manger ce qu'il veut. Michel sait qu'il doit faire attention, alors c'est à lui d'agir en conséquence.

Installé avec Paul-Eugène et Fernand à la petite table improvisée dans l'atelier, Michel dévore son dîner. Les trois hommes mangent rarement en même temps.

— Qu'est-ce qui se passe avec toi ? lui demande Paul-Eugène. À la vitesse que tu avales ton plat, ça donne envie de t'en piquer une bouchée. Ma sœur a-t-elle suivi des cours de cuisine ? À moins que ce ne soit pas elle qui ait préparé ton dîner ?

Paul-Eugène n'a rien oublié des recettes manquées de sa sœur ; il y a eu droit suffisamment longtemps pour en garder un souvenir inaltérable. Il s'est empiffré de tartines de beurre parce que les repas que Sylvie mitonnait étaient souvent infects. C'est d'ailleurs ce qui l'inquiétait le plus quand il est allé s'installer chez elle un bout de temps à son retour au Québec. Il se disait qu'heureusement, il avait désormais les moyens d'aller manger au restaurant quand il en aurait envie. Mais il s'est vite aperçu que Sylvie s'était améliorée en cuisine, et de beaucoup. Elle n'arrivera jamais à la cheville de leur grand-mère paternelle, mais au moins maintenant ses repas sont mangeables. D'ailleurs, son rôti de bœuf du dimanche soir n'a pas son pareil.

Entre deux bouchées, Michel déclare :

— Tu ne sais même pas à quel point c'est bon et tu n'auras pas la chance d'y goûter non plus ! Tu aurais dû voir les enfants, hier soir ; ils ne cessaient de complimenter leur mère. Ce n'est pas mêlant, Sylvie flottait. Un peu plus, et j'avais peur qu'elle ne s'envole !

Il pique sa fourchette dans un morceau de viande, qu'il engloutit vivement. La bouche à moitié remplie, il ajoute, le sourire aux lèvres :

— Vous ne savez pas ce que vous manquez. C'est tellement bon !

— Veux-tu bien arrêter de nous tirer la pipe ? jette Fernand. À côté de toi, j'ai l'air d'un pauvre avec mes sandwiches au Paris Pâté.

— Et moi, je fais encore plus dur que toi avec ma boîte de Kam ! renchérit Paul-Eugène.

Il arrive rarement que Paul-Eugène et Fernand n'aient pas de vrais repas. Contrairement à Michel, ils sont tous deux mariés à des cordons-bleus. D'habitude, ils arrivent avec leur thermos rempli à ras bord des restes de la veille ou d'une bonne soupe aux légumes. Parfois même, ils se font réchauffer une pointe de pizza ou de lasagne – mets préparés avec amour par leurs femmes – sur le petit poêle à deux ronds que Fernand a apporté. La consigne est simple : il ne faut pas que l'odeur de cuisine se répande dans tout le magasin. Aussi, interdiction formelle d'apporter du poisson apprêté de quelque façon que ce soit.

— Croyez-moi, vous n'avez rien à m'envier, reprend Michel. Ce n'est pas pour rien que je mange au casse-croûte la plupart du temps. Pour une fois que j'ai un bon lunch, vous devriez être contents pour moi !

— Arrête, Pelletier ! Tu ne me feras pas pleurer ! s'écrie Paul-Eugène, le sourire aux lèvres.

— Ce n'est pas mon intention non plus ! indique Michel avant de prendre sa dernière bouchée de viande.

Michel est ravi de travailler avec son beau-frère et son ami. En réalité, il n'aurait pas pu mieux tomber. Et puis, le gendre de Fernand complète bien leur groupe. Ils ont chacun leur spécialité et leurs préférences mais, dans les faits, ils se complètent parfaitement. Ils forment un quatuor du tonnerre. Les affaires vont tellement bien que Paul-Eugène et lui veulent proposer à Fernand d'acquérir des parts dans le magasin. Ils prévoient lui présenter une offre en ce sens juste avant le congé de Noël.

Lorsque Michel sort un sachet de petits gâteaux au caramel de son sac, les deux hommes le regardent de travers. Avant qu'ils passent le moindre commentaire, Michel s'exclame :

— Que je ne vous entende pas dire un mot ! C'est ma vie ! C'est mon diabète ! Et ce sont mes petits gâteaux, point à la ligne.

Puis, sur un ton plus léger, il ajoute :

— J'ai pensé à quelque chose. Qu'est-ce que vous diriez si on formait une équipe de hockey avec nos gars ? On pourrait s'inscrire dans une ligue de garage. Je ne sais pas pour vous, mais moi, ça me ferait du bien de faire un peu d'exercice.

Paul-Eugène est ravi de cette suggestion.

— C'est une excellente idée !

Puis, il lance, sur un ton taquin :

— Mais j'y pense... Tu serais peut-être mieux de suivre des cours de patins si tu ne veux pas passer ton temps à te ramasser sur les fesses !

— Pour être honnête avec vous, c'est plus pour mes fils que pour moi que je veux jouer au hockey. Vous le savez, entre les patins et moi c'est loin d'être le grand amour ! Depuis que Prince 2 s'est fait frapper, le moral des troupes est à son plus bas chez nous. Les jumeaux n'arrêtent pas de s'en prendre à Luc. Et comme dans le temps où il faisait des crises d'asthme à répétition, Sylvie s'est remise à le couver. Elle est toujours sur ses talons, à surveiller le moindre petit bruit anormal dans sa respiration. Je ne sais pas comment Luc fait pour l'endurer. Ce n'est pas moi qu'elle surveille et ça me tape sur les nerfs.

L'atmosphère est invivable, surtout aux heures de repas. Luc a beau se faire aussi petit que possible, aussitôt qu'il lève les yeux les jumeaux lui tombent dessus. Ce n'est un secret pour personne : ils en veulent à mort à leur frère de ne pas avoir sorti Prince 2 comme il était censé le faire. Selon eux, si Luc avait pris ses responsabilités, leur chien serait encore de ce monde. Au début, Luc se défendait de toutes ses forces, mais il a vite compris que c'était inutile. À deux contre un, il n'a aucune chance de gagner, surtout avec les jumeaux comme adversaires. Dans les circonstances, il n'a d'autre choix que d'attendre que l'orage passe. Et puis, il n'a pas besoin d'eux pour se sentir coupable.

— Et toi, Fernand ? demande Michel. Est-ce que ça t'intéresse de jouer au hockey ?

— Je suis partant. Je ne suis pas le meilleur patineur, mais ça va m'aider à retrouver la forme. C'est rendu que je pompe autant que mon vieux père ! Je peux demander à mes fils et à mes gendres de se joindre à nous, si vous voulez.

— Wow ! Wow ! proteste Michel. Pas trop vite ! On veut juste former une équipe, pas une ligue à nous autres tout seuls.

— Tu t'en fais pour rien, intervient Paul-Eugène. On est mieux d'en parler à un maximum de personnes. Quand c'est le temps de s'inscrire, tout le monde est d'accord. Mais quand vient le temps de jouer, il faut courir après les joueurs.

— Tu as bien raison, approuve Michel. Bon, je vais aller chercher une feuille et on va inscrire le nom de chaque gars qui pourrait jouer avec nous.

Aussitôt dit, aussitôt fait. Un stylo en main, Michel reprend sa place à la table.

— Allez-y.

Lorsque Michel fait le décompte, il y a dix-huit noms sur sa feuille, ce qui est insuffisant.

— Je pourrais demander à Alain, à Junior et à Daniel d'en parler à leurs amis. Si on ne veut pas se faire laver à chaque match, il faudrait qu'on ait quelques bons joueurs avec nous.

— Tu es drôle, toi ! s'exclame Paul-Eugène. On va jouer pour le plaisir, pas pour les Canadiens.

— Depuis quand est-ce interdit de vouloir gagner ? demande Michel d'un ton sérieux.

Sans tenir compte de l'intervention de Michel, Fernand déclare :

— Mais les glaces extérieures ne seront pas prêtes avant janvier ! Si tu veux améliorer le moral des troupes chez toi, tu vas devoir prendre ton mal en patience parce que tu n'as pas fini de souffrir.

— Je sais tout ça. J'ai pensé à quelque chose. On pourrait aller faire du patin à roulettes en attendant…

— Ça, c'est une maudite bonne idée! s'écrie Fernand. Ça fait longtemps que je veux essayer ce sport. Quand est-ce qu'on commence l'entraînement?

Les trois hommes éclatent de rire. Ils aiment travailler ensemble et, en plus, ils aiment se retrouver de temps en temps pour pratiquer une activité. D'ailleurs, cet été, ils sont allés plusieurs fois voir jouer les Expos. Aucun sport ne remplacera jamais le hockey dans leur cœur, mais ils y ont tout de même pris plaisir.

— Et Luc, comment va-t-il? s'informe Paul-Eugène.

— Bien, sauf que c'est à peine s'il répond à nos questions depuis que son chien s'est fait frapper.

— Mets-toi à sa place: il doit s'en vouloir terriblement, commente Fernand.

— Je comprends tout ça, mais même s'il s'en veut jusqu'à la fin de ses jours, ça ne ramènera pas Prince 2. Personne ne pouvait prévoir que le chien sortirait en fou de la maison. J'ai essayé de parler à Luc plusieurs fois depuis qu'il est sorti de l'hôpital, mais il ne veut rien entendre. Je lui ai même proposé d'acheter un autre chien. Vous auriez dû le voir. Il m'a regardé dans les yeux et m'a dit, les dents serrées: « Comment peux-tu me parler de ça alors que je n'ai même pas été capable de m'occuper de Prince 2? » J'en ai encore des frissons juste à y penser.

— Là-dessus, je suis plutôt d'accord avec lui, déclare Fernand. Et puis, on ne peut pas remplacer un chien par un autre. Et son asthme? Comment ça va?

— De ce côté-là, tout va pour le mieux. Le docteur a dit que Luc devra faire attention aux émotions fortes toute sa vie. Facile à dire! Comme je vous l'ai déjà raconté, quand Luc est à la maison, Sylvie ne le quitte pas du regard.

Sa femme était tellement nerveuse le soir où ils ont emmené Luc à l'hôpital que Michel s'est inquiété pour elle. Quand le médecin a annoncé qu'il gardait Luc en observation pour au moins vingt-quatre heures, elle a failli s'évanouir. C'est d'ailleurs probablement ce qui serait arrivé si Michel ne l'avait pas tenue par le bras. Sylvie était si pâle que le médecin a même cru bon de l'examiner. Il s'est vite aperçu que sa réaction était purement nerveuse. Il lui a recommandé d'arrêter de s'en faire pour son fils, que la crise était bien moins sévère que la dernière fois où Luc était entré à l'hôpital. Le médecin lui a appris que le système du garçon était beaucoup plus fort qu'avant. Il a même ajouté qu'avec le choc que Luc venait de subir, c'était normal qu'il ait fait une crise d'asthme. «Je ne veux pas vous décourager, mais il y a fort à parier que ça lui arrivera chaque fois qu'il subira une émotion trop forte. Ni vous ni moi ne pouvons rien y changer, madame. C'est la façon de Luc de passer à travers les épreuves. Je vais lui prescrire un autre médicament; ça devrait l'aider à retrouver une respiration normale plus rapidement.»

— Ça va finir par lui passer, dit Paul-Eugène. Sylvie va être tellement occupée avec son chant qu'elle n'aura pas le choix de relâcher sa vigilance.

— Tu connais ta sœur autant que moi: aussitôt qu'il arrive quelque chose à un des siens, elle panique. Hier soir, j'ai dû sortir tous les arguments possibles pour l'empêcher d'abandonner le chant. Non seulement elle voulait quitter l'ensemble lyrique dont elle fait partie, mais elle voulait aussi appeler Xavier pour lui dire qu'elle avait changé d'idée.

— Pauvre Sylvie! s'exclame Paul-Eugène. Des fois, on croirait qu'elle porte le monde entier sur ses épaules.

Alors que Michel se préparait à ajouter quelque chose, la clochette de la porte du magasin retentit. Paul-Eugène, Fernand et Michel se regardent. Ce dernier traverse dans le magasin. Lorsqu'il aperçoit la belle grande femme très élégante qui vient d'entrer, la mâchoire lui tombe. Il se souvient de l'avoir déjà vue. D'ailleurs, comment aurait-il pu oublier tant de beauté ? Michel est sous le charme. Il se racle la gorge pour reprendre ses esprits avant de saluer la cliente.

— Bonjour, émet-elle d'une voix mélodieuse. Je ne sais pas si vous vous souvenez de moi... Je m'appelle Éléanor Springfield. Je suis une amie d'Irma.

Sans plus de préambules, elle va droit au but.

— Mon mari et moi venons d'acheter un chalet dans les Laurentides. J'aimerais qu'il soit entièrement meublé d'antiquités. Je voudrais que ce soit vous qui vous vous en chargiez. Bien sûr, je paierai ce qu'il faut pour que vous veniez voir l'endroit.

Michel se retient de crier sa joie. Personnellement, il adore ce genre de contrat – à la fois intéressant et rentable.

— Ce sera avec grand plaisir. Avez-vous une idée de ce que vous voulez avoir comme meubles ?

— Je vous laisse le soin de me surprendre. C'est vous le spécialiste !

— Vous me flattez, mais vous devez quand même avoir des préférences ?

— J'adore les grandes armoires, comme celle-là, répond-elle en pointant le doigt vers une des dernières créations de Fernand.

— Il faudrait quand même que j'aie une idée du budget dont vous disposez.

— Si ça peut vous rassurer, dites-vous seulement que j'ai les moyens de payer.

— Puisque c'est comme ça, il faudrait que j'aille voir votre chalet.

— Demain ?

Michel apprécie grandement ce genre de défis. Si quelqu'un lui avait dit qu'un jour on lui demanderait de meubler avec ses antiquités le chalet d'une riche femme de Westmount, il lui aurait ri au nez. Mais même avec toute l'humilité qui l'habite, il reconnaît qu'il fait du bon travail ; enfin, il serait plus juste de dire que ses compagnons et lui font du bon travail. Loin de lui l'intention de s'approprier tout le mérite du succès du commerce. Sans ses complices, la situation serait différente.

Michel aime se rappeler le premier jour où il est allé faire un tour à la campagne. Il était tellement gêné qu'il a été incapable d'arrêter quelque part. Il ralentissait devant chacune des fermes qu'il voyait et, quelques secondes plus tard, il repartait. Ce n'est qu'à sa troisième tournée qu'il a fini par s'immobiliser dans la cour d'une maison et qu'il a osé frapper à la porte. Il se sentait aussi mal à l'aise qu'à son premier jour d'école. Il se souvient encore de l'expression réjouie de la femme qui lui a ouvert quand il lui a dit gentiment qu'il venait la libérer de toutes ses vieilleries. Un peu plus et elle lui sautait au cou. Depuis ce jour-là, il se sent comme un poisson dans l'eau chaque fois qu'il part à la chasse aux trésors. Ce qui lui procure le plus de satisfaction dans son travail, c'est de voir l'air heureux de tous les clients du magasin quand ceux-ci découvrent les objets qui étaient, plus souvent qu'autrement, un embarras pour leurs anciens propriétaires. Michel ne comprend pas très bien pourquoi tant de gens veulent recréer le décor d'hier dans leurs maisons d'aujourd'hui, mais finalement ça n'a aucune importance. Le principal n'est-il pas que tout le monde y trouve son compte ?

Chapitre 30

Depuis qu'il a acheté sa moto, Junior passe beaucoup de temps à la bichonner aussitôt qu'il a un peu de temps devant lui. Au son de la musique qui sort de la petite radio de Luc, il frotte avec ardeur le moindre petit bout de métal. Il pense à tout ce qu'il a à faire d'ici Noël et il se demande comment il y arrivera. Les examens approchent à grands pas au cégep, et son groupe vient de décrocher deux contrats pour aller jouer dans des *partys* de sous-sol de bungalow. Ce n'est pas très lucratif, mais ça leur permettra de se faire connaître. Et puis, plus ils joueront, meilleurs ils deviendront. Et comme ils s'amusent tous à le dire dans le groupe : « On ne sait jamais qui peut se retrouver devant nous. Un petit contrat peut nous emmener bien plus loin qu'on pense. » En plus, Junior doit fournir des photos au journal local et, bien sûr, il y a ses conquêtes. Là-dessus, il n'a pas ralenti la cadence. Contrairement à ses habitudes, il a même répété l'expérience avec Violaine à trois reprises. Mais la dernière fois, il l'a avertie que cela ne se reproduirait plus. Il aime bien la jeune fille, mais guère plus. De plus, il trouve que l'attitude de Violaine envers lui a changé depuis leurs retrouvailles et il n'aime pas ça. Elle a eu suffisamment de peine à la mort de Martin, alors pas question pour Junior de lui faire du mal.

En plus, la semaine dernière, Junior a pris connaissance d'un concours très intéressant chapeauté par *La Presse*. Le gagnant remportera un séjour à Paris, en plus d'une session de formation avec un grand photographe une fois sur place. Et ça ne s'arrête pas là ! En outre, le gagnant devra prendre des photos de Paris. À son retour, celles-ci seront publiées dans le journal. C'est l'un des concours les plus attrayants que Junior ait jamais vus. Évidemment, il a bien l'intention d'y participer – et de le gagner aussi. Obtenir la première place lancerait sa carrière de photographe. Reste à savoir maintenant quand il trouvera le temps. Ce n'est pas tout de prendre des photos, c'est le concept qui est long à développer. Junior n'arrête pas d'y penser. Chaque fois qu'il croit avoir trouvé, il détecte une faille majeure dans son idée et il se retrouve à la case départ. Selon les règlements du concours, les photos doivent illustrer la détresse. Vaste sujet s'il en est un... Junior ne veut pas tomber dans la facilité, car il n'aurait aucune chance de gagner. Il veut présenter des photos qui montrent la détresse sous un autre angle que celui utilisé par trop de photographes. Jusqu'à présent, la manière originale dont il a traité les sujets imposés par les différents concours auxquels il a participé l'a toujours bien servi. Sonia lui a fourni quelques pistes, mais rien de probant n'en est sorti. Tant que Junior ne s'approprie pas totalement son sujet, il est incapable de passer à l'action. Les images qu'il capte doivent traduire parfaitement ce qu'il recherche, sinon il est inutile pour lui d'appuyer sur le bouton.

Junior est si concentré qu'il n'entend pas arriver sa mère. Postée devant lui, Sylvie observe son fils en secouant légèrement la tête. Elle n'était pas d'accord pour qu'il s'achète une moto, et elle n'a pas changé d'avis. D'ailleurs, elle en veut encore à Michel d'avoir encouragé Junior. Malgré ses nombreuses tentatives, elle n'a pas réussi à faire entendre raison à celui-ci. Pour elle, une moto possède tous les défauts de la terre : trop dangereuse, trop bruyante, trop rapide… Sylvie ne s'est jamais assise sur une moto de toute sa vie, mais elle déteste quand même profondément ces engins. Son aversion ne date pas d'hier. D'aussi loin qu'elle se souvienne, elle n'a jamais aimé les motos. En plus, elle s'était juré que jamais elle ne permettrait à un des siens – et ce, peu importe son âge – d'en posséder une. Elle avait oublié que Michel est fou des motos. Ce dernier lui a même dit qu'il songeait sérieusement à s'en acheter une lui aussi. Si elle ne s'était pas retenue, Sylvie aurait hurlé. Elle connaît suffisamment Michel pour savoir que lorsqu'il décide de faire quelque chose, rien ne peut l'arrêter, pas même elle.

Sylvie se racle doucement la gorge pour signaler sa présence. Junior sursaute.

— Es-tu là depuis longtemps ? demande-t-il à sa mère.

— Au moins dix minutes ! plaisante Sylvie. Mais non ! Rassure-toi, je suis là depuis quelques secondes seulement. Le facteur a laissé une lettre pour toi. Je te l'ai apportée.

C'est à peine si Junior jette un coup d'œil à la lettre avant de la plier et de la glisser dans la poche arrière de ses jeans.

— Tu ne l'ouvres pas ? s'étonne sa mère. Elle vient de Toronto.

— Je sais, mais je l'ouvrirai plus tard. Pour l'instant, je profite des quelques minutes qu'il me reste pour astiquer ma moto, avant d'aller à mon cours.

Sylvie est déçue. Elle aurait aimé savoir de qui provenait la lettre. Le nom d'une fille est inscrit sur l'enveloppe. Mais elle sait qu'il est inutile d'insister. Son fils finira bien par lui en parler. Alors qu'elle se prépare à retourner dans la maison, Junior lui dit :

— Tu devrais t'asseoir sur ma moto.

La réaction de Sylvie est instantanée : elle recule d'un pas et elle jette un regard dédaigneux à la moto. Au lieu de se sentir offusqué, Junior revient à la charge en souriant :

— Je te promets que ce sera notre secret. Viens ! dit-il en lui tendant la main. Tu ne cours aucun danger, car la moto est sur son pied.

Sylvie ne saurait expliquer pourquoi, mais à cet instant elle a bien envie d'accepter la proposition. Elle prend le temps de réfléchir quelques secondes. « Junior a raison. Ici, dans le garage, je ne cours aucun danger. »

— Si tu en parles à qui que ce soit, je te prive de dessert pendant un mois ! prévient-elle son fils.

— Ça va rester entre nous, ne t'en fais pas. Tant qu'à y être, veux-tu mettre le casque ?

— Pourquoi pas ? répond-elle en soupirant. Donne-le-moi.

Sylvie n'a vraiment rien d'une adepte de la moto, et elle fait même pitié à voir avec son air apeuré. Mais Junior se garde bien de passer la moindre remarque. Il aide sa mère à monter sur l'engin. Il dirige chacun de ses mouvements tout en la tenant par le bras. Lorsqu'elle est enfin assise, il lui dit de se tenir aux poignées. Le sourire aux lèvres, Junior recule de quelques pas pour admirer le spectacle. Qui l'eût cru ? Il a réussi à faire asseoir sa mère sur sa moto. C'est là qu'une idée lui traverse l'esprit. Il ne pourrait pas trouver mieux que l'image qu'il a sous les yeux pour illustrer la détresse. Plus les secondes passent, plus la peur revient chez Sylvie. Elle a l'air d'un animal pris au piège. Junior file dans la maison et revient aussi vite avec son appareil photo. Alors que sa mère ne cesse de répéter de la faire descendre de là, il prend photo par-dessus photo. Même si tout se passe très vite, les cris de détresse de Sylvie ont monté d'un cran. Satisfait, Junior dépose son appareil photo sur l'établi et vient enfin à la rescousse de sa mère.

Aussitôt que Sylvie pose les pieds sur le ciment, elle enlève le casque et le tend à Junior d'un geste brusque. Elle n'a pas apprécié son petit séjour sur la moto et, en plus, elle est furieuse que son fils l'ait prise en photo.

— Tu m'avais promis que cela serait notre secret ! s'exclame-t-elle d'un ton outré en pointant l'index vers son fils.

— Rassure-toi, maman. Je n'ai pas l'intention de manquer à ma promesse.

— Ne te moque pas de moi. Une photo parle mille fois plus que des mots. Je veux que tu me remettes tous les clichés dès que tu les auras fait développer. Non, mieux que ça : donne-moi le film, je vais te le payer.

Il est hors de question que Junior lui donne son film. Quitte à être privé de dessert pendant un mois, il doit le faire tirer à tout prix. La seule chose qu'il puisse faire pour l'instant, c'est gagner du temps.

— Je ne peux pas te laisser le film, car toutes mes photos pour le prochain concours sont dessus. Mais je te remettrai les photos sur lesquelles tu apparais, c'est promis.

— Tu as intérêt ! grogne Sylvie.

Afin de détendre un peu l'atmosphère, Junior demande à sa mère si elle a aimé son expérience.

— À ton avis ? répond-elle d'un ton sec. Regarde les photos avant de me les remettre et tu auras la réponse.

Quelques secondes plus tard, Sylvie claque la porte du garage. Elle est furieuse contre elle. Elle a réagi comme une vraie imbécile. Elle avait beau se répéter qu'elle ne risquait rien sur la moto, une peur viscérale et incontrôlable est montée en elle. Si elle avait été abandonnée au beau milieu de l'océan, Sylvie ne se serait pas sentie plus mal. Pourtant, elle n'avait qu'à descendre plutôt que d'attendre que Junior vienne à son secours. Elle faisait sûrement pitié à voir. Une chose est certaine : elle détruira toutes les photos dès qu'elle les aura en main.

Depuis que sa mère est sortie du garage, Junior tient son appareil photo dans ses mains et il sourit. Il ignore comment il s'en sortira, mais une chose est claire pour lui. Si les photos qu'il vient de prendre sont aussi bonnes qu'il le croit, l'une d'entre elles finira à coup sûr au concours. D'ici là, Junior réfléchira à la façon dont il devra s'y prendre avec sa mère. « À moins que je ne lui dise rien tant que je ne connaîtrai pas les résultats du concours ? »

* * *

Lorsque Luc rentre de l'école, il passe devant sa mère sans la saluer et file dans sa chambre. Le garçon laisse tomber son sac d'école sur le plancher et se jette à plat ventre sur son lit.

La journée a été particulièrement difficile pour lui. Il a échoué à son examen de chimie alors que c'est une matière qu'il adore et dans laquelle il excelle, et il est passé à un cheveu de se battre avec des gars de sa classe. Ces derniers l'ont traité de « tapette ». Ce n'est pas la première fois. D'habitude, il passe par-dessus cette injure sans trop de mal, en se disant qu'il n'a pas de temps à perdre avec ça. Mais aujourd'hui, cela lui est resté en travers de la gorge. Il n'est pas gai et il le sait. C'est vrai qu'il n'est encore jamais sorti avec une fille, mais il est loin d'être le seul garçon de son âge dans ce cas.

En fait, depuis le soir fatidique où Prince 2 est mort, Luc ne va pas très bien. En plus de se sentir affreusement coupable, il s'est emmuré dans un silence dont il ne sait plus comment sortir. Tout à l'heure, si Josiane ne l'avait pas arrêté, il aurait foncé sur ses agresseurs comme un taureau sur le drap rouge que le toréador agite sous ses yeux. Elle s'est placée devant lui et lui a dit que ces garçons-là n'en valaient pas la peine. Même s'il sait que la jeune fille a raison, Luc n'aime pas passer pour un lâche – et c'est ce dont il a eu l'air tout à l'heure. Il anticipe déjà le moment où il se retrouvera en face des vauriens le lendemain. Pour eux, il est maintenant une lavette incapable de se défendre sans l'aide d'une fille. Les gars, c'est à coups de poing qu'ils règlent leurs différends, pas en discutant bêtement comme le font les filles.

Luc a perdu tout intérêt pour ses cours, même ceux qui lui plaisaient le plus. Depuis la disparition de son chien, il n'a pas lu une seule ligne, ni écouté une seule émission de télévision instructive.

Il se contente de faire le minimum. Dans les circonstances, c'est tout ce dont il est capable.

Pendant ce temps, à la cuisine, Sylvie se ronge les sangs. Il faudrait être aveugle pour ne pas s'apercevoir que Luc ne va pas bien. Il se traîne sans entrain, comme si toute l'énergie qui l'habitait jadis l'avait fui d'un seul coup. Hier, elle a dit à Michel qu'ils devaient agir. « On ne peut pas laisser Luc s'enfoncer sans intervenir. On va l'emmener voir le docteur. » Même si Michel a levé les sourcils, Sylvie a pris un rendez-vous pour ce soir. Évidemment, Luc n'en sait encore rien. Elle lui en parlera juste au moment de partir. Elle a bien averti Michel qu'il n'est pas question que Luc se défile, même s'il s'empressera sûrement de leur dire qu'il est assez vieux pour s'organiser avec ses affaires. Le garçon a besoin d'aide et ses parents doivent faire en sorte qu'il en obtienne le plus vite possible. C'est Shirley qui a convaincu Sylvie d'emmener son fils consulter. Son amie lui a dit que si elle ne faisait rien, Luc risquait de sombrer dans une dépression sévère. La seule personne que Sylvie ait connue qui était dépressive, c'était sa mère. Et elle refuse que son fils descende aussi bas.

Hier, Sylvie a averti les jumeaux de laisser leur frère tranquille une fois pour toutes. Ils l'ont regardée en levant les yeux au ciel. Quand ils affichent cet air, cela signifie qu'ils n'en feront qu'à leur tête malgré ses remontrances. Mais elle a bien l'intention de ne pas lâcher François et Dominic jusqu'à ce qu'ils comprennent le bon sens. Il y a des limites à s'en prendre toujours à la même personne. S'il y a eu des moments où les jumeaux et Luc formaient un trio bien uni, c'est loin d'être le cas ces temps-ci. Quand François et Dominic adressent la parole à leur frère, c'est pour s'en prendre à lui. D'habitude, Luc ne s'en laissait pas imposer par eux, mais maintenant il ne leur oppose aucune résistance.

* * *

À son arrivée au cégep, Junior ouvre la lettre. Ça lui fait très plaisir que la belle Kathleen lui ait écrit. Il se souvient parfaitement d'elle : une belle grande brune aux yeux verts. Elle a essayé de l'amadouer pendant toute la durée de son séjour à Toronto, mais il ne lui a pas cédé. Pas plus à elle qu'aux autres filles qui lui tournaient autour, d'ailleurs. Il était là pour apprendre, pas pour batifoler. Ce qui le surprend, c'est que Kathleen ait attendu si longtemps avant de lui donner de ses nouvelles.

Au fil de sa lecture, il comprend pourquoi. Kathleen a fait une mauvaise chute à bicycle immédiatement après la fin du cours. Elle aurait bien voulu lui écrire avant, mais elle en était incapable à cause de ses deux avant-bras qui étaient dans le plâtre. Elle vient juste de retourner à l'école. Évidemment, elle est tellement en retard qu'elle doit prendre les bouchées doubles, et parfois triples. Elle lui écrit qu'elle aimerait bien venir lui rendre visite pendant le congé de Noël. Junior interrompt alors sa lecture. Il a trouvé Kathleen très gentille, mais pas au point de vouloir la revoir. Et puis, il risque d'être très occupé pendant les Fêtes. Son cousin Gaétan l'a même invité chez lui, à Chicoutimi. Pour le moment, Junior ne sait pas s'il aura le temps d'aller là-bas. Son groupe et lui ont l'intention de profiter de leurs vacances pour répéter tous les jours. « Je ferais mieux de répondre au plus vite à Kathleen si je ne veux pas qu'elle débarque. »

Junior remet la lettre dans l'enveloppe et se dirige vers les casiers. Il a juste le temps de suspendre son manteau dans sa case et de prendre ses livres s'il ne veut pas être en retard à son cours. Au moment où il tourne au coin, il aperçoit une fille. Il se met à la détailler des pieds à la tête. Et elle fait de même : ses magnifiques yeux bleu turquoise l'observent attentivement, à tel point que Junior se sent rougir. C'est la première fois qu'il croise cette beauté. Lorsqu'il arrive à sa hauteur, il s'arrête et la salue. Elle le salue également.

— C'est la première fois que je te vois, lui dit-il ensuite.

— Normal, car je passe mon temps dans l'autre pavillon, répond-elle gentiment. Au fait, je m'appelle Édith.

— Et moi, Michel.

— Tu vas m'excuser, mais il faut vraiment que j'y aille. Mon cours commence dans quelques minutes. À la prochaine !

Au lieu de poursuivre son chemin, Junior regarde Édith s'éloigner jusqu'à ce qu'elle sorte complètement de son champ de vision. Il est tombé sous le charme de la jeune fille. « Au moins, je sais où la trouver. »

* * *

Pendant ce temps, Sonia discute avec son amie Lucie à la cafétéria du cégep. Loin de s'être amélioré, l'état de la mère de celle-ci s'est encore détérioré. Maintenant, elle ne peut même plus manger seule.

— Je n'en peux plus de tout faire à la maison ! s'écrie Lucie. Je remets mes travaux en retard, je poche mes examens... Je ne sais plus où donner de la tête... et je n'ai pas de vie. Pendant que les jeunes de mon âge sortent et dansent, moi je m'occupe de ma mère et de mes frères et sœurs sans relâche. Ça ne peut plus durer. Je voulais finir mon cégep, mais je n'y arriverai pas. J'ai pris une décision : je partirai tout de suite après les Fêtes.

— Sais-tu au moins où tu vas aller ?

Lucie hausse les épaules. Comment pourrait-elle le savoir ? Le plus loin qu'elle se soit rendue jusque-là, c'est à Montréal. Elle a toujours en tête d'aller à Québec, mais son projet s'arrête là.

— Tout ce que je sais, c'est qu'il faut que j'aille assez loin pour que mon père ne me retrouve pas. Tant que je ne serai pas majeure, il peut m'obliger à revenir à la maison.

— As-tu de l'argent au moins ?

— Un peu. Mais vois-tu, comme je ne peux pas travailler à l'extérieur, tout ce que je peux mettre de côté, ce sont les montants d'argent que je reçois en cadeau. Mais ce n'est pas grave. Je suis débrouillarde, je trouverai du travail.

Sonia trouve la jeune fille très brave. Les deux voyages qu'elle a faits avec ses tantes lui ont appris, notamment, que c'est beaucoup plus facile de partir quand on a de l'argent. Mais Sonia songe que si elle était à la place de Lucie, elle trouverait sûrement le courage d'agir elle aussi. À l'âge de celle-ci, ce n'est pas une vie que de passer son temps à servir les siens. Chaque fois qu'elle voit Lucie, Sonia pense que c'est exactement ce que sa mère a dû vivre. « Sauf que c'était à une autre époque ! » Sonia voudrait bien aider son amie, mais elle ignore comment. Elle ne connaît personne à Québec. Tout à coup, elle a une idée.

— Tiens-tu absolument à aller à Québec ? demande-t-elle.

— Pas particulièrement !

— Eh bien, j'ai peut-être une idée. Le frère de mon père habite à Edmonton ; il a une grosse compagnie là-bas. Je pourrais l'appeler et lui demander s'il pourrait te donner un petit coup de main, le temps de t'installer.

— Edmonton ? Pourquoi pas ? Je pourrais apprendre l'anglais. Et je serais suffisamment loin pour que mon père ne me retrouve pas. Je te remercie. J'apprécie beaucoup ce que tu fais pour moi.

— C'est rien. Mais tu n'as pas peur que ton départ tue ta mère ?

— Pour être honnête, j'aime mieux ne pas y penser. Je l'aime beaucoup, mais si ma vie ne change pas, je vais devenir folle.

— Je comprends. Si mon oncle accepte de t'aider, seras-tu capable de trouver l'argent pour payer ton billet d'avion ?

— Je m'arrangerai bien.

Chapitre 31

Lorsque Michel voit entrer sa mère dans son magasin, il se précipite à sa rencontre. Depuis le temps que Marie-Paule vit à Longueuil, c'est la troisième fois seulement qu'elle vient ici.

— Ça, c'est de la belle visite ! s'écrie-t-il avant de l'embrasser. Vous devez nager dans le bonheur parce qu'on ne vous voit plus. Même les enfants se demandent ce qui vous arrive. Pas plus tard qu'hier, ils voulaient qu'on vous invite à manger.

— Ne me fais pas de reproches ! dit-elle en lui pinçant une joue comme lorsqu'il était enfant. Je sais que je vous ai tous négligés. Si ça peut te consoler, je pense souvent à toi – et à toute ta famille, aussi. Et tu as raison : je suis très heureuse.

Depuis que Marie-Paule s'est remariée, elle brille par son absence plus souvent qu'autrement. Elle appelle chez Michel de temps en temps, mais elle n'arrive plus à l'improviste comme elle avait l'habitude de le faire. Pas plus tard que la veille, Sylvie lui a confié que Marie-Paule lui manquait. Elle s'était vite habituée à la présence de sa belle-mère près de chez elle. Mais maintenant, Marie-Paule est occupée ailleurs. En plus de profiter de son nouveau bonheur, elle fait du bénévolat à la bibliothèque de son quartier et elle adore cette activité. Comme René aime sortir en ville autant qu'elle, ils en profitent pleinement. Depuis qu'ils sont mariés, ils assistent au moins à deux spectacles par semaine. Tout y passe : pièces de théâtre, opéras, musique classique, chanteurs de tous genres. Montréal offre de tout – et pour tous les goûts. À ce jour, à l'exception du spectacle d'un groupe qu'ils ont vraiment détesté, Marie-Paule et René ont toujours été satisfaits de leurs choix.

— Ce n'est pas seulement de vous que je m'ennuie. Je suis en manque de tartes au sucre, de sucre à la crème et de… pets de sœur, la taquine Michel.

— Pour ça, tu n'as qu'à m'appeler et à m'en commander ; ma cuisinière est toujours en fonction. Et puis, cela m'obligerait à cuisiner un peu. Je suis devenue bien paresseuse depuis que je vis avec René. Je suis un peu gênée de l'avouer, mais on mange très souvent au restaurant, et j'aime ça. Je suis bien loin des tourtières et des pâtés à la viande !

— Venez, déclare Michel en passant son bras autour des épaules de sa mère. On va aller s'installer près de la caisse. J'ai une belle chaise pour vous.

— C'est justement pour ça que je suis venue te voir.

Personne ne pourra jamais reprocher à Marie-Paule de ne pas être franche. Pour elle, il n'existe que la ligne droite entre deux points. Quand elle veut savoir ou avoir quelque chose, elle va droit au but.

— Aurais-tu une belle chaise berçante pour moi ? demande-t-elle joyeusement. J'ai bien essayé de m'en passer, mais je m'ennuie trop de ne plus me bercer.

— Moi qui croyais que vous étiez venue exprès pour me voir. Je suis déçu !

— Arrête un peu ! Tu sais où j'habite, alors tu n'as qu'à passer si tu t'ennuies tant. Et puis, tu devrais te souvenir que…

Michel ne laisse pas sa mère finir sa phrase.

— Je sais… Il n'y a que les gens ennuyants qui s'ennuient. Ne vous en faites pas pour moi. Vous savez bien que je vous agace. Suivez-moi, je pense que j'ai ce qu'il vous faut.

Lorsque Marie-Paule voit la chaise berçante, elle se dépêche de s'asseoir dessus. Dès qu'elle commence à se bercer, un sentiment de bien-être l'envahit.

— Combien demandes-tu pour cette chaise ?

— Pour vous, ce sera gratuit.

— Il n'en est pas question ! Tu l'as payée, alors moi aussi je vais la payer.

— Depuis quand est-il interdit de faire un cadeau à sa mère ? Vous n'aurez qu'à dire à René de passer la chercher.

Marie-Paule a beaucoup plus de facilité à donner qu'à recevoir. Ça la rend mal à l'aise quand quelqu'un lui offre un cadeau – même ses enfants. Depuis qu'elle est mariée à René, elle a dû s'adapter un peu parce qu'il aime la gâter. Parfois, ce n'est qu'une bagatelle, mais qui reflète chaque fois ses goûts. Ces petits gestes de René lui vont droit au cœur.

Elle pensait vraiment pouvoir se passer d'une chaise berçante, mais elle aime trop se bercer. Elle a toujours cru que ça la reposait et, même si ce n'était qu'une illusion, l'important est qu'elle y croie. Elle aime aussi lire dans une chaise berçante.

— Je te remercie, mon Michel. Je sais déjà où je vais la placer.

Alors que Michel s'attendait à voir partir sa mère, voilà que celle-ci tortille le coin de son foulard. Il voit bien qu'elle a quelque chose à lui dire, mais il doit attendre qu'elle se décide à parler.

— Eh bien, je ne sais pas trop par quoi commencer, mais…

— Allez-y comme vous le sentez, l'encourage Michel. Nous sommes tout seuls dans le magasin.

Marie-Paule soupire un bon coup avant de se lancer.

— C'est au sujet d'André. Il n'est plus pareil avec moi, même que j'ai l'impression qu'il me cache quelque chose. Chaque fois que je l'appelle, il n'a jamais le temps de me parler et, quand je lui demande des nouvelles de son fils qui s'est fait opérer, il se dépêche de changer de sujet. Peux-tu me dire ce qui se passe au juste ? Je n'aime vraiment pas ça.

Michel a parlé plusieurs fois à André depuis le mariage de leur mère. Il ne s'est pas gêné pour remettre sur le tapis le mensonge qu'il a servi à Marie-Paule, mais son frère reste sur ses positions. Ce dernier n'était pas d'accord pour que sa mère refasse sa vie, et il n'en démord pas. Michel a tout essayé pour le convaincre, mais il s'est toujours fait remettre à sa place. La dernière fois, André lui a dit d'un ton sec qu'il ne voulait plus en entendre parler. Il a même ajouté qu'il devrait passer le message aux autres membres de la famille. Tous ont essayé au moins une fois de le faire changer d'avis.

C'est bien beau de vouloir protéger André, mais là c'est assez. Au risque de faire de la peine à sa mère, et à son frère par la bande, Michel racontera tout à Marie-Paule. Elle mérite de connaître la vérité.

— Vous n'aimerez pas ce que vous allez entendre, mais là ça suffit. Depuis le jour où vous lui avez appris que vous vouliez vous remarier, eh bien votre cher fils a été contre l'idée. Ne me demandez pas pourquoi parce que je l'ignore totalement. Je ne comprends pas André. Il est aussi borné que le père.

— Mais il a pris la peine de me téléphoner pour me dire que…

Si Michel tenait compte de l'expression de sa mère, il cesserait les confidences. Sauf que cette fois, il a bien l'intention d'aller jusqu'au bout. Il ne laisse pas Marie-Paule finir sa phrase et reprend :

— Je suis au courant, car j'étais avec lui. André vous a appelée parce que j'ai insisté jusqu'à ce qu'il décide de composer votre numéro. Et puis, il faut que vous sachiez aussi que ce n'est pas parce que son fils s'est fait opérer d'urgence pour une appendicite qu'il n'a pas assisté à votre mariage. Il s'agissait d'un prétexte pour ne pas être obligé de venir ; André n'avait acheté aucun billet d'avion. Je ne sais pas ce qui lui prend, mais on dirait que depuis que le père est mort il le vénère comme jamais.

Marie-Paule est dans tous ses états. Elle se répète en boucle ce que Michel vient de lui confier. Mais elle ne comprend pas une telle attitude, encore moins parce qu'il s'agit d'André. Comment peut-il vouloir protéger son père après ce que ce dernier lui a fait vivre en l'obligeant à quitter la maison ? Marie-Paule pleure, mais elle ne fait rien pour essuyer ses larmes.

Michel serre sa mère dans ses bras.

— Je suis désolé, maman. Mais tôt ou tard, vous auriez découvert la vérité. Je le trouve lâche, mon frère, et tout le reste de la famille est de mon avis.

— Et par-dessus le marché, vous étiez tous au courant ?

— Non ! Personne ne le savait, pas même moi. On a tous commencé à soupçonner André le lendemain de votre mariage quand on s'est retrouvés chez nous pour le déjeuner. Charlotte a appelé André et lui a tiré les vers du nez. Je suis désolé, maman.

Maintenant, Marie-Paule sanglote. Jamais elle n'aurait imaginé qu'un jour, l'un de ses enfants lui mentirait de la sorte. Elle a l'impression qu'on vient de la jeter dans un puits sans fonds, un puits dont elle ignore comment elle parviendra à sortir. Alors qu'elle coulait des jours heureux aux côtés de René, on dirait que quelqu'un vient de jeter un voile sur son bonheur. Elle a pris la peine de demander à tous ses enfants s'ils s'objectaient à ce qu'elle refasse sa vie. Si elle avait su, jamais elle ne se serait remariée.

Michel ne peut pas la laisser partir dans cet état.

— Donnez-moi le temps d'aller avertir Fernand et je vous raccompagne chez vous.

Lorsque Michel revient, sa mère n'a pas bougé. Elle sanglote en silence. Michel la prend par les épaules et lui dit d'une voix douce :

— Venez, on va prendre mon auto.

Si Michel avait André devant lui, il le couvrirait d'injures. Il n'a pas le droit de faire de la peine à leur mère, pas après ce qu'elle a traversé pendant toutes les années où elle a été privée de nouvelles de lui. C'est trop facile pour son frère de défendre leur père maintenant que celui-ci n'est plus de ce monde alors que Marie-Paule, elle, a dû subir ses sautes d'humeur et ses ivrogneries magistrales. Michel avait beaucoup d'estime pour son père, mais ça ne l'a jamais empêché de le voir comme il était, pas avec les lunettes roses avec lesquelles André le considère depuis le jour où il a refait surface dans la famille.

* * *

Michel n'a pas cessé de penser à sa mère de tout le reste de la journée. Il appellera André ce soir pour le prévenir que Marie-Paule est au courant de tout. Il s'attend à se faire reprocher d'avoir parlé, peut-être même à se faire raccrocher au nez, mais il considère qu'il n'avait pas le choix. Michel ne pouvait plus continuer de couvrir son frère. « André s'est fourré dans le pétrin, eh bien c'est à lui de s'en sortir. »

Lorsqu'il rentre à la maison, il raconte toute l'histoire à Sylvie.

— Pauvre Marie-Paule ! s'écrie-t-elle. Ta mère ne méritait pas ça.

— Personne ne mérite de souffrir pour des enfantillages de vieux garçon. Je ne sais vraiment pas ce qui a pris à mon frère. À cause de lui, la mère a le cœur en miettes. Tu peux être certaine que je vais l'appeler.

— Pour ce que ça changera…

— Je sais bien. Mais si André a encore un peu de considération pour notre mère, il va lui téléphoner pour s'excuser. Mais je ne suis pas certain qu'il le fera. Il a tellement la tête dure qu'il faut se lever de bonne heure pour le faire changer d'idée.

En matière de tête dure, Michel ressemble beaucoup à André – à une différence près. Michel a toujours respecté ses parents. Même lorsqu'il n'était pas d'accord avec eux, il se gardait une réserve, pas seulement en regard de leur âge mais aussi de l'autorité qu'ils représentaient pour lui. Et il a toujours eu tendance à protéger sa mère. Il voyait bien que la vie aux côtés de son père était loin d'être facile pour elle.

— Je ne comprends pas en quoi le mariage de votre mère dérange autant André, déclare Sylvie.

— Tu n'es pas la seule. En plus, André habite à l'autre bout du Canada. Combien de fois va-t-il venir la voir cette année ? Une ? Deux, tout au plus ? Et il n'est même pas obligé d'aller chez elle. Non, c'est de l'enfantillage. André n'a pas le droit d'empêcher notre mère d'être heureuse sous prétexte qu'il voudrait que les choses demeurent les mêmes que durant son enfance. Plus rien n'est pareil ; on a tous vieilli. Et quoi qu'on fasse, on ne pourra jamais rattraper le temps perdu. Ce qui est passé est passé, un point c'est tout.

— Et même si André restait par ici, ça ne lui donnerait pas le droit de décider de la vie de ta mère. Marie-Paule est assez vieille pour savoir ce qu'elle a à faire. C'est déjà tout en son honneur de vous avoir demandé la permission, à ses autres enfants et à toi, avant d'accepter la demande de René. Si tu veux, je peux faire un saut chez elle.

— Ce serait gentil. Pendant ce temps-là, je vais appeler André. À l'heure qu'il est, il devrait être chez lui.

Sylvie file à sa chambre. Elle prend son sac à main et, une fois dans l'entrée, elle met ses bottes et son manteau de mouton de Perse. Elle n'aime pas plus l'hiver qu'avant, mais le simple fait de mettre son manteau de fourrure la rend heureuse chaque fois. Jamais elle n'aurait pensé que celui-ci lui plairait autant. Aussitôt qu'elle le dépose sur ses épaules, elle sent une grande chaleur l'envahir. Le seul endroit où Sylvie ait froid, c'est à la tête, mais elle en est responsable. La plupart du temps, elle s'aventure à l'extérieur sans son chapeau de fourrure. Ce n'est pas parce que ce dernier ne lui va pas bien – au contraire ! –, mais il lui aplatit les cheveux. La dernière fois qu'elle est sortie avec Michel, celui-ci lui a dit qu'elle était bien bête de geler pour ne pas avoir les cheveux tapés. « Tu devrais pourtant savoir que c'est par la tête qu'on perd le plus de chaleur. » Sylvie s'est vite défendue en déclarant que, de toute façon, entre la maison et l'auto, elle n'avait pas le temps de geler – ce qui, bien sûr, est faux.

Sylvie remonte le col de son manteau aussi haut que possible. Aussitôt dehors, elle sent le froid lui mordre les joues. « Une chance que c'est pour Marie-Paule parce que je retournerais au chaud. Ce n'est pas un temps pour laisser un chien dehors. » Sylvie s'assoit dans l'auto et, quand elle tourne la clé, le moteur hésite avant de démarrer. À vrai dire, il fait encore plus froid dans l'auto qu'à l'extérieur. Sylvie claque des dents. Heureusement, elle n'est pas obligée de nettoyer sa voiture. Il n'a pas neigé depuis trois jours.

Tout à coup, elle pense à Chantal. Cette dernière se marie le lendemain. Sylvie ne s'est pas encore faite à l'idée que sa sœur se marie en plein mois de novembre. Elle l'imagine dans la neige et le froid avec ses petites sandales blanches de cuir verni et elle grelotte. Pour Sylvie, l'été est le seul moment pour se marier. Quand le soleil brille et que les oiseaux chantent à tue-tête, cela rend tout le monde heureux, ce qui est bien différent en novembre. Même si l'hiver commence officiellement le 21 décembre, aussitôt qu'il y a de la neige au sol, pour Sylvie, c'est déjà l'hiver. Et cette année, c'est l'hiver depuis la mi-octobre puisque la première neige n'a pas fondu. Elle est impatiente de voir sa sœur dans sa robe blanche, mais surtout de l'entendre dire oui à Xavier. En pensant à lui, Sylvie sourit, ce qui lui fait un peu oublier le froid. Parfois, quand elle regarde Xavier, elle se souvient du soir où il a posé ses lèvres sur les siennes, et aussi du nombre de jours où elle s'est rappelé la sensation agréable qu'elle avait ressentie. Sylvie éprouve rarement des regrets, mais s'il en est un c'est de n'avoir eu qu'un seul homme dans sa vie, et dans son lit aussi. Jamais elle ne saura si c'est différent avec un autre. Quand elle mange un millefeuille, elle peut le comparer à d'autres, alors que dans sa vie amoureuse, elle doit se contenter de ce qui figure au menu jour après jour, nuit après nuit, et ce, depuis le jour de son mariage. Elle n'est pas malheureuse, c'est seulement que depuis qu'elle est sortie d'entre ses quatre murs, sa curiosité se manifeste de plus en plus, et ce, dans tous les domaines.

Lorsque Chantal l'a enfin invitée à visiter sa nouvelle maison, Sylvie est tombée sous le charme de la propriété avant même d'y mettre les pieds. Même sous la neige, l'aménagement paysager vaut le déplacement. Quand on arrive au bout de la grande allée, il y a un grand rond pour que les autos puissent y faire demi-tour. Au centre, il y a une sorte de kiosque comme on en voit dans les parcs. Au moins une dizaine de grands chênes trônent fièrement sur les côtés de la maison. Sylvie est tombée sous le charme de ces arbres majestueux, et elle aimerait même en planter un derrière sa maison. En plus, aux dires de Chantal, il y a des fleurs partout sur le terrain.

Il faut voir le magnifique escalier qui fait face à la porte d'entrée avec son lustre de cristal suspendu au plafond du deuxième étage. Un immense escalier ouvert avec une rampe en fer forgé et des marches en pointe qui n'en finissent plus. Sylvie n'a jamais rien vu d'aussi beau. Et le solarium à l'arrière de la maison ! Et les pièces tellement grandes qu'on pourrait toutes les séparer au moins en deux ! Et la cuisine d'été ! Et le foyer en pierres des champs ! Quand elle est rentrée chez elle, Sylvie a bien été obligée d'admettre que les coussins tricotés de tante Gisèle n'avaient pas leur place dans la maison de Chantal. Ça ne ressemble en rien à toutes les maisons que Sylvie connaît, mais c'est très beau. Tout a été pensé. On voit bien qu'un décorateur a mis la main à la pâte. Et, malgré la modernité du décor, l'endroit est chaleureux ; il ressemble à ses occupants.

Sylvie se demande encore comment Chantal pourra rester la même en vivant dans un tel luxe. Elle n'a qu'à regarder Xavier. Oui, c'est un chic type, mais il est loin d'être accessible pour le commun des mortels. Dernièrement, Michel lui a confié qu'il trouvait Xavier gentil, mais qu'il ne savait jamais comment le prendre. Celui-ci affiche toujours un petit air supérieur. Chaque fois qu'ils le voient, les jumeaux disent que leur futur oncle ne doit pas être capable de se plier tellement il est raide.

Sylvie a trouvé difficile de choisir un cadeau de mariage pour sa sœur. Il n'était pas question qu'elle lui offre de l'argent ; Chantal en aura bientôt plus qu'elle. Et puis, elle voulait lui offrir quelque chose qui resterait marqué dans sa mémoire à jamais. Elle y réfléchissait depuis le moment où Chantal lui avait annoncé son mariage. Le jour où Sylvie a eu une idée de génie, elle s'est dépêchée d'appeler sa sœur. Après avoir appris la teneur du cadeau, Chantal est restée sans voix au bout du fil pendant plusieurs secondes. Puis, l'effet de surprise passé, elle a commenté :

— Jamais je n'aurais pu espérer recevoir un plus beau cadeau ! J'ai hâte de l'annoncer à Xavier. Je suis si contente ! Il n'y a que toi pour penser à ça.

Demain, Sylvie chantera au mariage de sa sœur ; elle interprétera l'*Ave Maria* de Schubert. Elle sera accompagnée du pianiste de l'ensemble lyrique. Non seulement c'est l'air d'opéra préféré de Chantal, mais celui de Xavier aussi. Sylvie ne devra pas regarder sa sœur, sinon elle se mettra à pleurer. Leur mère ne manquait jamais de faire jouer cette pièce aussitôt qu'elle s'asseyait pour prendre son café à la table de la cuisine. Même le jour où elle s'est jetée dans le puits, elle l'avait fait jouer. À part leur père, Sylvie et Chantal étaient les deux seules de la famille à prendre un réel plaisir à écouter ce morceau. Leurs frères et sœurs soupiraient du début jusqu'à la fin. Leur mère ne manquait jamais une occasion de leur dire qu'il fallait ouvrir ses horizons, que la musique pouvait guérir l'âme.

De leur côté, Michel et Paul-Eugène ont proposé à Chantal de venir se choisir un meuble au magasin. Elle était tellement contente qu'elle leur a sauté au cou. Les deux hommes étaient loin de penser qu'ils lui feraient autant plaisir. Chantal leur a dit qu'elle avait justement l'intention de meubler sa bibliothèque avec des antiquités.

Perdue dans ses pensées, Sylvie se retrouve à destination sans s'en être vraiment rendu compte. Elle descend de l'auto, remonte vite le col de son manteau et court jusqu'à la porte d'entrée. Elle sonne, puis elle se met à piétiner sur place pour se réchauffer en attendant qu'on vienne lui ouvrir. En voyant l'air surpris de Marie-Paule, Sylvie réalise qu'elle n'a même pas pris le temps d'appeler avant de passer. Lorsque sa belle-mère vivait seule dans son appartement, Sylvie débarquait toujours sans s'annoncer; mais depuis que Marie-Paule vit avec René, elle a pris l'habitude de téléphoner avant de venir. Sylvie aime bien René, mais il l'intimide un peu.

— Je suis désolée, s'écrie-t-elle en portant sa main gantée à sa bouche, j'aurais dû appeler. Si je vous dérange, je...

Sans même lui laisser le temps de finir sa phrase, Marie-Paule la tire par le bras et lui dit en souriant:

— Depuis quand tu ne peux pas venir chez moi quand tu veux? s'exclame-t-elle. Je ne suis quand même pas la reine d'Angleterre! Viens à la cuisine avec moi, j'allais justement me préparer un café. René est allé jouer aux quilles avec Lionel – comme chaque semaine, d'ailleurs. Il n'y a personne de malade chez vous au moins? s'inquiète-t-elle soudainement.

— Non, non ! Michel m'a raconté ce qui s'est passé au magasin aujourd'hui. D'ailleurs, présentement, il est sans doute en train de parler avec André. Je viens prendre de vos nouvelles, car je m'inquiétais pour vous.

— Tu es bien fine, laisse tomber Marie-Paule en soupirant. Je n'en ai même pas parlé à René. J'ai trop honte.

— Voyons donc ! C'est André qui devrait avoir honte d'être aussi égoïste, pas vous. Il n'a plus quinze ans. Il va falloir qu'il s'en remette. Vous n'étiez tout de même pas pour vous morfondre toute seule dans votre grande maison jusqu'à la fin de vos jours pour son bon plaisir...

Le regard de Marie-Paule se voile instantanément de larmes. Sylvie prend les mains de sa belle-mère et lui déclare, en la fixant droit dans les yeux :

— Vous savez à quel point je tiens à vous. Je veux que vous me promettiez d'arrêter de vous tracasser avec ça. Je sais bien que c'est plus facile à dire qu'à faire, mais vous ne devez pas laisser André saboter votre bonheur.

— Mais rappelle-toi ce que je t'avais confié, parvient à émettre Marie-Paule entre deux reniflements. J'accepterais de me marier seulement si tous mes enfants étaient d'accord. Et là, j'apprends qu'André ne l'a jamais été.

— Je comprends tout ça, mais c'est trop tard pour revenir en arrière. D'ailleurs, c'est heureux qu'il en soit ainsi. Vous savez, Marie-Paule, on ne peut jamais plaire à tout le monde, même pas à notre propre famille. Je commence seulement à sortir de ma coquille, et tout ce que je sais, c'est que tout le monde a droit au bonheur. Si votre bonheur passait par votre mariage avec René, vous n'aviez pas le droit de le sacrifier sous prétexte qu'un de vos enfants s'y objectait. Après tout, aucun d'entre eux n'est venu vous consulter sur le choix de son compagnon, de sa maison, de ses meubles... Je vous le répète: peu importe ce qu'on fait, il y aura toujours quelqu'un pour affirmer que ce n'est pas correct. Prenez mon propre exemple; j'ai besoin de chanter pour me sentir vivante. Eh bien, ça ne fait pas l'affaire de tous chez nous, mais ils doivent faire avec. Maintenant, je suis moins disponible qu'avant parce que je travaille, mais je suis plus heureuse, par exemple. Là-dessus, je dois avouer que Michel m'aide beaucoup. Chaque fois qu'un des enfants rouspète, il le remet vite à sa place en lui disant qu'il est aussi bien de s'habituer parce que les choses ne seront plus jamais pareilles.

Plus elle écoute sa belle-fille, plus Marie-Paule sent la joie revenir dans son cœur. Sylvie a raison: il ne lui reste qu'à être heureuse. Pour la suite, elle verra bien. Un jour, peut-être, André cessera de lui en vouloir d'aimer un autre homme que son père. Mais en attendant, il n'est pas question qu'elle gâche sa vie. Elle a déjà passé trop de temps à seulement exister plutôt qu'à vivre. Marie-Paule pourrait invoquer plusieurs excuses pour expliquer pourquoi elle tenait tant à conserver la même vie tant qu'Adrien vivait. Mais elle n'en a pas envie. Au fond, elle a fait ce qu'elle croyait être le meilleur dans les circonstances, surtout à cause de ce qu'on lui avait enseigné sur la vie de couple. Pendant toutes ces années, elle a été la femme d'Adrien, ni plus ni moins. Elle était pratiquement parvenue à oublier qu'avant de se marier et d'avoir des enfants, elle avait ses propres rêves et envies. Elle aimait le cinéma, la chanson, le théâtre. Comme elle n'était pas très fortunée, à part le cinéma qu'elle pouvait se permettre environ une fois par mois, elle a toujours dû se contenter de ce qui était gratuit. Une fois mariée, étant donné qu'Adrien n'appréciait pas les mêmes choses qu'elle, il est arrivé ce qui devait arriver: Marie-Paule a sacrifié tout ce qu'elle aimait et en est venue à croire qu'elle aimait les mêmes choses que son époux. Leurs seules sorties se limitaient à aller chez la famille de l'un et de l'autre pour jouer aux cartes. Ce n'est pas qu'elle déteste les rencontres familiales, bien au contraire, mais elle aurait aimé faire changement de temps en temps. Heureusement, il lui restait la lecture pour garder contact avec son ancienne vie. Étant donné qu'elle n'avait pas les moyens de s'acheter des livres, chaque semaine elle en empruntait à la bibliothèque. Beau temps, mauvais temps, elle se rendait en ville pour aller à la rencontre d'une nouvelle histoire qui lui permettrait de s'évader quand elle aurait trop mal à sa propre vie.

— Je te remercie d'être venue me voir, Sylvie. Tu m'as fait beaucoup de bien. André a marqué mon cœur au fer rouge, c'est certain, mais seule une petite partie a été abîmée. Tout le reste continuera à être habité par le bonheur.

Puis, le sourire aux lèvres, Marie-Paule ajoute d'un ton plus léger :

— J'ai acheté des millefeuilles cet après-midi. Est-ce que ça te dirait d'en manger un ? Je pourrais faire du café.

— Vous savez bien que je ne refuse jamais un millefeuille. Et même si je voulais résister, je n'y arriverais pas. Chaque fois que j'entends ce mot, mes papilles gustatives se tiennent au garde-à-vous, prêtes à attaquer la pâtisserie aussitôt que je croquerai dedans !

Sylvie fait toujours rire Marie-Paule quand elle parle de son amour presque maladif pour les millefeuilles. Elle ne connaît personne qui les aime autant.

— Mais je t'avertis, par exemple : mes millefeuilles n'ont rien à voir avec ceux de Suzanne. Je les ai pris à l'épicerie.

— Vous le savez bien... En autant qu'ils goûtent les millefeuilles, c'est parfait pour moi !

Chapitre 32

Longueuil, le 5 mars 1971

C'est la troisième fois que Michel sort pelleter depuis le matin. Et ça, c'est sans compter toute la neige qu'il a enlevée hier avec les garçons. Il est tombé pratiquement deux pieds de neige en vingt-quatre heures – et ce n'est pas fini. Non seulement les écoles sont fermées, mais les commerces aussi. La veille, aux nouvelles, on a annoncé que les routes étaient impraticables dans plusieurs régions du Québec. La ville de Montréal est complètement paralysée. Les braves qui osent affronter la poudrerie aveuglante s'y déplacent en motoneige ou en ski de fond. Plusieurs secteurs sont même privés d'électricité. Comme l'a expliqué un journaliste : « Les vents impétueux du blizzard qui atteignent jusqu'à 69 milles à l'heure ont causé d'importants dégâts, dont des toitures arrachées, en plus d'exposer les piétons à de graves dangers. Des poteaux électriques ont été brisés, des câbles sont tombés – ce qui a privé d'électricité certains secteurs. Cette tempête de neige bat tous les records. À Montréal seulement, on compte déjà plusieurs morts. Il en est de même dans le reste du Québec. La province tout entière vit sous un épais manteau de neige, de vent et de poudrerie. Les spécialistes qualifient déjà cette tempête de tempête du siècle. »

Michel est découragé. Il a beau pelleter comme un fou, il n'en voit pas le bout. On dirait que toute la neige qu'il déplace pour nettoyer son entrée et le petit trottoir qui mène à la porte est aussitôt ramenée par le vent. Et le pire, c'est que ça n'arrête pas de tomber. Les sourcils pleins de neige, il se redresse et s'appuie sur sa pelle. Il voudrait bien regarder au loin, mais le plus loin que la poudrerie lui permette de voir, c'est au bout de son terrain.

Il y a un peu plus d'une heure, les jumeaux et Luc sont partis à la patinoire, leurs patins sur l'épaule. Michel les a avertis que c'était inutile d'y aller, que la glace serait ensevelie sous la neige. Dominic a dit que ses frères et lui s'attendaient à devoir pelleter avant de chausser leurs patins. La tuque enfoncée jusqu'aux oreilles, un grand foulard de laine faisant le tour du cou deux fois plutôt qu'une et les mains bien au chaud dans une bonne paire de mitaines de laine, les garçons ont pris la direction de la patinoire sans demander leur reste. Ils sont tellement contents que l'école soit fermée qu'il n'est pas question qu'ils passent leur journée dans la maison. Heureusement, l'entente a fini par revenir au beau fixe entre les jumeaux et Luc, mais c'est tout récent. Il a fallu que Luc sorte ses poings pour que les jumeaux mettent fin à leur petit manège qui durait depuis la mort de Prince 2. Pour une fois, Sylvie s'est contentée de regarder ses fils. Elle avait tout essayé pour que les jumeaux laissent Luc tranquille, mais aussitôt qu'elle avait le dos tourné ils recommençaient à le tourmenter. Il a fallu un nez en sang et quelques égratignures pour que la situation s'améliore entre les trois frères.

Michel regarde tomber la neige pendant quelques minutes avant de se décider à retourner dans la maison. Même s'il passait toute la journée à pelleter, ça ne donnerait rien. Tant qu'il n'arrêtera pas de neiger, il perd son temps et a chaud pour rien. Une fois dans la maison, il enlève ses bottes et son habit de neige. Celui-ci est démodé car il le porte depuis longtemps, mais Michel s'en moque éperdument. Tout ce qui compte, c'est que le vêtement le tienne au chaud chaque fois qu'il doit rester à l'extérieur un moment – même si par temps doux, Michel préférerait en avoir un plus léger. Mais pour le nombre de fois qu'il le porte dans une année, son habit est parfait.

Quand il rejoint Sylvie dans la cuisine, cette dernière lui dit :

— Je m'apprêtais justement à aller te dire de rentrer. Je viens de parler à Shirley. Tu devrais te faire aider par les garçons. Elle me rappelait que pelleter est très mauvais pour la santé, et que la plupart des gens ne savent pas comment procéder pour que cela ne soit pas dangereux.

— Mauvais ou pas, la neige ne s'en ira pas toute seule. Il faut que quelqu'un l'enlève, un point c'est tout. Et je n'ai pas de souffleuse… Pour ce qui est de me faire aider, je n'ai qu'à demander à nos fils. Même s'ils bougonnent un peu, ils finissent toujours par accepter.

Sylvie entreprend d'expliquer à Michel la bonne technique pour pelleter, car il devra pratiquer l'exercice au moins une autre fois d'ici la fin de la journée.

— Il paraît qu'il faut plier les genoux pour mettre la neige dans la pelle et les relever pour la mettre de côté. Il faut aussi faire att…

— Je t'arrête tout de suite ! s'exclame Michel d'un ton sec. Si ça peut te faire plaisir, la prochaine fois que je verrai Shirley, je lui demanderai de me montrer comment faire. Pour l'instant, juste entendre les mots *pelle* et *neige* me donne des boutons. Ce n'est pas mêlant : plus j'enlève de neige dans la cour et moins ça paraît. Cette année, je trouve l'hiver vraiment long. Maudit pays !

— Qu'est-ce qui te met de mauvaise humeur de même ?

— Rien, mais tout en même temps ! On a passé les trois derniers mois de l'année en pleine crise existentielle, avec l'armée aux fesses. Comme si ce n'était pas assez, là on est rendu en mars et l'hiver n'en finit plus de finir. Des jours comme hier et aujourd'hui, je comprends les vieux qui passent l'hiver en Floride. C'est pas mal moins dur de marcher nu-pieds dans le sable que dans deux pieds de neige. Ton père a bien fait de rester là-bas plus longtemps cette année. Quand il va revenir ici, le pire de l'hiver va être passé. En tout cas, j'espère qu'on n'aura pas encore de tempêtes en avril.

— Je ne voudrais pas faire mon prophète de malheur, mais cela s'est déjà vu. Je me souviens d'être partie à la messe avec ma petite robe, mes souliers de cuir verni et mon chapeau de paille et de m'être fait neiger dessus à plein ciel en sortant de l'église. Et ce n'est pas arrivé juste une fois !

Michel sait tout ça, mais il n'a pas envie d'y penser. Pas aujourd'hui. Il prend une bière dans le réfrigérateur. Il s'assoit ensuite dans la chaise berçante. Même si on est en plein milieu de l'après-midi, un vendredi, Sylvie se retient de passer un commentaire. L'air de son mari indique qu'il vaut mieux le laisser tranquille. Quand Michel affiche cette expression, il n'est pas à prendre avec des pincettes.

— En plus, on a été obligés de fermer le magasin. Avec quoi on va pouvoir payer nos employés si on ne vend pas ? Franchement, des journées comme celles d'hier et d'aujourd'hui, je m'en passerais facilement.

— Tu es vraiment de mauvais poil ! s'étonne Sylvie. Tu auras beau chialer autant que tu voudras, ça ne changera pas la température. Dis-toi que tout le monde est dans la même galère que toi et que demain, tout devrait rentrer dans l'ordre.

— Impossible ! Même si on ouvre demain, on n'aura pas un chat. À la télévision, et à la radio aussi, on nous a conseillé de rester chez nous s'il n'y avait pas d'urgence. À Montréal, il paraît que les malades ont été transportés en skidoo. Aucun véhicule ne peut circuler dans les rues, pas même les ambulances. Des maisons ont de la neige jusqu'au deuxième étage. Ce n'est peut-être pas aussi terrible de ce côté-ci du fleuve, mais pas loin. D'après ce que j'ai vu, les rues ne sont pas praticables ici non plus. Une chose est certaine : je ne m'y aventurerais pas pour rien !

Depuis que Shirley lui a expliqué comment pelleter si on ne veut pas faire une crise cardiaque, surtout à l'âge de Michel, Sylvie n'en démord pas : elle veut à tout prix que Michel suive les consignes. C'est pourquoi elle insiste :

— Je ne veux pas te casser les oreilles avec mes histoires, mais la majorité des gens qui sont morts depuis hier ont succombé à une crise cardiaque…

Michel fait la sourde oreille. Il en a assez entendu pour aujourd'hui sur le sujet. Il prend une grande gorgée de bière et s'empresse ensuite de changer de sujet.

— Luc a l'air d'aller mieux. Il était tout sourire ce matin.

— Il était temps. Je commençais à penser qu'il ne s'en sortirait jamais. Son amie Josiane l'a beaucoup aidé. Dommage qu'il ne l'aime pas suffisamment pour sortir avec elle. Ça lui ferait une bonne petite blonde.

— Elle l'a probablement aidé plus que les pilules.

Et Michel repart de plus belle.

— Maudits docteurs ! Chaque fois qu'on va les voir, on ressort de leur bureau avec des pilules. « On va essayer ça. » Je me retiens toujours de leur crier que je ne suis pas un rat de laboratoire, qu'ils pourraient se forcer pour me prescrire la bonne pilule du premier coup.

— Tu sais bien que ce n'est pas aussi simple. Chaque personne réagit différemment aux médicaments.

— Je veux bien croire, mais si on va voir le docteur c'est pour qu'il nous guérisse, pas pour servir de cobaye.

Sylvie voit bien qu'elle ne tirera rien de Michel aujourd'hui. Elle plonge les mains dans l'eau de vaisselle et fredonne un air d'opéra. Une fois arrivée au bout de celui-ci, elle se lance dans l'*Ave Maria* de Schubert. Un large sourire apparaît alors sur ses lèvres. Elle se retrouve instantanément au mariage de Chantal. Sylvie a fait comme elle l'avait prévu : elle s'est bien gardée de regarder sa sœur pendant qu'elle chantait. Elle a laissé planer son regard droit devant elle sans le fixer sur personne en particulier, comme pendant un spectacle. Chanter devant un public qu'on connaît est beaucoup plus difficile, et intimidant, que de chanter devant une salle remplie d'inconnus – enfin, pour elle. Ce n'est que lorsqu'elle a poussé sa dernière note que Sylvie s'est tournée vers sa sœur. Les larmes coulaient sur ses joues. Mais elle n'était pas la seule. Dans la salle, plusieurs personnes ont réagi de la même manière, notamment tous ses frères et sœurs. Cet air avait ramené à leur mémoire une foule de souvenirs heureux, et malheureux aussi. Une fois remis de leurs émotions, tous les invités se sont mis à applaudir avec chaleur. Quelques secondes plus tard, ils se sont levés pour rendre hommage à Sylvie. Touchée par leur geste, c'est avec le regard brouillé que celle-ci a salué avant de retourner s'asseoir à sa place.

De tous les mariages auxquels Sylvie a assisté, celui de sa sœur était de loin le plus beau. De la fleur à la boutonnière au veston de Xavier en passant par le choix de l'orchestre, tout était parfait. D'ailleurs, on parle encore de l'événement dans la famille chaque fois que l'on se rencontre. Chantal était resplendissante dans sa robe de mariée. Elle avait l'air d'une princesse. Et Sonia faisait la plus belle demoiselle d'honneur que la terre ait jamais portée. De plus, celle-ci était accompagnée d'un vrai prince charmant. Sylvie a tout de suite aimé Philippe. Elle n'approuve pas les changements répétés d'amoureux de sa fille, elle conçoit autrement l'amour, mais Philippe lui est tombé dans l'œil. Il est beau, poli, bien élevé, et en plus, il étudie en médecine. Sylvie ne base pas son appréciation du jeune homme sur sa future profession, mais cela lui a donné des points. Avoir un médecin dans la famille lui ferait tellement plaisir – en tout cas, beaucoup plus que d'avoir un prêtre, ça c'est certain !

Quand Sylvie pense à ses enfants, elle est fière d'eux. Alain achève ses études pour devenir dentiste. Sylvie est contente d'avoir tenu bon avec Michel pour que son fils poursuive ses études. Non seulement Alain gagnera très bien sa vie, mais il fera un très bon dentiste. Il est gentil avec les gens. Plus il en apprend, plus il conseille de faire soigner ses dents plutôt que de les faire enlever. Cette nouvelle génération de dentistes voit les choses bien différemment de ceux déjà en place. Chaque fois que sa mère lui dit que quelqu'un de la famille a mal aux dents, Alain la supplie de refuser que le dentiste arrache la dent. Mais là-dessus, il a encore fort à faire avant de la convaincre que des dents naturelles réparées valent mieux que des dentiers flambant neufs. Tout ce que Sylvie a connu à ce jour, c'est qu'à la moindre carie, on arrachait la dent. Aussitôt qu'il en manquait une ou deux à l'avant, on extrayait toutes les autres et la personne n'avait plus qu'à s'habituer à porter un dentier. C'est ainsi que Sylvie s'est retrouvée avec deux dentiers à l'aube de ses dix-huit ans.

Il y a une chose qui crève le cœur de Sylvie. La petite Hélène ne connaîtra jamais ce que c'est de passer sa petite enfance avec sa mère. Depuis que cette enfant est née, elle se fait garder parce que Lucie étudie et travaille. Sylvie comprend que les choses ont changé, que les femmes veulent avoir une carrière elles aussi, mais c'est bien dommage pour les enfants. Surtout pour sa petite princesse qu'elle aime de tout son cœur.

Sonia performe dans tout ce qu'elle entreprend. Sa série de toiles sur les femmes est tellement appréciée à la galerie qu'il est question d'en prolonger le temps d'affiche de six mois. Et au cégep, elle réussit très bien. En mai, elle jouera dans une pièce de théâtre. Juste à l'entendre répéter son texte, Sylvie sait qu'elle sera bonne. Et puis, même si sa fille n'a pas choisi un métier facile, elle réussira. Sonia est une artiste dans l'âme, mais une artiste dotée d'un sens des affaires peu commun. La jeune fille garde toujours à l'esprit qu'elle devra vivre de son métier. Elle n'a rien de l'artiste bohème à qui on songe immédiatement quand il est question d'art. Même sa façon de s'habiller ne la trahit pas. Il fallait la voir avec ses pantalons à pattes d'éléphant et son col pelle à tarte au réveillon. Elle était vraiment magnifique. Philippe n'avait d'yeux que pour elle. Et Junior n'arrêtait pas de dire à ce dernier qu'il aurait de la concurrence si Sonia n'était pas sa sœur.

Junior est tout un homme. Il est bourré de talents comme sa sœur. Il a beaucoup de succès en photo et en musique. Il a du caractère et, quand il a une idée en tête, il ne se laisse distraire par personne. Sylvie est bien placée pour le savoir. Le mois passé, elle s'est retrouvée dans *La Presse* à cause de lui. Alors qu'elle croyait qu'il lui avait remis toutes les photos qu'il avait prises d'elle sur sa moto, il en avait envoyé une au concours de photo dont le thème était la détresse. Tant et aussi longtemps qu'il ne connaissait pas les résultats du concours, le jeune homme ne s'en faisait pas outre mesure. Et puis, il se disait qu'il aurait bien le temps de trouver comment présenter le tout à sa mère s'il gagnait. Mais quelqu'un a téléphoné chez eux pour lui apprendre la bonne nouvelle. C'est Sylvie qui a pris l'appel. Folle de joie pour son fils, elle a demandé avec quelle photo il avait gagné. Lorsque la femme lui a expliqué que le cliché représentait une femme d'un certain âge, l'air terrorisé sous son casque et assise sur une moto à l'arrêt, Sylvie se serait mise à hurler si elle ne s'était pas retenue. Mais le pire, c'est quand son interlocutrice a ajouté que la photo serait publiée dans le journal. Elle aurait tordu le cou de Junior avec plaisir !

Sylvie a passé son temps à arpenter la cuisine jusqu'à ce que son fils arrive enfin. Elle l'attendait avec une brique et un fanal. Voyant l'air furieux de sa mère, Junior s'est dépêché de lui demander ce qui se passait. Sylvie a pris une grande respiration et lui a dit qu'elle avait une bonne et une mauvaise nouvelle à lui annoncer. Après avoir appris qu'il avait gagné le concours, Junior ne tenait plus en place. Sans aucune hésitation, il a sauté au cou de sa mère et l'a entraînée dans une ronde sans qu'elle puisse rien faire pour l'arrêter. « Je suis tellement content, je vais aller à Paris cet été ! » C'est seulement à ce moment qu'il s'est souvenu de la photo qu'il avait envoyée. Il est devenu blanc comme un linge et a ajouté: «Et la mauvaise nouvelle… c'est que tu es au courant que j'ai envoyé une de tes photos sans te demander la permission.» Mais la colère de Sylvie avait déjà fondu de moitié rien qu'à voir le bonheur de Junior. Les deux mains sur les hanches, elle a ordonné à son fils de ne jamais lui refaire le coup. «Si on n'en parle à personne, il n'y a pas grand risque qu'on me reconnaisse avec le casque. En tout cas, c'est ce que j'espère parce que j'ai l'air d'une vraie folle!»

En plus, le groupe de musique dont Junior fait partie décroche de plus en plus de contrats, alors il n'a plus beaucoup de temps pour travailler à l'usine – à son grand soulagement, d'ailleurs.

Mais il y a une chose qui tourmente Sylvie depuis quelques semaines. Junior sort avec une fille – ou plutôt une femme. La pauvre Édith n'a rien pour plaire à Sylvie: elle a dix ans de plus que son fils, elle est divorcée et a deux enfants. «Depuis quand les professeurs font-ils de l'œil à leurs élèves?» Et Junior est fou d'elle. Après sa première sortie avec Édith, il a mis fin instantanément à son petit manège de faire défiler les filles dans son lit. À tout prendre, Sylvie préférait ce Junior au nouveau. Il est amoureux à n'en plus voir clair, à tel point que ça l'inquiète. On dirait qu'il a vieilli d'un seul coup. Par moments, Sylvie trouve qu'il est devenu trop responsable et que ça n'a aucun sens pour un jeune homme de son âge. Il va au cégep, il joue de la musique, il donne des cours à Michel, et en plus, il travaille à l'usine chaque fois que son horaire le lui permet. Il est comme une vraie queue de veau, mais il a l'air heureux. Jusqu'à maintenant, Sylvie a toujours refusé qu'Édith vienne avec ses enfants. Elle n'est pas d'accord avec cette relation et elle ne fera rien pour la faciliter. Elle lui permet de venir souper le dimanche soir, mais c'est loin d'être l'amour fou entre les deux femmes. Cependant, le reste de la famille aime beaucoup Édith.

Luc s'est enfin remis de la perte de Prince 2. Sylvie est certaine qu'il a beaucoup appris dans cette aventure. Certes, ce n'est pas sa faute si la bête s'est précipitée devant une voiture, mais cela faisait vraiment longtemps qu'il avait perdu tout intérêt pour son compagnon. Même s'il devait s'occuper de le sortir au plus une fois par semaine, c'était devenu trop pour lui. Sylvie ne s'explique pas encore pourquoi il a changé d'attitude de manière aussi radicale envers son chien. Quand elle lui a posé la question, tout ce qu'elle a obtenu comme réponse c'est qu'il n'était plus d'un âge à se promener avec un chien. Sylvie a mis ce revirement sur le compte de l'adolescence. Alors que certains se retrouvent le visage couvert d'acné, Luc, lui, a complètement tourné le dos à son fidèle compagnon. Si la tendance se maintient, Sylvie pense que son fils poursuivra des études en sciences, mais pour le moment, même le principal intéressé ignore dans quel domaine exactement. Il a bien le temps d'y penser. Toutefois, il y a une chose qui inquiète Sylvie. Luc est un beau garçon et pourtant, il refuse de sortir avec une fille. Chaque fois qu'elle en glisse un mot à Michel, celui-ci lui dit qu'il était exactement pareil à l'âge de leur fils, et qu'avant qu'il ait eu dix-huit ans bien sonnés, il ne portait pas un grand intérêt aux filles. « Si ça peut te rassurer, je suis certain qu'il n'est pas tapette pour la simple et unique raison qu'il n'y en a pas chez les Pelletier. » Mais cette pensée a quand même effleuré l'esprit de Sylvie.

Pour leur part, les jumeaux ont tellement grandi ces derniers mois que leurs vêtements ne leur allaient plus. Même leurs bottes étaient trop petites. Samedi dernier, Sylvie a fait le tour des magasins avec eux pour les habiller. Il fallait voir à quel point ils étaient contents. Non seulement ils pouvaient choisir leurs vêtements, mais pour une fois ils n'en auraient que des neufs. Portant fièrement leurs sacs à bout de bras, François et Dominic ont embrassé leur mère avant d'aller s'enfermer dans leur chambre pour essayer leurs nouveaux vêtements. Mais ses deux chenapans aiment toujours autant faire des mauvais coups. Sylvie le sait parce qu'il arrive encore à Luc de moucharder. Mais tant que ses fils ne dépassent pas les bornes, elle n'en fait pas un plat. Comme Michel dit souvent : « Il faut bien que jeunesse se passe. »

Les choses ne se sont pas arrangées avec le professeur de géographie des jumeaux, bien au contraire. Ce dernier leur fait la vie plus dure depuis le jour où François et Dominic ont chauffé la poignée de porte de sa salle de classe. À voir comment évoluent les choses, Sylvie commence à pencher sérieusement du côté de Michel et à croire que le vieux professeur est vraiment de mauvaise foi. Elle a même tenté de faire changer de groupe ses fils, mais le directeur a prétendu que l'année était trop avancée. Sylvie ne couve pas les jumeaux plus que d'habitude, mais elle porte une plus grande attention à ce qu'ils racontent sur le professeur de géographie. Et, contrairement au début de l'année, elle ne manque aucune rencontre de parents.

Les jumeaux n'ont pas de très bonnes notes, mais c'est plus par nonchalance que par manque de talent. L'école et eux ne font pas bon ménage. Il leur arrive de plus en plus souvent de dire que plus tard, ils prendront la relève de leur père au magasin, ce qui inquiète beaucoup Sylvie. Chaque fois qu'elle les entend, elle ne manque pas de préciser que cela ne les exemptera pas d'aller au moins au cégep. « Vous pourriez étudier en comptabilité ou en administration, par exemple. » N'en connaissant pas beaucoup sur le sujet, elle a demandé à Junior et à Sonia de s'informer sur les programmes que les jumeaux pourraient suivre pour devenir de meilleurs commerçants. Chaque fois qu'il est question du cégep, les jumeaux la regardent en levant les yeux au ciel. Sylvie ne manque pas une occasion de tenir ce discours : « Aussi bien vous faire à l'idée tout de suite parce que, peu importe ce que vous allez décider de faire dans la vie, vous allez être obligés de faire au moins votre cégep. Croyez-moi, je vous traînerai par la peau du cou s'il le faut, mais vous obtiendrez un diplôme. Il n'y a qu'un seul chemin valable pour moi, et c'est celui de l'école. »

Quand Sylvie se tourne pour parler à Michel, elle découvre celui-ci endormi, la bouche ouverte, dans sa chaise berçante. Elle sourit. Ça fait plus de vingt ans qu'ils sont mariés, et elle l'aime toujours autant que le jour où elle l'a connu. Elle marche jusqu'à lui sur la pointe des pieds et prend doucement la bouteille de bière qu'il tient dans sa main. Elle est heureuse de partager sa vie avec lui. Il n'y a pas beaucoup d'hommes de sa génération qui auraient accepté de laisser leur femme entamer une carrière de chanteuse lyrique ; en tout cas, elle n'en connaît pas d'autres. Il ne s'agit pas d'un emploi de neuf à cinq. En l'encourageant à s'engager sur cette voie, Michel sait très bien que si les choses se déroulent comme Xavier l'a prévu, Sylvie devra aller donner des spectacles en dehors de la métropole, et peut-être même hors du pays. En fait, Xavier a tellement confiance dans le talent de Sylvie qu'il nourrit de grandes ambitions pour elle. Sans lui cacher la vérité, il lui apprend les choses une à la fois afin de ne pas l'effrayer. Michel tiendra le fort lorsque Sylvie s'absentera de la maison. Cette dernière lui est très reconnaissante. En réalité, Michel, c'est l'homme de sa vie. Même si elle n'en a pas connu d'autres, c'est lui qu'elle attendait. Michel est son prince charmant, même s'il lui arrive de ne pas être charmant – comme tout à l'heure, par exemple.

Sylvie aime le sens de la justice de son mari, aussi. Elle était fière de lui quand il a pris la défense de Marie-Paule auprès de son frère André. Il savait qu'il risquait gros en prenant le parti de sa mère, mais il l'a fait quand même parce qu'il trouvait trop injuste que son frère joue dans le dos de Marie-Paule. Malheureusement pour lui, sa relation avec son frère en a beaucoup souffert. André lui en veut terriblement d'avoir tout raconté à leur mère. Depuis ce jour, les deux hommes ne s'appellent plus chaque semaine comme ils avaient l'habitude de le faire. Ils se parlent tout au plus une fois par mois et, le plus souvent, c'est Michel qui prend les devants. Sylvie n'ignore pas à quel point ça fait de la peine à son mari. Mais chaque fois qu'elle lui en parle, il lui dit qu'il faut assumer les conséquences de ses gestes et qu'il savait parfaitement ce qu'il faisait. Sylvie s'étonne toujours de voir à quel point l'homme avec un grand H peut être mesquin parfois. Nombreux sont ceux qui ne peuvent pas supporter qu'on leur reproche une façon d'agir pourtant répréhensible. Et il y a les autres qui sont prêts à couper les ponts avec ceux qu'ils aiment le plus plutôt que de regarder la vérité en face. Parfois, Sylvie n'est pas fière du genre humain.

Cette dernière vient de déposer la bouteille de bière vide sur le comptoir quand la sonnerie du téléphone se fait entendre. Elle se dépêche d'aller répondre avant que Michel se réveille. La ligne est tellement mauvaise qu'elle met un peu de temps à reconnaître la voix de tante Irma. D'ailleurs, à bien y penser, celle-ci a une drôle de voix.

— Tante Irma, est-ce que tout va bien ? s'inquiète Sylvie.

À l'autre bout de la ligne, le silence le plus complet règne. Sylvie reprend sa question, mais cette fois en montant d'un ton, ce qui réveille Michel en sursaut.

— Lionel est mort, souffle Irma.

Sylvie espère de toutes ses forces qu'elle a mal entendu. C'est impossible, voyons ! La dernière fois qu'elle a vu Lionel, il y a deux jours, il était en pleine forme.

— Je n'ai pas bien compris, dit-elle en insistant sur les mots. La ligne est mauvaise.

— Lionel est mort ce matin pendant qu'il pelletait.

— J'arrive.

— Non ! jette Irma. Reste chez toi ; il fait beaucoup trop mauvais pour sortir. L'ambulance a eu toutes les misères du monde à venir chercher Lionel. J'avais juste besoin de te le dire. Je ne suis pas toute seule. Isabelle et Renaud sont là.

Chapitre 33

L'église est pleine à craquer. La famille proche est regroupée à l'avant alors que les amis et les connaissances d'Irma et de Lionel occupent les autres bancs. De nombreux religieux se sont déplacés, ce qui donne une drôle d'allure à l'assistance. En fait, l'arrière de l'église passe invariablement du gris au noir, et du noir au gris.

La mort de Lionel a causé un choc à tous les siens. Comme la tempête a occasionné une somme de travail considérable aux employés municipaux pour rendre les rues à nouveau praticables, Irma a décidé d'attendre que le calme revienne pour faire célébrer le service. C'est ainsi que Camil a pu revenir à temps pour les obsèques. Irma ne voulait absolument pas que le père de Sylvie écourte son séjour en Floride, mais pour lui c'était essentiel d'être là. Camil aime beaucoup trop sa sœur pour ne pas la soutenir alors qu'elle vient de perdre la personne à qui elle tenait le plus au monde. Quand Irma l'a aperçu avec Suzanne sur le parvis de l'église, elle a couru se jeter dans ses bras et a fondu en larmes. Le nombre important de tous ceux venus faire leurs derniers adieux à son homme a prouvé à Irma à quel point ce dernier était apprécié. Tout à l'heure, elle a même rencontré certains de ses anciens élèves. Tous aimaient Lionel.

Irma est à fleur de peau. Sa peine est palpable. Elle vient de perdre son homme-orchestre : son amoureux, son confident, son ami, son humoriste préféré, son havre de paix... Elle vient de perdre une partie d'elle-même.

Elle a tenu à prononcer un discours pour rendre hommage à son Lionel. Installée derrière le lutrin, elle prend une grande respiration, lève la tête et balaie la foule du regard. Irma ferme les yeux quelques secondes pour trouver la force nécessaire, puis elle se lance :

— Quand l'arbre est tombé, tout le monde court aux branches.

« La présence de chacun d'entre nous en cette dernière heure avec Lionel vient consolider une fois de plus la loi du retour. Il a tant fait pour nous tous, qu'il récolte maintenant ! Lionel a toujours su donner à chacun le bon outil, le bon mot. Il a toujours su être là, simplement, toujours prêt à aider, toujours prêt à s'oublier.

« S'il y a eu de grands hommes et de grandes femmes au fil des siècles, Lionel vient de prendre place à leurs côtés. Ses lettres de noblesse, il les a assurément gagnées par sa persévérance et sa grande confiance en la vie.

« La mort vient toujours trop tôt...

« Plusieurs diront qu'un homme, ce n'est pas toujours drôle, mais le mien l'était. Avec lui, les situations les plus tragiques prenaient des allures de fête. Son rire, ses blagues, ses histoires, sa discrétion venaient mettre un baume sur les moments difficiles. Grâce à lui, j'ai passé outre plusieurs déceptions. Il a toujours su embellir la vie, et la mienne aussi. En fait, à le regarder vivre de plus près, je crois bien avoir découvert son secret : il a su, tout au long de cette vie qui était la sienne, conserver ses yeux et son cœur d'enfant. Puissions-nous, nous aussi, suivre son exemple.

« Cher Lionel, je veux que tu saches à quel point je t'ai aimé, à quel point je t'aime et à quel point je t'aimerai jusqu'à la fin de mes jours. Tu seras toujours là avec moi pour me guider sur les chemins de la vie.

« Parce que la vie ne s'est pas détruite, elle ne s'est que transformée...

« Sois heureux, Lionel. On se reverra bientôt ! »

Quand elle revient à sa place près de Camil, Irma a les yeux pleins d'eau. Son frère l'embrasse sur la joue. Elle fait de gros efforts pour ne pas fondre en larmes. Elle qui n'a pas la larme facile, elle est incapable de s'arrêter de pleurer depuis la mort de Lionel.

Heureusement, elle n'est pas seule à la maison. La présence d'Isabelle et de Renaud lui fait beaucoup de bien. Ils sont même parvenus à la faire rire à quelques reprises. Mais pour le moment, sa douleur est trop profonde pour que sa joie de vivre reprenne le dessus. Elle aime beaucoup les deux jeunes et ils le lui rendent bien. Renaud a fait de gros progrès depuis son arrivée. Et Isabelle a finalement décidé de garder son bébé. Deux jours avant la tempête, Lionel et Irma lui ont proposé de rester chez eux, avec son bébé, le temps qu'elle finisse ses études. Elle était vraiment contente. Irma avait pris soin d'en parler à Paul-Eugène avant.

— Je ne sais vraiment pas comment vois remercier, a dit Paul-Eugène d'une voix où le soulagement se sentait. Isabelle, je l'aime comme si c'était ma propre fille. Je paierai tout ce qu'il faut

— Ne t'occupe pas de ça pour le moment, a déclaré Irma. L'important, c'est qu'Isabelle se sente bien avec sa décision. Je pense qu'elle a fait le bon choix. La plupart des femmes qui donnent leur bébé en adoption passent leur vie à regretter leur geste et à le chercher partout où elles vont. Crois-moi, personne ne mérite de souffrir autant.

— Je suis d'accord avec vous, mais ce n'est pas l'avis de Shirley. Elle voulait à tout prix qu'Isabelle donne son bébé en adoption. J'en ai beaucoup parlé avec elle, mais je ne suis pas arrivé à la faire changer d'idée. Dans sa famille, les grossesses hors mariage, c'est un déshonneur.

— On ne peut pas lui en vouloir. Tu sais, je suis loin d'être certaine que ce serait différent dans la nôtre. La religion a tellement endoctriné les gens qu'ils ne savent plus penser par eux-mêmes. Tu sais, il n'y a pas que les politiciens qui aiment le pouvoir ; les religieux aussi l'apprécient au plus haut point. Je suis bien placée pour le savoir.

Il arrive encore à Irma de se rappeler combien il a été difficile pour elle de sortir de chez les sœurs. Une partie d'elle-même se complaisait dans le fait que quelqu'un prenait sa vie en charge depuis tellement longtemps alors que l'autre étouffait totalement. Mais le couvent, c'est tout ce qu'elle connaissait. Le monde, celui qui était de l'autre côté de la grosse porte de bois, lui faisait peur, à tel point qu'elle croyait qu'elle ne serait jamais capable d'y vivre. Plus le temps passait, plus elle posait des questions aux membres de la famille qui venaient lui rendre visite. Elle se souvient que certains la regardaient d'un drôle d'air. Mais est venu un moment où il fallait qu'elle sache.

— Crois-moi, un jour, ta Shirley sera contente que ce petit enfant l'appelle grand-maman. Et, en attendant, c'est moi qui vais en profiter.

— J'espère de tout mon cœur que vous dites vrai. Vous savez, j'ai parfois l'impression que Shirley n'arrivera jamais à passer par-dessus ça.

— Ce serait bien malheureux pour elle. Mais seul le temps le dira.

Dans une semaine, un autre jeune s'installera chez Irma. Après avoir bien réfléchi, elle a décidé de poursuivre ce que Lionel et elle avaient commencé. Cette fois, elle recevra une jeune fille de quatorze ans, victime d'inceste de son père et enceinte de lui, de surcroît. Irma l'a déjà rencontrée. La pauvre petite a l'air d'un animal blessé. C'est à peine si elle ose lever la tête quand on lui adresse la parole. La partie n'est pas gagnée d'avance avec elle, mais Irma a confiance de pouvoir l'aider.

Toutefois, Irma devra organiser sa vie différemment. Comme il n'est pas question qu'elle déneige elle-même, le lendemain de la mort de Lionel, elle s'est dépêchée de demander à un voisin de venir nettoyer la cour avec son tracteur. Il s'est engagé à déneiger la cour jusqu'à la fin de l'hiver. Irma se contentera de déblayer la grande galerie. Et au printemps, elle embauchera quelqu'un pour s'occuper des plates-bandes et tailler les arbres. Elle trouvera aussi un homme à tout faire pour les menus travaux. Pour sa part, elle se concentrera sur les trois jeunes avec qui elle partagera désormais sa vie. Quand sa dernière arrivée aura trouvé sa vitesse de croisière, elle pourra accueillir un autre jeune dans le besoin. La maison est assez grande pour en héberger six à la fois. Aussi, elle cherchera une femme pour l'aider à la cuisine. Ce n'est pas qu'Irma soit mauvaise cuisinière, en tout cas jamais autant que Sylvie, mais nourrir autant de monde accaparerait trop de son temps. Le curé de la paroisse a promis de lui trouver quelqu'un. « Pour tout ce que vous faites pour les jeunes, je vous dois bien ça. En attendant que je mette la main sur la perle rare, je pourrais vous envoyer ma bonne une journée par semaine, si vous voulez. » Le curé a tenu parole. Sa bonne est déjà venue deux fois lui prêter main-forte. Après une brève discussion, Irma et cette dernière ont convenu que préparer quelques repas à l'avance s'avérait la meilleure solution, d'autant que la femme est une excellente cuisinière.

Bien sûr, les jeunes mettent un peu la main à la pâte, mais Irma ne veut pas les surcharger de travaux. Ils doivent avoir du temps pour étudier et pour réfléchir à leur avenir. Et puis, quand le bébé d'Isabelle sera là, ce qui ne devrait pas tarder, cette dernière en aura plein les bras avec le nouveau-né, surtout qu'elle ne sait pas comment s'occuper d'un nourrisson. Isabelle n'a jamais changé une couche de sa vie. La dernière fois que la jeune fille a vu Sylvie, celle-ci lui a dit qu'elle viendrait lui montrer comment prendre soin d'un bébé. Même Sonia, qui détestait garder au plus haut point – surtout changer les couches –, a promis à Isabelle de lui enseigner le peu qu'elle sait. Irma aime beaucoup Isabelle. Malgré leur grande différence d'âge, les deux femmes ont développé une très belle relation. Après quelques jours seulement aux côtés de l'ancienne religieuse, Isabelle a compris pourquoi Sonia aimait autant sa tante – ou plutôt sa grande-tante. Avec Irma et Lionel, jamais Isabelle ne s'est sentie jugée de quelque façon que ce soit. Ils lui ont ouvert la porte de leur cœur, pas seulement celle de leur maison. Ici, pas besoin de se cacher. Isabelle peut être ce qu'elle est et non ce que sa mère voudrait qu'elle soit. Jamais Irma et Lionel n'ont exercé de pression sur elle. Ils l'ont écoutée chaque fois qu'elle a ressenti le besoin de parler. Ils lui ont répété tour à tour que la décision de garder ou non son bébé n'appartenait qu'à elle et qu'elle ne devait surtout pas se laisser influencer par qui que ce soit, pas même par sa mère.

Lorsque le curé prononce le mot de la fin, Irma s'essuie les yeux. Elle aurait tant aimé que Dieu lui laisse son compagnon de vie jusqu'à la fin de ses jours. Au moment de quitter le banc, elle se tourne vers Camil et lui demande :

— Est-ce que je vais pouvoir te prendre par le bras ? Je ne me sens pas très solide sur mes jambes.

Sans hésiter, son frère lui répond :

— C'est sûr, voyons ! Allons-y.

Assise à côté de son mari, Suzanne reste en retrait le temps que Camil et Irma sortent du banc. Dans les circonstances, elle suivra avec Sylvie et Michel. Comme la terre est encore gelée, l'enterrement aura lieu dans quelques semaines seulement. Pour l'instant, tous sont attendus à la salle paroissiale – où un buffet froid sera servi.

Irma déteste ce moment, encore plus maintenant que la mort l'a touchée d'aussi près. Elle déteste que les gens se retiennent d'être heureux sous prétexte qu'ils viennent d'assister à un service funèbre. Elle déteste que les parents empêchent leurs enfants de courir parce que ça ne se fait pas, étant donné les circonstances. Elle déteste que tout le monde affiche une tête d'enterrement alors que la situation est déjà suffisamment triste.

Elle songe qu'elle ne pourra pas supporter ça aujourd'hui. Elle prend son courage à deux mains et s'écrie :

— Écoutez-moi !

Elle attend quelques secondes que les bruits cessent et elle répète les mêmes mots. On entend des gros « chuts » dans la salle. Une fois le silence enfin installé, Irma reprend la parole.

— J'ai quelque chose à vous demander, commence-t-elle d'une voix incertaine. Je voudrais que vous soyez naturels tout le temps que vous serez ici, et que vous soyez heureux parce que c'est ce que Lionel aurait souhaité. Et moi aussi, c'est ce que je souhaite. Je veux voir courir les enfants et les entendre rire aussi. Je veux que vous veniez me raconter tout ce qui arrive de beau dans votre vie. J'ai besoin de sentir le bonheur autour de moi.

Irma s'interrompt quelques secondes. Les larmes coulent sur ses joues depuis qu'elle a commencé à parler. Elle les essuie rageusement du revers de la main, prend une bonne respiration et reprend :

— Et si vous voyez des larmes couler sur mes joues, ne vous en préoccupez pas.

Michel est troublé. Décidément, la tante Irma n'a pas fini de le surprendre. Il faut qu'il aille la voir. Avant même qu'elle ait eu le temps de s'asseoir, il se retrouve devant Irma et la prend dans ses bras. Il la serre tellement fort que la vieille femme a du mal à respirer.

— Vous êtes mon idole, lui souffle-t-il à l'oreille. Et… je vous aime beaucoup.

Il s'écarte ensuite un peu d'elle, puis il lui dit en la fixant dans les yeux :

— Si je n'étais pas mariée à votre nièce, je vous ferais la cour.

Un pâle sourire apparaît sur les lèvres d'Irma, et elle ne peut s'empêcher de pincer une joue de son neveu. Michel continue :

— Paul-Eugène et moi avons déniché un gros contrat dans le Vieux-Montréal. Imaginez donc qu'on nous a demandé de décorer deux petites auberges juste en face du fleuve.

— C'est une très bonne nouvelle. Tu sais que mon amie Éléanor ne jure que par toi ?

— Et moi aussi ! plaisante Michel avant de s'approcher du buffet.

Certes, l'atmosphère n'est pas à la fête, mais au moins on entend de beaux éclats de rire de temps en temps. Les enfants courent partout et, pour une fois, les parents les laissent faire. Au moment de quitter la salle, Sylvie revient voir sa tante pour savoir si elle aimerait venir manger chez eux.

— Je te remercie, mais je préfère retourner chez moi, déclare Irma. Ne le prends pas mal, mais j'ai besoin de tranquillité un peu. Et je vais aller retrouver Isabelle. Tu sais qu'elle peut accoucher d'une journée à l'autre.

— Vous n'oubliez pas que si vous avez besoin de quoi que ce soit, vous pouvez m'appeler n'importe quand.

En rentrant chez elle, Irma découvre Isabelle en pleines contractions. Selon la future mère, celles-ci sont de plus en plus rapprochées ; elle était vraiment impatiente que sa protectrice revienne. Heureusement, sa mère lui a expliqué à quel moment elle devrait se rendre à l'hôpital.

— Si ça continue comme ça, il va falloir que j'aille à l'hôpital. Mes contractions sont aux dix minutes.

Énervée comme une puce, Irma enlève vivement son manteau et ses bottes et vient rejoindre la jeune fille assise sur une chaise droite. La dernière fois qu'Isabelle s'est assise sur le divan, elle a dû demander de l'aide pour se relever. Depuis, elle ne prend plus de risque, particulièrement lorsqu'elle est seule à la maison.

— Veux-tu que j'appelle ta mère ?

— Non, pas tout de suite ! Je veux que ce soit vous qui m'accompagniez à l'hôpital.

— Mais ta mère aimerait peut-être...

— Je vous promets de l'appeler avant de partir, l'interrompt Isabelle, mais pour le moment je ne veux pas qu'elle me casse les oreilles avec ses histoires d'adoption.

— Alors, on va noter le temps qui sépare chacune de tes contractions. Quand elles ne seront plus éloignées que de cinq minutes, je t'emmènerai à l'hôpital.

Puis, sur un ton plus joyeux, Irma ajoute :

— J'ai tellement hâte de lui voir la binette !

Irma se dit que la vie est curieuse. Elle vous enlève d'une main pour vous donner de l'autre. Lionel a quitté ce monde bêtement un matin de tempête alors qu'un autre membre de la famille verra le jour en plein soleil.

Chapitre 34

— Ce n'est pas mêlant, je ne sais plus où donner de la tête ! se plaint Junior. C'est à peine si j'ai le temps de voir ma blonde tellement je suis occupé. J'ai tellement de travaux à remettre que ça m'empêche même de dormir. Je n'arrête pas d'y penser. Évidemment, tous les professeurs les veulent pour la même journée. Des fois, je me demande s'ils ont déjà été à notre place. Ce n'est pourtant pas si difficile à comprendre : au nombre de cours qu'on suit, même si on le voulait, on ne pourrait pas tout faire en même temps. C'est inhumain !

Sonia regarde son frère en se retenant de pouffer de rire. Elle a déjà entendu ce refrain. Depuis toujours, à l'approche des examens, Junior se met à gémir qu'il n'y arrivera pas. On dirait que plus il vieillit, et pire c'est. Pourtant, il a toujours bien réussi.

— Veux-tu bien arrêter de te plaindre ! lui ordonne Sonia. Crois-moi, tu n'es pas le seul dans cette situation.

— Mais attends, ce n'est pas tout ! contre-attaque Junior. Ajoute à tout ça mon travail à l'épicerie et à l'usine, mes spectacles, les photos pour le journal, et tu verras que je ne me plains pas pour rien.

— Je peux te relancer sans aucun problème. D'abord, j'ai un cours de plus que toi. Et il y a mon travail à la galerie, tous les comités dont je fais partie au cégep, la pièce de théâtre dans laquelle je vais jouer en mai, ma peinture, Isabelle…

— Qu'est-ce qu'Isabelle vient faire là-dedans ?

— C'est parce que je lui ai promis d'aller la voir au moins une fois par semaine. Mais en réalité, c'est mon filleul que je vais voir.

Et il y a mon *chum*, aussi ! Alors, n'essaie pas de me faire pleurer parce que ça ne marchera pas avec moi. J'ai autant de travaux que toi, peut-être même plus. Mais moi, je n'attends pas la dernière minute pour les faire.

Junior ne trouve rien à répondre parce que sa sœur a raison. Depuis qu'il va à l'école, il a la fâcheuse manie de toujours attendre la dernière minute pour faire ses travaux. Mais avant, il était loin d'avoir autant d'activités. Sérieusement, il ignore totalement comment il s'en sortira. Il a même pensé payer quelqu'un pour faire un ou deux de ses travaux. Il a d'ailleurs obtenu le nom de quelques personnes qui arrondissent leurs fins de mois de cette façon. Mais il les plaint. Il faudrait qu'il soit sérieusement dans le besoin pour faire les travaux des autres, même pour une paie généreuse. Il aimerait bien parler de cette idée à Sonia, mais son petit doigt lui dit qu'elle ne serait pas d'accord. Contrairement à lui, sa sœur est d'une rigueur exemplaire dans tout ce qu'elle entreprend et d'une intégrité hors du commun. Elle est toujours à son affaire, à tel point qu'elle a tendance à faire en premier les choses qu'elle aime le moins – ce qui est loin d'être le cas de Junior.

— Je te l'ai toujours dit : tu es une élève modèle ! ironise Junior.

Sonia lui lance un coussin sur la tête avant de commenter :

— À part les travaux que je remets à temps, crois-moi : je n'ai rien d'une élève modèle. Si maman était au courant du nombre de cours que j'ai manqués juste cette session à cause de toutes mes occupations, elle m'arracherait la tête.

— Comme l'affirme tante Irma : « Toute vérité n'est pas bonne à dire. Il est inutile d'aller au-devant des coups. Pas de question, pas de réponse. » Ce qui intéresse maman, c'est la réussite. Tant que tu passes tes cours, le reste t'appartient. Et puis, aussi bien l'avouer, tu es plus intelligente que moi.

— Arrête ! s'exclame Sonia en riant. Il n'y a pas que l'intelligence qui compte. Il y a aussi la volonté de réussir. Il est hors de question que je reprenne un seul cours. Alors, je fais ce qu'il faut pour les réussir du premier coup. Mais changeons de sujet. Parle-moi donc de ta blonde.

Un large sourire illumine instantanément le visage de Junior.

— J'aime de plus en plus Édith. Quand je suis avec elle, je ne vois pas le temps passer. Si je ne me retenais pas, je déménagerais chez elle.

— Wow ! Tu ne trouves pas que tu es un peu vite en affaires ? Tu ne vas pas me faire accroire que tu ne regrettes même pas un peu ta vie d'avant ? Ça fait déjà quelques mois que tu es avec la même fille…

— Je te le jure, je n'ai pas l'ombre d'un regret. Et puis, comme je te l'avais déjà dit, ce mode de vie était temporaire. Après avoir découvert que Christine me trompait à tour de bras, je ne savais plus où j'en étais et je souffrais énormément. Ce n'est pas très original, mais c'est tout ce que j'avais trouvé pour surmonter ma peine.

— Et les enfants d'Édith ?

Junior hausse les épaules.

— Les enfants ? Ils ne me dérangent pas, bien au contraire.

Sonia aime beaucoup Édith, mais elle a parfois un peu de difficulté à comprendre comment son frère s'est retrouvé dans une telle situation. Sans compter que c'est la première fois qu'elle le voit aussi amoureux. En fait, Junior n'y voit plus clair. Et il découche de plus en plus souvent. Les premières fois, Sylvie a protesté de toutes ses forces, surtout lorsque Michel était absent. Là, elle s'en donnait à cœur joie. Mais les choses sont vite rentrées dans l'ordre ; Michel lui a probablement parlé. Maintenant, quand Junior prévient qu'il ne rentrera pas coucher, Sylvie se contente de lever les yeux au ciel et de soupirer un bon coup.

— Et toi ? demande Junior. Comment vont tes amours ?

— Bien, répond Sonia sans conviction.

— Oups ! Pauvre gars, j'ai bien peur que son règne achève. Un autre qui va avoir son 4 % !

Sonia voit rouge. Comment son frère peut-il se permettre de la juger alors qu'elle s'en est abstenue pendant tout le temps où il couraillait ? Si elle était un gars, personne n'en ferait de cas. Mais parce qu'elle est une fille, elle n'a pas le droit de changer de *chum*. Mais non, c'est mal vu ! C'est n'importe quoi. À tel point que Sonia préfère continuer à sortir avec son *chum* du moment plutôt que d'entendre les reproches de sa mère. « À force de jeter tes choux gras comme tu le fais, tu vas finir par te retrouver toute seule. Je ne sais vraiment pas ce que tu lui reproches ; il était parfait. »

— Je ne te trouve pas drôle, déclare Sonia d'un ton sévère. Ne te mets pas de la partie toi aussi. C'est déjà assez difficile avec maman. Chaque fois que je mets fin à une relation, elle est plus triste que moi. Je suis trop jeune pour me marier, mais surtout je suis trop jeune pour endurer quelqu'un avec qui je ne suis plus bien.

— Excuse-moi. J'ai parlé sans réfléchir.

Junior fait une pause. Il prend le temps de peser ses mots avant de poursuivre.

— Sincèrement, crois-tu qu'un jour tu vas trouver un homme assez bien pour avoir envie de le garder pour toujours ?

Sonia est étonnée. Avant qu'il soit en amour avec Édith, jamais Junior ne lui aurait posé cette question. Mais elle n'a pas besoin de réfléchir longtemps avant de répondre.

— En fait, cette question, je me la pose chaque fois que je romps avec quelqu'un. C'est simple. Lorsque je commence à sortir avec un gars, je suis exactement comme la plupart des gens. J'espère que ce sera le bon. Mais surtout, j'espère que ça va durer le plus longtemps possible. Et j'embarque dans cette relation avec toute la passion et la fougue qui m'habitent. Tu sais pourquoi ? Parce que moi aussi, j'espère chaque fois que j'ai tiré le billet gagnant, comme toi avec Édith par exemple, ou maman avec papa, ou tante Chantal avec Xavier. Tu peux me croire, je fais tout ce que je peux pour que ça marche. Je mets en application tout ce que j'ai appris dans mes cours de personnalité. Je m'investis totalement. Je mise sur les points positifs. Sauf qu'un beau jour, comme c'est arrivé il y a maintenant presque un mois avec Philippe, je réalise que je ne suis pas avec la bonne personne. Je ne peux même pas te dire à quel point je suis désespérée quand j'en viens à cette conclusion.

Junior a écouté sa sœur avec grande attention. Au nombre de fois que Sonia a changé de *chum*, il en était venu à croire qu'elle agissait par pur caprice.

— Mais quand vas-tu te décider à laisser Philippe s'il ne t'intéresse plus ?

— Seulement quand j'aurai trouvé la force d'affronter les commentaires de maman.

— Pauvre toi ! compatit Junior.

Perdus chacun dans leurs pensées, Sonia et Junior restent silencieux un moment. Finalement, c'est ce dernier qui prend la parole le premier.

— J'espère que tu ne m'en voudras pas trop, mais je ne pourrai pas aller aux États-Unis avec toi cet été. Déjà que je passerai un mois à Paris, il va falloir que je travaille le reste des vacances si je veux être capable de payer les plaques d'immatriculation de ma moto.

— Ne t'en fais pas avec ça, je m'y attendais. À cause de ton voyage à Paris, tu ne pourras pas tout faire. Peut-être que j'irai voir mon amie Lucie à Edmonton. Je lui en ai glissé un mot dans ma dernière lettre. J'attends juste qu'elle me réponde avant d'acheter mon billet d'avion.

Depuis que Lucie s'est installée à Edmonton, elle écrit régulièrement à Sonia. C'est drôle parce que lorsqu'elles se voyaient au cégep, les deux filles n'étaient pas de grandes amies alors que, maintenant, elles n'arrêtent pas de se découvrir des points communs.

— J'en profiterais pour passer quelques jours chez oncle André. Chaque fois que je l'ai au téléphone, il m'invite à venir le voir.

Dans la famille Pelletier, tout le monde est au courant que le torchon brûle entre leur père et cet oncle depuis le remariage de Marie-Paule.

— Et papa ? Qu'est-ce qu'il va dire de tout ça ?

— Honnêtement, leur chicane de famille ne m'intéresse pas du tout, répond Sonia. Même si je trouve qu'oncle André a mal agi avec grand-maman, je ne vais quand même pas m'empêcher de le voir à cause de ça. Cette histoire ne me regarde pas. J'ai pensé que je pourrais aller en France aussi, mais j'hésite à partir seule. Tu comprends, je n'ai encore jamais voyagé par mes propres moyens. Mais avec ce qui est arrivé à tante Irma et le mariage de tante Chantal, je peux dire que mon chien est mort avec elles, du moins pour un petit moment.

— Mais attends ! s'écrie Junior. J'ai une idée. Tu pourrais venir me rejoindre à Paris. Le jour, je serai occupé, mais les soirs et les fins de semaine, on pourrait être ensemble.

— C'est une excellente idée ! Laisse-moi un peu de temps pour y penser et je t'en reparle. Mais au fait, je ne t'ai pas dit ça, Langis m'a demandé si je voulais aller en France avec lui. Sur le coup, j'ai été étonnée, mais après je me suis dit que ce n'était pas une si mauvaise idée. Après tout, je l'aime bien. Je réfléchis à tout ça et je te reviens là-dessus.

Le frère et la sœur poursuivent leur conversation jusqu'à ce que Sonia doive partir pour le cégep. Junior en profite pour se faire déposer à l'épicerie en passant. Il faut qu'il revoie son horaire avec monsieur Fleury s'il veut avoir des chances de parvenir à tout faire.

* * *

Sylvie vient de terminer sa répétition de chant avec Xavier. Elle est à la fois euphorique et vidée. Ces répétitions n'ont vraiment rien à voir avec celles de l'ensemble lyrique dont elle fait encore partie. Ici, la règle numéro un est qu'elle doit aller au bout de ses limites, alors Xavier la pousse constamment ; Sylvie se sent donc régulièrement en déséquilibre. Même si elle adore chanter, elle réalise les efforts immenses qu'il lui faudra fournir pour arriver à ses fins. À certains moments, elle panique littéralement. Entre la maison, les enfants, les répétitions de l'ensemble lyrique et sa carrière en devenir, elle manque parfois de souffle.

Alors qu'elle vient de prendre place derrière son volant, Xavier surgit à côté d'elle. Il retient la portière pour l'empêcher de se fermer. Xavier connaît mieux Sylvie maintenant. Il sait à quel point il l'ébranle lorsqu'il lui en demande trop, et c'est ce qu'il vient de faire. Il ne voudrait surtout pas qu'elle laisse tout tomber. Plus il travaille avec elle, plus il est convaincu qu'elle a tout ce qu'il faut pour réussir comme soliste.

— Je voulais m'assurer que tu vas bien.

Depuis que Xavier fait partie de la famille, Sylvie et lui ont convenu de se tutoyer. Mais ils se vouvoyaient depuis tellement longtemps que tous deux ont mis du temps à s'habituer ; encore aujourd'hui, le vouvoiement n'est jamais bien loin.

Sylvie lui sourit.

— Je vais bien. C'est juste que, contrairement à toi, j'ai de sérieux doutes sur mes capacités. Parfois, je me demande comment tu vas réussir à faire de moi, une pauvre femme au foyer, une chanteuse d'opéra.

— Fais-moi confiance. Je te respecte trop pour te raconter des histoires. J'ai vu et entendu assez de chanteuses au cours de ma carrière que, si je te dis que tu as du talent, c'est parce que c'est vrai. Je suis très conscient que je t'en demande beaucoup. Et c'est normal que tu trouves ça difficile. Mais ce ne sera jamais facile, car la voix est un muscle qu'il faut travailler sans relâche. Toutefois, avec le temps, tu vas t'habituer à ton nouveau mode de vie et, un beau matin, tu vas te sentir comme un poisson dans l'eau. Crois-moi : aujourd'hui, tout a l'air d'une montagne, mais ça va passer. Je sais de quoi je parle.

S'il y a un homme en qui Sylvie a confiance, c'est bien Xavier. Elle ne sait pas quoi répondre. Elle réfléchit. Quelques secondes plus tard, Xavier déclare :

— Je vais passer un marché avec toi. Accorde-moi jusqu'en septembre pour te prouver que j'ai raison. Es-tu d'accord ?

Mue par elle ne sait quelle énergie, Sylvie sort de son auto. Elle se place en face de Xavier. Le fixant dans les yeux, elle lui tend la main.

— Marché conclu !

— Tu ne le regretteras pas ! Si tu as un peu de temps devant toi, Chantal est à la maison. Elle a une nouvelle à t'apprendre.

Sylvie salue Xavier et remonte vite dans son auto. Elle se demande bien ce que sa sœur peut avoir à lui dire. C'est quand même étrange, car elles se sont parlé au téléphone la veille.

Si ce n'était du souvenir de sa contravention, Sylvie roulerait à toute vitesse tant elle est impatiente d'arriver chez sa sœur. Ça ne peut pas être une mauvaise nouvelle, sinon Xavier l'aurait préparée.

Après s'être enfin stationnée devant la maison de Chantal, Sylvie s'élance en courant jusqu'à la porte d'entrée. Elle sonne, puis elle se met à piétiner en attendant que sa sœur vienne répondre. Dès que Chantal ouvre la porte, Sylvie s'écrie :

— Alors ? C'est quoi ta nouvelle ?

— Je suis enceinte !

Sylvie est si heureuse qu'elle saute au cou de sa petite sœur. Elle l'embrasse sur les joues, deux fois plutôt qu'une, et la serre de toutes ses forces.

— Ça, c'est une bonne nouvelle ! Il faut fêter ça. Viens, on va aller manger un millefeuille à la nouvelle petite pâtisserie. C'est moi qui t'invite.

— Pas question, répond Chantal en grimaçant. J'ai le cœur au bord des lèvres depuis ce matin.

— Bienvenue dans le merveilleux monde de la grossesse et de tous ses petits plaisirs ! ironise Sylvie. Viens quand même. Tu n'auras qu'à me regarder manger. Moi, j'ai besoin d'un peu de sucre pour fêter ça.

Chapitre 35

Luc en est à sa troisième tartine de crème d'affilée. À chacune, il augmente la quantité de crème et de cassonade. Nul doute, il aura droit à des remontrances de la part de sa mère. Hier soir au souper, elle a avisé tout le monde de ne pas toucher à la crème douce qu'elle avait achetée, car elle utiliserait celle-ci pour faire du sucre à la crème. Lorsque Luc est rentré de l'école tout à l'heure, l'envie irrésistible de manger des beurrées lui est passée par la tête en voyant le petit pot de crème dans le réfrigérateur. Il s'est d'abord dit qu'il ne mangerait qu'une seule tartine, mais chemin faisant, il a eu envie d'une deuxième, puis d'une troisième. « Tant qu'à affronter les foudres de maman, aussi bien les affronter pour quelque chose qui en vaille la peine. »

Luc se régale. Il est tellement rare qu'il puisse s'en donner à cœur joie dans la crème comme il le fait là. En fait, c'est lorsqu'il allait chez ses grands-parents Pelletier, à Jonquière, qu'il en mangeait le plus. Là-bas, il y avait toujours de la crème. Son grand-père Adrien ne manquait jamais de manger une beurrée après chaque repas, même après le déjeuner. Chez ses grands-parents, la crème coulait à flots. Mais ce n'est plus pareil depuis que Marie-Paule est mariée avec René. Elle n'est pas devenue une grand-mère ennuyante, mais elle n'est plus comme avant. Et Luc n'est pas le seul à penser ainsi ; les jumeaux sont du même avis que lui. Dans sa nouvelle maison, avec tous ses nouveaux meubles et son nouveau mari qui est beaucoup moins drôle que leur grand-père Adrien, ils doivent faire attention à tout, même à leurs paroles – enfin, c'est du moins l'impression qu'ils ont. Marie-Paule ne dit rien, mais il faudrait être aveugle pour ne pas voir qu'elle désire que rien ne soit déplacé. Et cette nouvelle grand-mère est très décevante pour Luc. Même à l'aube de ses quinze ans, ses grands-parents revêtent encore beaucoup d'importance pour lui. Mais heureusement, ce qu'ils ont perdu avec Marie-Paule, ils l'ont gagné avec leur grand-père Camil et avec Suzanne. Chez eux, tout est permis. Luc aime beaucoup l'endroit où ils habitent, et il veut même demander à son grand-père s'il pourrait venir passer un peu de temps chez lui cet été. Il aimerait bien faire de l'équitation aussi. Il adore les chevaux. Si ce n'était pas de sa ronde de journaux, il pourrait séjourner là-bas plus longtemps. « À moins que je me fasse remplacer par Steve. »

Il y a longtemps que Luc ne s'est pas senti aussi bien. Enfin, il a réussi à se débarrasser de toute la culpabilité qui le rongeait depuis la mort de Prince 2. Ça n'a pas été facile. Il se sentait tellement coupable qu'il faisait des cauchemars chaque nuit. Il ne sait pas vraiment ce qui s'est passé, mais un beau matin, il s'est réveillé en forme comme jamais. Il n'avait fait aucun cauchemar et il pouvait penser à Prince 2 sans que son estomac se torde au point de lui faire mal. Il était tellement heureux qu'il n'a pas cherché à savoir pourquoi les choses étaient revenues comme avant. Il allait mieux, c'était l'essentiel. Le samedi suivant, il est allé faire du patin à roulettes avec deux de ses amis. Il a rencontré une fille de son goût. Suzie habite sur l'île. Elle était en visite chez sa grand-mère et ses cousines l'avaient emmenée patiner avec elles. Depuis, Luc l'a revue deux fois. Jamais l'adolescent ne s'est senti aussi bien avec une fille. La beauté, dans tout ça, c'est que cela est réciproque. Faute de se voir, ils se parlent tous les soirs, et les conversations durent au moins une demi-heure chaque fois. Quand les membres de la famille le voient partir avec le téléphone dans sa chambre, ils ne manquent pas de le taquiner ; même son père se met de la partie. C'est fou, mais depuis que Luc s'intéresse à une fille, l'attitude de Michel a changé avec lui. Il lui arrive parfois de croire que ses parents avaient réellement peur qu'il soit gai, surtout son père. Pourtant, jamais il ne leur a fourni la moindre raison de penser une telle chose. D'ailleurs, comment l'aurait-il pu puisqu'il n'est pas gai ? Chez les Pelletier, à part quelques petites plaisanteries sur les « tapettes », on ne parle jamais de l'homosexualité. Pourquoi ? Est-ce parce qu'on en sait trop peu sur le sujet ?

Luc a de la difficulté à comprendre certaines choses. Qu'il soit gai ou pas, il reste le même. Pourquoi les gens ont tant de difficulté à accepter que tout le monde ne soit pas comme eux ? Quand il pense à tout ça, Luc plaint son ami Jocelyn. Celui-ci sait depuis l'âge de douze ans qu'il est gai. Le pauvre ! Luc est triste pour lui rien qu'à penser à tout ce qu'il devra affronter au cours de sa vie – ce n'est pas demain la veille que les vieux changeront d'attitude face à l'homosexualité. S'il n'y avait que les vieux, ce serait déjà moins pire, mais c'est loin d'être le cas. Il n'est pas arrivé seulement une fois à Luc d'être témoin de la méchanceté des autres élèves face à Jocelyn. Ce dernier a toujours refusé que ses amis le défendent sous prétexte que ça ne changerait rien. « Ne perdez pas votre temps avec eux, je suis capable de me défendre tout seul. » Il y a un an, Jocelyn s'est mis à la boxe. Pas pour faire des combats, mais pour pouvoir se défendre au cas où ce serait nécessaire. Il performe tellement que son entraîneur lui demande sans cesse de participer à des combats, ce que le garçon refuse chaque fois. Heureusement, des gars de l'école voient Jocelyn à l'entraînement, alors ils savent de quoi celui-ci est capable. À l'école, la rumeur court que Jocelyn pourrait donner toute une volée à ceux qui oseraient s'en prendre à lui. En tout cas, une chose est certaine : depuis que son ami s'est mis à la boxe, sa vie a changé pour le mieux. Jocelyn inspire de plus en plus le respect.

Alors que Luc s'apprête à avaler sa dernière bouchée, les jumeaux entrent en trombe dans la maison. Lorsqu'ils aperçoivent le petit pot de crème devant leur frère, ils viennent se poster devant ce dernier.

— Il me semblait qu'on n'avait pas le droit de toucher au pot de crème ! s'écrie Dominic.

— Ouais ! Tu es sourd ou quoi ? clame François. Tu n'es pas mieux que mort quand maman va s'apercevoir que tu as mangé la crème.

Luc hausse les épaules. Ce n'est pas une petite remontrance de la part de sa mère qui le fera trembler.

— Vous n'avez qu'à en faire autant si vous êtes jaloux, ironise-t-il, le sourire aux lèvres. Je peux même prendre toute la punition, si vous voulez.

Surpris, les jumeaux froncent les sourcils. Depuis quand Luc les couvre-t-il ? François pose la main sur le front de son frère.

— Tu fais sûrement de la fièvre.

Luc enlève brusquement la main de son frère.

— Veux-tu bien me lâcher ? riposte-t-il. Si les beurrées de crème ne vous intéressent pas, vous n'avez qu'à prendre des biscuits feuille d'érable. Ce n'est pas plus compliqué que ça.

Les jumeaux adorent les beurrées de crème, peut-être même plus que Luc. François et Dominic sont de plus en plus tentés par sa proposition. Ils craignent toutefois qu'il s'agisse d'un piège. Avec Luc, il vaut mieux se méfier.

— Décidez-vous, parce que dans une seconde je range tout, s'impatiente Luc.

Les jumeaux décident d'accepter l'offre. C'est alors que la porte de la maison s'ouvre sur Sylvie.

— Salut, les gars ! s'écrie-t-elle joyeusement en voyant ses fils.

En passant devant la table de la cuisine, Sylvie aperçoit le pot de crème au beau milieu de celle-ci. Son humeur change instantanément. Elle devient rouge comme une tomate. Luc n'a vraiment pas envie de subir les foudres de sa mère, pas pour un pauvre petit pot de crème – en tout cas, pas aujourd'hui. C'est pourquoi il lui dame le pion et déclare d'un ton rassurant :

— Ne t'inquiète pas pour la crème, maman. Je disais justement aux jumeaux que j'allais aller en racheter après le souper pour remplacer celle que j'ai mangée. J'espère que ça ne te dérange pas. Mais si tu veux faire le sucre à la crème tout de suite, je peux aller chez monsieur Fleury maintenant. Et je peux même te préparer une beurrée. Je viens d'offrir aux jumeaux de se servir. Profites-en, c'est moi qui régale !

À mesure que Luc parlait, le visage de Sylvie reprenait sa couleur habituelle. Quant aux jumeaux, ils sont tout simplement sidérés par la sortie de leur frère. Cette fois, il y a vraiment mis toute la gomme. François et Dominic sont fiers de lui. Ils se retiennent d'éclater de rire. Luc a su tirer parti de la situation de manière exceptionnelle. Même si les jumeaux meurent d'envie de sauter à pieds joints dans la crème douce, ils prennent leur mal en patience en attendant que Sylvie leur donne le feu vert. À leur grand soulagement, elle ne tarde pas à le faire.

— La prochaine fois, il faudrait que tu m'en parles avant, réprimande-t-elle Luc.

— J'aurais bien voulu, maman, mais tu n'étais pas là.

— Il faudra que tu ailles me racheter de la crème ce soir sans faute, par exemple, commente-t-elle d'un ton radouci. Bon, si ton offre tient toujours, je veux bien manger une beurrée. J'ai tellement chanté cet après-midi que je meurs de faim.

Les jumeaux sortent des assiettes et des ustensiles, puis ils vont s'asseoir à la table. Si Sylvie se limite à une beurrée, c'est loin d'être leur cas. Ils en mangent jusqu'à ce que le petit pot de verre soit vide.

Plus tard dans la soirée, François et Dominic descendent trouver Luc au sous-sol. Ils ne manquent pas de souligner son exploit et de le remercier de leur avoir permis de goûter à la crème. Avachi sur le vieux divan, Luc se relève sur un coude et dit, un petit sourire aux lèvres :

— Ce n'est rien.

Ce simple petit moment de complicité avec Luc a eu pour effet de redorer l'image de ce dernier auprès des jumeaux. C'est pourquoi, après lui avoir fait promettre de tenir sa langue, ils lui parlent du coup qu'ils sont en train de préparer. Celui-ci a pour cible leur nouveau voisin.

— Vous devriez faire attention, les met en garde Luc. Il a l'air gentil.

— Ne t'inquiète pas, réplique François, on a d'abord vérifié auprès de son fils. Il paraît que c'est lui-même un sacré joueur de tours.

— Tu n'as pas idée de tout ce qu'il nous a raconté sur son père, renchérit Dominic. À côté de lui, on est des anges. Il paraît qu'il est tellement taquin que tout le monde s'en méfie chaque fois qu'il est dans les parages. On va lui faire le coup du bébé qui pleure, pendant la prochaine partie de hockey.

— On est de mèche avec son fils, précise François. Il riait comme un fou quand on lui a expliqué ce qu'on allait faire. Il nous a assurés que son père allait trouver ça très drôle.

Luc admire le sens de l'humour des jumeaux. Certes, personne n'aime être victime de leurs mauvais coups, mais jamais ils n'y mettent une once de méchanceté – sauf avec leur professeur de géographie qui, lui, l'avait bien mérité.

— C'est quoi au juste, ce tour-là ? demande Luc, intrigué.

— D'abord, on va aller fixer un fil de pêche dans le haut de la fenêtre de son salon, expose Dominic.

François est si excité qu'il ne peut s'empêcher de mettre son grain de sel.

— Par chance, le salon donne justement de notre côté. On va s'installer bien confortablement sur les chaises de jardin devant la haie. On...

— Laisse-moi finir, le coupe Dominic. On a demandé à Junior de nous trouver un morceau d'arcanson – tu sais, c'est ce que les joueurs de violon mettent sur leurs cordes. Ensuite, il suffit de passer l'arcanson sur le fil de pêche. Je te jure, ça fait exactement le même bruit qu'un bébé qui pleure.

— Oui mais, vous serez de ce côté-ci de la haie. Comment le son va-t-il se rendre jusque dans le salon du voisin ?

— On l'ignore, répond vivement François. C'est comme ça, c'est tout. Le son s'amplifie sans cesse jusqu'à ce qu'il aille frapper le bout du fil de pêche. La prochaine fois qu'on va voir grand-papa Camil, on va lui demander de nous expliquer le phénomène. Il le sait sûrement puisque l'idée vient de lui.

— Êtes-vous bien certains de votre coup ? s'inquiète Luc.

— Ouais ! s'écrie François. Qu'est-ce que tu en penses ? On l'a essayé... et ça marche !

— Je serais bien curieux d'entendre ça, déclare Luc.

— Tu n'auras qu'à venir, l'invite François. On te le dira quand on passera à l'action.

* * *

Ce soir-là, Sonia rentre beaucoup plus tard que d'habitude. Elle fait son possible pour ne pas faire de bruit. Elle enlève même ses souliers sur la galerie. Mais malgré toutes ses précautions, elle arrive face à sa mère aussitôt qu'elle entre dans la cuisine. Comme c'est chaque fois pareil, la jeune fille ne s'en étonne plus. Sylvie a pris la mauvaise habitude de ne pas fermer l'œil tant que sa petite fille n'est pas rentrée. Sonia a bien essayé de la raisonner, mais rien à faire. En désespoir de cause, elle a fini par dire gentiment à sa mère que c'était elle la pire, et qu'elle-même ne s'empêcherait pas de sortir. Sylvie n'en veut pas à sa fille. C'est plus fort qu'elle : alors qu'elle n'éprouve pas l'ombre d'une inquiétude pour ses garçons quand ils sortent, il en va tout autrement quand cela concerne Sonia.

— Il me semblait que tu allais chez tante Irma, chuchote Sylvie.

— C'est de là que je viens aussi. Le bébé avait tellement de coliques qu'on a passé la soirée à le promener. Aussitôt qu'on s'arrêtait, il se remettait à pleurer. Ce n'est pas mêlant, j'ai les bras morts. Quand je suis partie, Jérôme venait juste de s'endormir. Tante Irma et Isabelle étaient épuisées. Il paraît qu'il leur fait le coup chaque soir depuis une semaine.

— Un bébé ne pleure jamais pour rien. Est-ce qu'Isabelle le nourrit encore ?

Sonia réfléchit quelques secondes avant de répondre. À l'heure qu'il est, son cerveau commence à fonctionner au ralenti. Oui, Isabelle a nourri son bébé au moins deux fois pendant sa visite.

— Oui.

— Alors, c'est peut-être à cause de quelque chose qu'elle mange. J'irai la voir demain.

— C'est sa mère qui devrait aller la voir, riposte Sonia d'un ton sévère. Isabelle m'a dit que Shirley lui a rendu visite seulement deux fois depuis la naissance de Jérôme. Est-ce que tu crois qu'elle va en vouloir encore longtemps à Isabelle ?

— Je n'en sais rien, répond Sylvie en haussant les épaules. Je peux lui parler, mais je ne garantis rien.

— Ça te dirait de boire un chocolat chaud avec moi ? demande Sonia à brûle-pourpoint.

Sylvie est si contente de passer un peu de temps avec sa fille qu'elle saute sur l'occasion. Elles sont tellement occupées chacune de leur côté qu'il est de plus en plus rare qu'elles se retrouvent en tête à tête. Et le mois de mai risque d'être encore plus fou : il y aura les spectacles de l'ensemble lyrique de Sylvie et les trois représentations de la pièce de théâtre dans laquelle Sonia joue.

— Je vais mettre l'eau à chauffer.

— Est-ce qu'on pourrait faire le chocolat chaud avec du lait, pour une fois ? s'enquiert Sonia.

Au nombre de tasses de chocolat chaud qui se buvaient dans cette maison, Sylvie avait fini par demander aux enfants de préparer la boisson chaude avec de l'eau. Mais finalement, sauf exception, tous ont troqué le chocolat chaud contre du Quick, qu'ils font avec du lait froid. Alors, cela revient au même.

— On a de la chance, il en reste juste assez.

Après avoir déposé les deux chocolats chauds sur la table, Sylvie ne s'assied pas tout de suite. Elle va chercher le sac de guimauves dans l'armoire au-dessus de la cuisinière. Elle dépose plusieurs guimauves sur le liquide fumant de sa tasse et passe ensuite le sac à Sonia.

— Alors, dit Sylvie, est-ce que tu es prête pour ta pièce de théâtre ?

— Oui, parce que je connais mon texte par cœur. Et non, parce que j'aimerais avoir encore plus de temps pour être meilleure.

— Arrête de t'en faire pour rien. Tu vas t'en sortir haut la main !

— Je ne m'en fais pas pour rien, je t'assure. Je ne suis pas mauvaise, mais je ne suis pas aussi bonne que je le voudrais. Tu sais, c'est loin d'être facile de jouer.

Ces quelques paroles de Sonia suffisent pour inquiéter Sylvie au plus haut point. Elle voudrait tellement protéger ses enfants contre tous les malheurs du monde.

— Il me semblait que tu aimais ça...

— C'est le cas, aussi, précise Sonia. Mais jouer, ce n'est vraiment pas facile. C'est déjà difficile de jouer sa propre vie, alors imagine-toi quand il faut que tu joues celle d'une autre personne. Je ne sais pas trop comment t'expliquer. Parfois, il faut que j'aille fouiller loin en moi pour trouver l'émotion qui convient à mon personnage. À l'âge que j'ai, je suis loin d'avoir encore tout vécu.

Sylvie sait très bien de quoi Sonia parle. C'est aussi ce qu'elle trouve le plus difficile comme chanteuse. Faire passer l'émotion comme si on s'y noyait, comme si on était en peine d'amour, ou au beau milieu d'un événement heureux, ou encore, en train de piquer une colère magistrale. Faire ressentir aux gens qui sont venus nous entendre cette émotion pour qu'ils y croient, pour qu'ils soient incapables de faire la différence entre le jeu et la réalité.

— Je pense que je comprends. C'est la même chose en chant. Si ça peut te consoler, il m'arrive aussi de me demander si je vais réussir à bien transmettre les émotions. Ça m'arrive surtout quand je répète toute seule ici. Mais une fois que je suis sur scène, j'oublie mes angoisses et, jusqu'à présent, tout s'est toujours bien passé.

— C'est drôle parce qu'il m'arrive exactement la même chose. Je suis contente de t'en avoir parlé. Savoir que c'est pareil pour toi va m'aider à passer par-dessus. Mais sais-tu ce qui me désole le plus ?

Sans attendre la réponse de sa mère, Sonia poursuit :

— Je ne pourrai pas assister à ta première. Notre pièce est si populaire qu'on a été obligés d'ajouter une représentation. J'ai bien essayé de faire valoir mon point, mais je n'ai pas réussi. C'était la seule date où la salle était disponible.

— Vous n'avez pas encore joué et on en redemande déjà. C'est une très bonne nouvelle ! Et puis, ne t'en fais pas pour mon spectacle. Tu n'auras qu'à venir à celui du lendemain.

— Pour une fois que je n'étais pas obligée de garder les jumeaux, je m'étais bien promis d'y aller. Tant pis ! Comme tu viens de le dire, je me reprendrai le lendemain.

— Moi, par contre, tu peux être certaine que je vais assister à ta première !

Chapitre 36

Cette année, les amateurs de hockey sont servis à souhait. Seulement au mois d'avril, les Canadiens ont joué 13 parties. Ils ont d'abord gagné la première ronde 4-3 contre les Bruins de Boston, et la deuxième 4-2 contre les North Stars du Minnesota. Les voilà maintenant engagés cœur et âme dans le premier match de la finale de la coupe Stanley contre les Blackhawks de Chicago.

Partout au Québec, en ce mardi soir, les regroupements d'amateurs de hockey sont légion. Les Chevaliers de Colomb, Kiwanis, ligues de garage de tout acabit... : tout le monde est au rendez-vous. Une bière à la main, chacun suit la partie sans en perdre la moindre petite miette. Entre les critiques des commentateurs sportifs enflammés, les gérants d'estrade s'en donnent à cœur joie. Cette année, francophones et anglophones ont de quoi être fiers de leurs Canadiens. Une victoire n'attend pas l'autre, ce qui est bien différent de l'année précédente.

Michel a même vendu des pots de hockey au magasin. Il a commencé cette activité au début de la saison. Il n'avait aucune attente, mais maintenant cela attire des nouveaux clients qui, sans les pots de hockey, n'auraient jamais mis les pieds dans le magasin.

Assis sur le bout de son fauteuil, Michel passe par toute la gamme des émotions – tout comme ses comparses, d'ailleurs. Ce soir, il n'y a que des hommes dans le salon des Pelletier : Paul-Eugène et ses beaux-fils, Alain et son beau-frère, Daniel, Luc et les jumeaux – Junior a préféré regarder le match chez Édith. Même René s'est joint à eux. Comme ils le connaissent peu, au début, tout le monde était un peu mal à l'aise avec lui. Mais quelques bières plus tard, il n'y a plus qu'une bande de gars qui donneraient leur chemise pour que leurs Canadiens remportent la partie.

De leur côté, les femmes en ont profité pour se réunir chez Irma. Seule Sonia manque à l'appel. Elle est en pleine répétition jusqu'à tard ce soir. Évidemment, le bébé d'Isabelle est le centre d'attraction de la soirée. Ça n'a pas été facile de persuader Shirley de venir, mais Sylvie lui a dit qu'elle viendrait de gré ou de force.

— N'essaie même pas de te trouver une défaite, ça ne marchera pas avec moi. Pas ce soir ! C'est une excellente occasion de revoir ton petit-fils, et de te rapprocher de ta fille aussi. En plus, on va être entre femmes.

— Pas aujourd'hui, a gémi Shirley.

— Prête, pas prête, tu viens avec moi, un point c'est tout ! Moins tu vois Isabelle et Jérôme, plus ça va être difficile pour toi. Il faut parfois brusquer les choses un peu, sinon il ne se passerait jamais rien. Fais-moi confiance. Et Isabelle serait si contente de te voir.

Depuis le jour où elle a appris qu'Isabelle était enceinte, Shirley se bat contre ses principes. Dans sa famille et dans celle de John, avoir un bébé hors mariage est une chose qui ne se fait pas. À l'hôpital, elle voit tous les jours des filles rejetées par leur famille. Tant que ça ne la touchait pas directement, elle se disait qu'elle ne pourrait jamais faire un tel coup à sa fille. Et pourtant, c'est exactement ce qu'elle a fait. Au lieu de s'occuper d'Isabelle comme une mère, elle l'a abandonnée un peu plus chaque jour jusqu'à ce qu'Irma la prenne sous son aile. Même Paul-Eugène est plus sensible à ce qui est arrivé à Isabelle qu'elle. Contrairement à Shirley, il connaît le petit Jérôme et il ne se prive pas d'aller le voir. Il est tellement respectueux de ce qu'elle pense que jamais il ne mentionne quoi que ce soit concernant le bébé ou sa fille. Paul-Eugène ne lui a en jamais parlé, mais Shirley est certaine qu'il aide Isabelle financièrement ; il ne peut en être autrement. Sa fille ne travaille pas et, même si Irma est généreuse, cette dernière ne vit pas de l'air du temps. Quand elle pense à tout ça, Shirley se sent vraiment minable. Mais les principes qu'on lui a inculqués sont tellement ancrés en elle qu'elle ne peut agir autrement.

— Mais tu ne comprends pas, Sylvie ! Cet enfant a été conçu hors mariage. Isabelle aurait dû le donner en adoption ; ça aurait été tellement plus simple pour tout le monde.

— Pour toi, oui. Mais que ça te plaise ou non, ta fille a décidé de garder son bébé. Je t'en prie, laisse tes principes démodés de côté et ouvre ton cœur un peu.

— Je voudrais bien te voir à ma place, déclare Shirley.

— Je ne serais peut-être pas mieux que toi. Mais une chose est certaine : tu essayerais de me faire entendre raison. Je te rappelle que j'ai adopté l'enfant d'une fille-mère et que celle-ci a toujours souffert d'avoir donné son bébé en adoption. Dépêche-toi ! Je te donne cinq minutes pour finir de te préparer.

Lorsqu'elle a aperçu sa mère, Isabelle a décidé de rester en retrait. Elle sait parfaitement l'effort que ça a demandé à Shirley pour venir chez Irma ; Sylvie a probablement dû insister beaucoup pour la convaincre. Debout près d'Irma, Isabelle se tord les mains tellement elle est nerveuse. La mère et la fille se toisent du regard sans qu'aucune des deux ne pose le moindre geste. Est-ce parce qu'il ressent l'inconfort de sa mère ? Ou simplement parce que sa couche est souillée ? À ce moment précis, Jérôme se met à hurler. Sans aucune hésitation, Isabelle se dirige vers sa chambre. Mue par elle ne sait quelle force, Shirley s'entend dire :

— Est-ce que je peux venir avec toi ?

Évidemment, la réponse d'Isabelle ne se fait pas attendre. Elle ignore où cela la mènera, mais cette simple question de sa mère l'a rendue heureuse.

— Oui !

Sylvie sourit. Shirley a la couenne tellement dure que la guerre est loin d'être gagnée, mais au moins elle vient de faire un pas en avant – ce qui n'est pas rien, dans son cas.

* * *

La partie est serrée. Les deux équipes veulent gagner à tout prix. C'est ainsi que les joueurs offrent du hockey de qualité à leurs fans du début à la fin. D'ailleurs, ils se retrouvent même en supplémentaire.

— J'en connais qui vont avoir des petits yeux demain matin ! déclare Michel à l'adresse des jumeaux.

— Il n'est pas question que j'aille me coucher sans savoir comment ça va finir ! riposte François.

— Moi non plus ! renchérit Dominic.

— Comme vous voulez, mais demain ne vous plaignez pas que vous êtes fatigués, commente Michel. Sinon, je vais vous chauffer les oreilles.

Et la partie reprend, jusqu'à ce qu'un bulletin spécial l'interrompe soudainement.

« Un glissement de terrain majeur vient de se produire à Saint-Jean-Vianney, une petite municipalité située près de Shipshaw, au Saguenay. Tout ce qu'on sait pour le moment, c'est que plusieurs maisons ont plongé dans le gouffre, emportant avec elles leurs occupants. Des témoins de la catastrophe ont dit qu'ils se seraient crus en enfer. Ils entendaient crier les gens, mais ils étaient incapables de leur porter secours parce qu'ils n'y voyaient rien. Des équipes ont été dépêchées sur les lieux. Nous retournons à la partie de hockey. »

À peine avait-il entendu le début du bulletin que Michel s'était déjà levé. Non seulement deux de ses cousins qui travaillent à l'Alcan habitent à Saint-Jean-Vianney, mais sa cousine Martine et sa famille ont emménagé dans leur nouvelle maison il y a moins d'un mois. Elle était tellement contente qu'elle a pris la peine de l'appeler pour l'inviter à venir leur rendre visite.

— Il faut que j'appelle à Jonquière.

— Ça ne pourrait pas attendre un peu? lui demande Paul-Eugène. Tu vas manquer le meilleur.

— Je reviens.

Michel s'apprête à prendre le combiné du téléphone dans ses mains quand la sonnerie retentit, ce qui le fait sursauter. Il répond aussitôt.

— Michel? C'est Madeleine. Es-tu au courant de ce qui vient d'arriver à Saint-Jean-Vianney?

— Oui, je viens d'entendre un bulletin spécial. Est-ce que tout le monde est sain et sauf?

— On n'en sait pas vraiment plus que vous autres. Tout ce que je peux te dire, c'est que Martine et son mari sont partis de chez nous juste avant la prolongation du match de hockey. On a bien essayé de les retenir, mais Martine avait une migraine. Elle faisait pitié à voir. Ils devaient prendre au passage leurs enfants qui se trouvaient chez des amis. J'espère seulement qu'ils n'ont pas été pris là-dedans.

— Tu peux le dire! Préviens-moi aussitôt que tu auras des nouvelles, peu importe l'heure.

Michel retourne à la partie de hockey. Il vient de s'asseoir quand Jim Pappin compte le but vainqueur des Canadiens après une minute et onze secondes à la deuxième prolongation. C'est l'euphorie totale dans le salon des Pelletier. On se tape dans les mains. On se fait des accolades. On rit. « Ça sent bon la coupe! » répètent-ils tour à tour. Pendant quelques minutes, tous oublient ce qui vient d'arriver à Saint-Jean-Vianney. Ce n'est que lorsque tous les visiteurs ont quitté la maison que Michel commence à réaliser l'ampleur de la catastrophe survenue dans sa région natale. « Si des maisons ont glissé dans un trou, ça doit vraiment être sérieux. »

Lorsque Sylvie rentre quelques minutes plus tard, Michel lui raconte le peu qu'il sait. Tout de suite, elle pense à leur fille.

— S'il fallait qu'il soit arrivé quelque chose à Martine, je ne sais vraiment pas comment Sonia le prendrait.

— C'est inutile de s'inquiéter pour le moment. J'ai demandé à Madeleine de m'appeler aussitôt qu'elle apprendra quelque chose.

Michel est sur le point de s'endormir. La sonnerie du téléphone se fait entendre. Il saute en bas du lit et court dans la cuisine avant que tout le monde se réveille. C'est encore Madeleine.

— Tu connais l'oncle Raymond, il est curieux comme une fouine. Eh bien, il est allé à Saint-Jean-Vianney. Il vient de m'appeler. Il s'est approché autant qu'il a pu avec son auto. Sa lampe de poche en main, il a fait le reste du trajet à pied. Un sauveteur lui a dit qu'une quarantaine de maisons ont été emportées et une trentaine d'automobiles aussi. Il paraît que le cratère a un mille de long et un quart de mille de large. J'espère de tout mon cœur que Martine et les siens n'étaient pas encore arrivés parce que la route Harvey, là où ils habitent, n'a pas été épargnée. Oncle Raymond dit que leur maison et celle de leurs voisins ont disparu.

— C'est loin d'être des bonnes nouvelles que tu me donnes là. Et nos cousins ?

— Oncle Raymond a raconté que leurs maisons sont bien loin du gouffre. Il leur a même parlé. Bon, je te laisse aller te recoucher.

— Je ne crois pas que je vais pouvoir dormir. Mais merci, Madeleine, d'avoir rappelé !

Lorsque Sonia rentre enfin, Michel sommeille dans son fauteuil. Étonnée de le voir dormir dans le salon, la jeune fille effleure l'épaule de son père, ce qui suffit à réveiller celui-ci.

— Papa, dit-elle doucement, tu devrais aller te coucher dans ton lit. Tu serais plus à l'aise. Bonne nuit!

Avant qu'elle s'éloigne, Michel pose une main sur son bras et annonce d'une voix ensommeillée:

— Il faut que je te parle.

Le ton utilisé par son père ne laisse pressentir rien de bon. Sonia tire le pouf vers elle et s'assoit devant Michel, prête à l'écouter même si elle meurt d'envie d'aller dormir.

— Il y a eu un glissement de terrain à Saint-Jean-Vianney un peu avant onze heures, ce soir…

Michel répète pratiquement mot pour mot ce que lui a dit Madeleine.

— On est toujours sans nouvelles de Martine et de sa famille.

Sonia serait incapable d'expliquer comment elle se sent à cet instant précis. Elle embrasse son père sur la joue, puis elle se dirige vers sa chambre. La jeune fille souhaite de tout son cœur que ce qu'elle vient d'entendre ne soit qu'un mauvais rêve.

* * *

Au déjeuner, tout le monde a la mine basse parce que personne n'a assez dormi. Lorsque Michel apprend aux siens que personne ne sait où sont passées sa cousine Martine et sa famille, les trois plus jeunes le regardent d'un drôle d'air. Certes, ils trouvent Martine très gentille, mais ils ne la fréquentent pas régulièrement, alors ils se sentent plutôt détachés par rapport à la nouvelle. Ils finissent de déjeuner et partent pour l'école sans poser de questions.

Michel a appelé Paul-Eugène pour lui dire qu'il arriverait au magasin un peu plus tard que d'habitude. Il veut attendre que Sonia se lève avant de partir. Il fait les cent pas dans la cuisine, ce qui commence à énerver sérieusement Sylvie.

— Veux-tu bien arrêter de te promener comme ça? Tu me donnes le tournis.

— Va donc voir si Sonia dort encore.

Sylvie soupire un bon coup et se résout à aller vérifier, mais ce n'est pas de gaieté de cœur. D'abord, à la place de Michel, elle aurait attendu d'avoir des certitudes avant de parler à leur fille de l'événement. Et puis, la porte de la chambre grince tellement que le simple fait de tourner la poignée risque de réveiller Sonia. Pour Sylvie, le sommeil de quelqu'un, peu importe son âge, est sacré.

Pendant ce temps, à la cuisine, Michel compose le numéro de Madeleine. Cette dernière répond à la première sonnerie.

— J'allais justement t'appeler, dit-elle d'une voix larmoyante. C'est effrayant. Des témoins assurent qu'ils ont vu l'auto de Martine et des siens tomber dans le trou de boue. Ils les suivaient. Ils ont juste eu le temps de rebrousser chemin.

— Comment ces témoins peuvent-ils être certains qu'il s'agit bien d'eux? demande Michel d'une voix sourde.

— Ils ont décrit l'auto. Ils suivaient celle-ci depuis Jonquière. C'étaient les voisins de gauche de Martine. C'est terrible!

Michel raccroche le combiné sans ajouter un mot. Il s'approche de la table et se laisse tomber sur une chaise. Lorsque Sylvie le rejoint dans la cuisine, elle devine à son expression qu'il a reçu d'autres nouvelles. Elle s'informe d'une voix douce:

— Alors?

Michel est sonné par la nouvelle. Tant et aussi longtemps qu'il n'avait aucune confirmation, il pouvait garder espoir. Mais là, il doit commencer son deuil. Martine, son mari et ses enfants sont morts.

— Ils sont tombés dans le trou avec leur auto, répond Michel d'une voix neutre. Et Sonia ?

— Elle dort à poings fermés.

— Si tu n'y vois pas d'objection, je vais aller faire un tour au magasin. Après, je passerai voir maman.

Une fois seule, Sylvie se demande comment elle présentera la nouvelle à Sonia. Même si celle-ci a refusé de révéler à Martine qu'elle était sa fille, il n'en reste pas moins que cette dernière était sa mère biologique. Et puis, outre cette situation particulière, Sonia avait beaucoup d'affection pour Martine. Sylvie se prépare un café et le sirote ensuite tranquillement. « Il n'existe pas de bonne façon d'annoncer une mauvaise nouvelle à quelqu'un. »

* * *

Junior vient à peine d'ouvrir les yeux. Quand il se retourne sur le côté et qu'il voit Édith, il sourit. Hier soir, ils ont pris une grande décision. Junior emménagera chez elle aussitôt que les cours seront terminés. Ils en discutaient depuis un moment. Ils entendent déjà tous les commentaires dont ils feront l'objet, non seulement dans leurs familles respectives mais aussi au cégep. En réalité, ce ne sera rien de nouveau puisque c'est ainsi depuis qu'ils ont commencé à sortir ensemble.

Junior caresse les cheveux de son amoureuse. Il lui arrive encore de se pincer pour s'assurer qu'il ne rêve pas. Sonia avait raison sur toute la ligne. Le cégep a changé totalement sa vie : non seulement il aime ses cours, mais il y a trouvé l'amour de sa vie. Il mettrait sa main au feu que sa mère ne sera pas d'accord avec sa décision. Mais

Junior se sent tellement fort et sûr de lui que peu importe ce qu'elle dira, cela ne l'atteindra pas. Il croit que son père sera content pour lui. Michel apprécie beaucoup Édith – plus que Sylvie, en tout cas. Parfois, Junior a l'impression que sa mère refuse de le voir grandir. Elle aimait Christine, mais pas totalement. Et là, c'est la même chose. Elle aime bien Édith, mais elle lui trouve les plus grands défauts de la terre ; le pire, c'est qu'elle ne se gêne pas pour le lui dire. Sonia le traitera d'abord de fou, mais la seconde d'après elle lui sautera dans les bras et lui dira qu'elle est très contente pour lui. La dernière fois que Junior a vu Alain, il lui en a glissé un mot. Son frère était heureux pour lui. Quant aux plus jeunes, ça ne devrait leur faire ni chaud ni froid.

Deux semaines, et la session sera terminée ! Junior aimerait bien annoncer tout de suite son déménagement à sa mère. Mais telle qu'il la connaît, il vaut mieux qu'il attende le jour de son départ pour lui apprendre la nouvelle. Sinon, elle mettra tout en œuvre pour essayer de le faire changer d'idée.

Junior dépose un baiser sur la joue d'Édith et se lève. Il vaudrait mieux qu'il se dépêche s'il ne veut pas arriver en retard à son cours. Quand il sort de la chambre, il arrive face au petit dernier. Sa doudou dans la main et son pouce dans la bouche, l'enfant est encore tout endormi. Junior le prend dans ses bras. Il lui passe la main dans les cheveux en chuchotant :

— Viens, on va réveiller ta maman.

Junior soulève les couvertures et dépose l'enfant à la place qu'il vient tout juste de quitter. Ensuite, il s'accroupit de l'autre côté du lit et secoue l'épaule d'Édith.

— Tu as de la petite visite à côté de toi. Il faut que j'y aille. À plus tard !

Avant de quitter la chambre, Junior attend qu'Édith se tourne vers son fils et le serre contre elle.

Épilogue

Les obsèques de Martine et de sa famille ont été tristes à mourir. Après discussion, Michel et Sylvie avaient décidé d'emmener seulement Sonia. Marie-Paule avait fait le voyage avec René ; ils voulaient rester quelques jours de plus pour rendre visite à la famille. Ni Michel ni Sylvie ne savent encore réellement comment leur fille a pris la nouvelle. Sonia s'est murée dans le silence à l'aller comme au retour.

Quant à Junior, le jour où il a fini le cégep, il est sorti de sa chambre après le souper avec tous ses effets rangés dans des sacs de plastique. Après avoir déposés ceux-ci près de la porte, il a annoncé, le sourire aux lèvres :

— Je vais m'installer chez Édith. On se verra dimanche soir.

Il a ramassé ses sacs et est sorti de la maison. Personne, pas même Sylvie, n'avait eu le temps d'émettre le moindre commentaire.